Татьяна Устинова

Татьяна Устинова

первая среди лучших

Ждите неожиданного

первая среди лучших

Татьяна
Устинова

Селфи с судьбой

Москва
2017

УДК 821.161.1-312.4
ББК 84(2Рос=Рус)6-44
У80

Оформление серии *С. Груздева*

Под редакцией *О. Рубис*

Устинова, Татьяна Витальевна.

У80 Селфи с судьбой : роман / Татьяна Устинова. — Москва : Издательство «Э», 2017. — 320 с. — (Татьяна Устинова. Первая среди лучших).

ISBN 978-5-699-95331-8

В магазинчике «Народный промысел» в селе Сокольничьем найдена задушенной богатая дама. Она частенько наведывалась в село, щедро жертвовала на восстановление колокольни и пользовалась уважением. Преступник – шатавшийся поблизости пьянчужка – задержан по горячим следам... Профессор Илья Субботин приезжает в село, чтобы установить истину. У преподавателя физики странное хобби – он разгадывает преступления. На него вся надежда, ибо копать глубже никто не станет, дело закрыто. В Сокольничьем вокруг Ильи собирается странная компания: поэтесса с дредами; печальная красотка в мехах; развеселая парочка, занятая выкладыванием селфи в Интернет; экскурсоводша; явно что-то скрывающий чудаковатый парень; да еще лощеного вида джентльмен.

Кто-то из них убил почтенную даму. Но кто? И зачем?..

Эта история о том, как может измениться жизнь, а счастье иногда подходит очень близко, и нужно только всмотреться попристальней, чтобы заметить его. Вокруг есть люди, с которыми можно разделить все на свете, и они придут на помощь, даже если кажется – никто уже не поможет...

УДК 821.161.1-312.4
ББК 84(2Рос=Рус)6-44

ISBN 978-5-699-95331-8

Электричка загудела и наддала, пассажиры качнулись вперёд, а потом назад. Пролетела, набирая скорость, осенняя бедная и голая станция под мелким дождём с тремя сошедшими дачниками в плащах и резиновых сапогах, и снова пошли за окнами поля и перелески, нищие деревеньки, и вдруг на горизонте над лесом возникла какая-то подозрительная труба, а потом переезд с бело-красным шлагбаумом, а к нему терпеливая очередь: две легковушки, «Газель» и лошадь с подводой — самая последняя.

Илья слушал басовитое гудение голоса в наушниках вначале внимательно, затем раздражаясь, а потом — то ли от покачивания поезда, то ли от того, что отвлекали мелькавшие за окнами чёрные ёлки и жёлтые берёзы — совершенно потерял мысль, выдернул из ушей пластмассовые штучки, заканчивавшиеся на тонких проводках, и стал тыкать в экран, чтобы остановить бухтение.

— ...дак вот я и говорю, — дедок напротив как будто продолжал рассказ. Илья взглянул на него с изумлением и неудовольствием и опять уставился в планшет, — что убить-то убили, а посадили-то безвинно обвиноваченного! А у нас всегда так, закон, что дышло: куда поворотил, туда, стало быть, и вышло, только все знают, что Петрович ни при чём! Вот хоть ты меня расстреляй — ни при чём Петрович!

— Какой Петрович? — машинально спросил Илья. Файл завис, и в наушниках, болтающихся на шее, всё продолжалось глухое размеренное бормотание.

Дедок удивился:

— Дак а я о чём тебе толкую?! Вон газетка-то у тебя заткнута, а там прям русским по белому сказано, что подозреваемый задержан! А какой он, на хрен, подозреваемый, если он не виноват ни в чём!.. Петрович не виноват, говорю!..

Не справившись с дурацким планшетом, Илья выдернул из гнезда наушники, чтоб в них не гудело, и скосил глаза на газету, засунутую в щель между спинкой и сиденьем. Он купил газеты в Ярославле, когда пересаживался с московского поезда на местную электричку, быстро и равнодушно прочитал, скомкал и бросил, решив, что лучше будет слушать доклад. Никодимов докладывал на учёном совете в минувший вторник, а Илья всё пропустил.

— А раз Петрович не виноват, — продолжал дедок, — стало быть, другой виноват! Кто-то ж её прикончил, не сама она... того, удушилась! Хотя кто вас разберёт, столичных...

Тут Илья вдруг сообразил, о чём дедок говорит, и это было... странно. Так странно, что он посмотрел внимательно и сел прямо, забыв про планшет.

— А чего ты глядишь на меня? Я старый уж, прямо говорю! Нету такого закону, чтоб людей в тюрьму сажать, потому что они, может, водку пьют и за себя не отвечают! Вот ты знаешь, почему Петрович водку пьёт? Вот ты можешь мне как следует ответить?

Дедок внезапно распалился, полез под синюю ватную куртку в нагрудный карман, сопя, покопался там, нацепил очки и уставился петушиным взором. Рядом с ним на пустом сиденье была утверждена корзина, укрытая куском брезента, в ногах стояла ещё одна, побольше, широкий потёртый ремень лежал у старика на колене.

— Нет, ты мне скажи, скажи!

— Да я бы сказал, — осторожно начал Илья, — но не знаю, что у вас случилось и кто такой... Петрович? И почему он водку пьёт, не знаю.

— То-то и оно-то! И никто не знает! А я знаю, я в Сокольничьем с малолетства вот такого живу! — Старик показал рукой невысоко от пола, почти вровень с корзиной. — А меня спросили? А вон соседей? А Клавдию? Клавдия в тот день с утра в лес ладилась, к обеду должна была вернуться, стало быть, путь ей один — мимо того магазина. И её не спросили!

Илья Сергеевич Субботин, доктор физико-математических наук, профессор и столичный житель, понятия не имел, как именно надо разговаривать в дальних электричках с привязчивыми стариками. И слишком невероятным было то, что попутчик *сам заговорил* о том, что в данный момент интересовало его больше всего, — об убийстве.

Слишком невероятно и странно.

— Ну, чего глядишь-то на меня?.. Я прямо говорю, как есть. На кой ляд Петровичу её душить? Он пьяненький был, да, кто спорит, бузил маленько, покрикивал. Гошка-милиционер его на площади усмирил да домой направил. А чего Гошка-то, он малец ещё! В отделение Петровича волочь? Так Петрович сроду в собаку камнем не кинул, не то что в человека! Поду-умаешь, нашли там у него чегой-то в карманах! Мало ли откуда оно у него взялось! Может, сама затетёха подарила, мы ж не в курсе!..

— Секундочку, — перебил Илья, — я сути не понял. Что случилось? Где? Кого убили?

Старик недоверчиво крякнул, сдёрнул с носа очки и ткнул ими в кипу газет:

— Эвон как! Читал, читал, а дело ни с места! Или неграмотный?..

— Грамотный, — сказал Илья нетерпеливо, — но вы мне лучше расскажите. Это интересно.

— Интересно, — передразнил старик язвительно. — Всем интересно, а Петровича, стало быть, в тюрягу, да? Чего там рассказывать, всё уж рассказано, вон пропечатано даже! Когда это? На позатой неделе, дня за два до выходных припожаловала затетёха эта. Она по осени очень уж любит у нас в Сокольничьем бывать. Это у вас, у столичных, называется родину любить. И она туда же: красоты, говорит, тута расстилаются, глаз не оторвать! А что, у нас и вправду красотища. На Заиконоспасскую горку взберёшься, по сторонам глянешь, до самых печёнок проберёт! Вот она и приезжает...

— Секундочку, — опять перебил Илья. — Кто она?

— Лилия Петровна, кто, кто!.. Курпулентная из себя дама, видная такая, — дедок показал обеими руками, какая видная дама Лилия Петровна. — С директором, само собой, дела какие-то имела, он у нас ловкач, директор-то, пробу негде ставить.

— С каким директором?

— Да с нашим! Впрямь неграмотный, что ли, парень? Или ты не в Сокольничье едешь?

Илья кивнул — именно туда.

— Дак к нам все нынче едут!.. Летом вообще от народу не протолкнёшься, в предзимье-то и весной потише. Давно ли так стало! Совсем село наше загибалось, пьянь одна да старичьё вроде меня, молодые все в Ярославль и в Москву подались, жить-то надо. Всё поветшало, в землю ушло, колокольня, почитай, завалилась! Один этот самый Дом творчества остался. А что с него возьмёшь, с Дома этого? Ремонту не было лет тридцать с гаком, двор весь бурьяном зарос, труба печная на честном слове держалась, так её ветром разнесло по кирпичику! И не ехал никто, кто ж поедет?! А при советской власти у нас и режиссёры всякие, и художники, и писатели — все живали! Пили — страсть, этого не отнять, душевно пили. Особенно эти, которые писатели. Вот, помню, приехал один, машина «Чайка» его привезла, знаменитый, стало быть, писатель! Постой, как его звали-то?..

Илья не удержался и опять перебил:

— Значит, раньше не ехали к вам, а теперь поехали, и эта Лилия Петровна тоже приезжала?

— То и дело приезжала! Я про то тебе и толкую, а ты слова сказать не даёшь!

— А про что вы мне толкуете?

— Про директора, Олег Палыча! Да кабы не Олег Палыч, пропали бы мы совсем!.. Ну, он молодой, энергичный, из новых. Лет десять назад явился и давай туда-сюда шуровать! Уж не знаю, где он денег наворовал, только наворовал, видать, знатно, потому дела у него пошли! Пошли дела-то! — Старик вытянул руку и стал перед носом у Ильи загибать пальцы. — Колокольню поправил, «творчество» отремонтировал, деревьев насадил, торговую площадь замостил, магазины открыл. Музей наладил, да не один! У нас их теперь, музеев этих, если посчитать, на круг больше пяти выходит. Вот давай вместе, гляди: Музей русской предприимчивости, Музей музыкальных феноменов...

— И всем руководит Олег Павлович?

— Он! Ух, оборотистый мужик! Жулик, видать, первостатейный!

— Да почему непременно жулик? — профессорским тоном вопросил Илья Сергеевич Субботин. До этого профессора удавалось сдерживать, а тут он всё же подал голос. Обычный парень Илья Субботин за ним не уследил. — Откуда вы знаете? Может, этот ваш знатный директор денег не воровал, а честно заработал?

Дедок даже поперхнулся от негодования:

— Да иди ты!.. Чтоб на Руси-матушке да не воровать?! Нет, вы поглядите на него, на голубя сизокрылого! И тратить! Деньги, добытые честно!

Илья посмотрел на старика, а старик на него. Электричка покачивалась, и небо заметно темнело.

— Так что дела-то он делает, наш Олег Палыч! А Лилия Петровна к нему наезжала, особенно по предзимью, говорю же. Она тоже дама непростая, на каждом пальце по бриллианту вот эдакому, автомобиль у ней, шóфер. Денег давала, это у вас мода такая, у столичных, деньги давать на восстановление храма! После табличку прикрутят к кирпичам, мол, такой-то или такая-то помогали храм того, ремонтировать. Все довольны.

— И кого убили?

— Дак её и убили, Лилию! И, главное, говорят, Петрович убил! А он ни сном ни духом, вот те крест! Чтоб Петрович средь бела дня живого человека, да ещё бабу, не сходя с места, удушил?! Быть не может такого! И главное, — тут старик подвинулся на сиденье и наклонился к Илье. От него странно, но приятно пахло то ли яблоками, то ли табаком. — Удушили-то её где?

— Где? — повторил Илья, контролируя профессора, чтоб опять не вылез с расспросами.

— Так у Зои в магазине! Ну, у Зои Семёновны, которая ещё экскурсоводом служит! Она магазин держит, там всякие скатерти, вышивки, кружева, бабская дребедень! Лилия-то Петровна страсть как любила прикупить чего-нибудь. Такого, говорит, полотна в Голландии не найдёшь!.. И покупает, Зойка-то и рада, кто там чего у ней берёт, слёзы одни. И в тот раз зашла. Ну, чегой-то спросила, а Зойка говорит: здесь нету, а дома есть, сейчас до дому сбегаю! И побежала, а Лилия в магазине одна осталась. Зойка возвернулась, а та на полу лежит и уж не дышит. Ну, сколь она бегала? Минут десять-пятнадцать, не боле. Тут полиция, Гошка прибежал. На покойницу вытаращился, рот открывает, чисто окунь! Ну, потом вырвало его в кустах-то, а как же, молодой пацанчик. Ну, в Ярославль стал названивать, а чего названивать, когда уж всё... Но! Не мог Петрович Лилию удушить, хоть у него, пьяного, какой-то ейный платок нашли или галстук, что ли!

— Секундочку, почему не мог-то?! — всё же встрял в разговор профессор Субботин. — Ведь если у этого алкоголика нашли какую-то вещь убитой...

— Помолчи, — властно сказал дедок. — Вот все вы такие, скороспелые! Не знаю, откуда там этот платок взялся, и знать не хочу, только Петрович сроду в Зойкин магазин не заходил и не зашёл бы никогда!

— Почему?

— А потому, Зойка — его бывшая, — как будто пропечатал старик и торжествующе откинулся назад. — Он из-за неё и запил, может!.. Когда она его на развод поставила!

— Что значит — поставила на развод?

— Ну, по суду с ним развелася, да ещё алименты с него потребовала. Он тогда сказал — не видать Зойке с меня ни копеечки, с завода уволился и стал горькую пить.

— Прекрасная месть, — оценил профессор. — Элегантная.

— Да ну тебя, чего языком мелешь!.. Вот менты приехали, всех алкашей местных обошли, у Петровича из кармана финтифлюшку Лилину выудили, составили протокол, и — готово дело! Сидит Петрович в Ярославском СИЗО, как будто он и убил. Вон даже в газете пропечатано! Раскрыто по горячим следам! По каким таким следам, спрашивается...

Илья подумал немного, стянул с шеи наушники и засунул в карман.

— Так, хорошо. А водитель этой дамы где был? Вы сказали, её водитель возит.

— Дак о чём и речь, парень! Не было в тот раз шо́фера при ней, и где он обретался, и на чём она приехала, одному богу известно. Нет, потом-то, уж когда она... того... померла... подкатила машина, и шо́фер выскочил, убивался за ней, как за матерью родной, но к магазину она пешком пришла, и Зоя божится, что не было автомобиля!

— Откуда она могла прийти? Из Москвы?

— Не иначе так! И Клавдия ничего не видала, я тебе про неё толковал, про Клавдию-то! Она утром за грибами маханула. Тоже баба несчастная, почитай, круглые сутки у плиты колготится, и бобылка, мужика-то нету. Вот у ней одно развлечение — в лес наладиться. Она, бывает, всякого впрок наготовит, бабам кухонным, подручным своим, ценные указания раздаст, и в лес, дух перевести. Ну, к обеду завсегда обратно на месте, на кухне, стало быть, а куда ж ей деваться, без неё всем делам остановка выходит. Дак она возвращаться одной дорогой могла, стало быть, мимо Зоиного магазина. И Петровича она там не видала, ничего не видала.

— Кто такая... Клавдия?

— Как кто?! Повариха из «творчества»! Ох, знатная повариха! Так сготовит, вместе с тарелкой съешь и не заметишь! И из себя видная, нигде господь не обидел. А ты разве не в «творчество» следуешь, парень? По виду тебе туда прямая дорога.

Илья Субботин оттеснил профессора и сказал, что да, он в Дом творчества.

— А ты по какой части? Артист или, может, писатель?

— Пожалуй, писатель, — согласился Илья.

— А чего писать-то будешь? Роман? Или, там, поэму?

— Я ещё подумаю, — сказал Илья. — Пока точно не знаю. Поэму хорошо бы.

— Вот Клавдиной стряпни и отведаешь! Она там с утра до ночи пропадает, в доме этом, на кухне! Харч приготовляет. Творческие все прожорливые, страсть! Особенно когда выпьют.

— А вы с директором знакомы?

— Мы? С Олег Палычем?! Куда нам, пентюхам немытым! Олег Палыч высоко летает, его телевизор показывает — то здесь его за инициативу наградят, то там. Инициатива — это, стало быть, село Сокольничье и мы, его обитатели! А ты, может, и познакомишься. В «творчестве» об эту пору народу немного, десяток человек, а Олег Палыч во всё сам входит, очень о гостях печётся. Особенно после того, как Лилия Петровна так неудачно заехала!.. Клавдея рассказывала, он уж ахал и охал — распугают народ, ездить перестанут, сроду у нас тут смертоубийства не было. Ни при Советах, ни при новой власти. А без народа нам куда? Некуда. Народ есть — денежки капают, а нет, так и... щи пустые.

Электричка взревела и стала плавно притормаживать.

— Тебе сходить, парень, — озабоченно сказал дедок, глянув в засиневшее окно. — А мне на следующей. Раз ты в «творчество», так повидаемся ещё, все на одном пятаке толчёмся, все в Сокольничьем. В Воскресенскую-то церковь сходи, красотища там неописуемая!..

— Непременно, — пробормотал вежливый профессор, — благодарю вас.

— Бывай, бывай, — развеселился старик.

Задевая объёмистым рюкзаком за спинки сидений, Илья пошёл к выходу и из-за раздвижных дверей тамбура, где крепко пахло табачным дымом, оглянулся. Его попутчик выудил из газетного кома листок и расправил, видимо, приготовляясь читать.

На вечернюю платформу из освещённой электрички вывалился народ, довольно много, на здании вокзала надрывался громкоговоритель — «при выходе из поезда не забывайте свои вещи», — за линией тёмных лип на площади уже зажглись фонари. Там толпились таксисты и из машин неслась музыка.

Илья поправил на плече рюкзак. Становилось холодно, воздух после тепла электрички казался колким, и хотелось сунуть руки в карманы.

Он спустился с платформы и пошёл вдоль решётки. «Пироги печёные, жаренные в масле» — сама собой прочиталась вывеска, и Илья подумал, что не отказался бы сейчас от пирога печёного, и от жаренного в масле тоже не отказался бы.

...И всё же странный старик! История, которую он рассказал, казалась почти невероятной. Собственно, не сама история, уточнил педантичный профессор, а момент, когда словно из воздуха материализовался его попутчик и начал рассказывать. Так не бывает, если исходить из некоей логики. Но старик совершенно точно был, от него приятно пахло то ли табаком, то ли яблоками, и история тоже была рассказана...

— Такси, такси до гостиницы! До Дома творчества машинка! В центр, в центр поедем? Дешевле только даром!.. Садись, парень, чего ноги топтать!..

Со всех сторон на него наседали таксисты, одного, совавшегося прямо в лицо, пришлось даже отстранить рукой.

— Вы в Дом творчества?

Илья оглянулся на запыхавшегося мужика и кивнул. Мужик на ходу достал из кармана бумажку, поднёс близко к глазам и прочитал почти по складам:

— Субботин Илья Сергеевич?

Таксисты, поняв, что состязание проиграно, приотстали.

— Он самый.

— Во-он машинка, Олег Палыч за вами выслал. Опоздал я маленько, переезд закрыт был. Хотя тут напрямки всего ничего, а если вкругаля, долго выходит...

Илья кинул в багажник рюкзак, помедлил секунду и уселся на переднее сиденье. Профессор Субботин никогда рядом с незнакомыми людьми не ездил, осторожничал и отчасти брезговал.

— Надолго к нам? В первый раз? — выворачивая руль и беспрестанно оглядываясь через плечо, спрашивал водитель. Он и спрашивал, и сам себе отвечал, машина двигалась неровно, рывками. — Видать, в первый, раньше я вас тут не видал! У нас хорошо, особенно летом! Речка рядом, водохранилище! Рыбалка, все дела. Сейчас, конечно, какая рыбалка, захолодало.

Он вырулил со стоянки и, кажется, вздохнул с облегчением. И машина вздохнула и покатила, не торопясь.

— Сейчас народу мало, но оно и хорошо. К нам за тишиной едут, за спокойствием.

— Да я слышал, что не слишком тут спокойно, — осторожно начал Илья.

— Это в каком же развороте? — удивился водитель. — У нас тишина такая, вот лист с дерева слетит — слыхать. Или, к примеру, птаха малая крыльями захоркает...

— Да не птаха, а женщину какую-то убили.

— Это да, — сокрушённо признался мужик. — Это было. Раззвонили на всю область через Интернет, да ещё по телику показали! Главное дело, можно подумать, только в Сокольничьем такое бывает! Кругом так! Куда ни ткни, везде обстановочка так себе, везде балуются...

— Хорошее баловство, — пробормотал профессор Субботин. — Убийство!..

— Да этого, который её задушил, сразу и взяли. Он, козлина, шарфик с неё сдёрнул, видно, продать хотел, так его с этим шарфиком и повязали. Так что вы не беспокойтесь, у нас тут всё под контролем.

— Под контролем, — повторил профессор себе под нос, и водитель скосил на него глаза.

— Вообще-то Олег Палыч нам строго запрещает про это говорить, про убийство, в смысле. Сплетни только разводите, а сами не знаете ничего, это он про нас, про персонал. — Слово «персонал» он выговорил словно с удовольствием. — А как не говорить, если нас спрашивают! Вон третьего дня дочка приехала ейная, ну, на машине, конечно, не вот на поезде! С женихом или с кавалером. Я их в Тутаево в Новоспасский собор возил, жених, видать, выпил маленько, за руль не полез. Так она меня тоже расспрашивала, дочка-то. И чего? Я молчать, что ль, должен?

— Чья дочка приехала?

— Покойной этой, — охотно объяснил водитель. — Убитой, то есть. Молодая девка, красивая, одета, как в журнале! Всё при ней. Я, говорит, в храм поеду, за упокой души мамашиной свечку поставлю. В Тутаеве храм старый, намоленный.

О дочке Илья Сергеевич предупреждён не был, и это его встревожило. Что понадобилось дочке на месте убийства матери? Да ещё так скоро? Прошло всего несколько дней.

— Так что вы отдыхайте себе спокойно, — продолжал водитель. — У нас места сказочные. Повариха в Доме творчества знатная, накормит от души, точно говорю.

— Клавдия? — проявил осведомлённость профессор Субботин.

— Она! А вы о ней уж слыхали, да? Я ей, главное, говорю: тебе, Клав, в сериале «Кухня» сниматься надо, а она мне: иди ты к шутам! Смеётся, значит. Вот она ругалась, когда эта петрушка приключилась, убийство, то есть.

— Почему ругалась? — не понял Илья.

— Да она тем днём с работы отпросилась и в грибы подалась, а возвращалась как раз, когда алкаш этот тётку душил. Эх, говорит, мне бы догадаться к Зое завернуть-то, мимо же шла! Может, ничего и не было бы, спугнула бы его, да и все дела. Зоя — это магазин «Народный промысел», — пояснил водитель, — там убийство и содеялось. Вот так живёшь, живёшь, не знаешь, где помрёшь!

И он глянул на пассажира, ища сочувствия и поддержки. Видно было, что ему хочется ещё поговорить о таком ужасном и огромном событии, посмаковать детали, изложить подробности, скорее всего выдуманные. Не зря директор Олег Палыч обеспокоен и запрещает «персоналу» сплетничать! Впрочем, Илье разговорчивость водителя была только на руку.

— А я слышал, что арестовали не того, — сказал он неторопливо. — Что алкоголик этот не виноват ни в чём.

— А кто тогда виноват? — обиделся водитель. — Я, может? Или Клава? Не, там без вариантов, Петрович это.

— Зачем вашему Петровичу понадобилось душить постороннюю женщину?

— Ничего он не мой! Какой мой-то?!

— Да ещё среди бела дня, да ещё в магазине? Туда в любой момент мог кто-нибудь зайти! Да и задушить непросто на самом деле. — Тут профессор попытался прикинуть силу натяжения шнура, необходимую для убийства, но остановил себя.

— Грабануть он её хотел, на водяру небось не хватало! Вот и убил.

— И... грабанул?

— Не, — покачал головой водитель. — Только шарфик и взял. Видать, перепугался.

— Остроумно, — заметил профессор Субботин. — Убить с целью ограбления и ничего не взять, кроме шарфа. Очень остроумно.

— Другое дело, — тут водитель понизил голос и слегка наклонился в сторону пассажира, словно решил сообщить некую тайну, — что я мимо магазина ехал, ну, минут за несколько до того, как... Ну, до того! Дверь нараспашку была, Зойка всегда так оставляет, когда открывает. Чего внутри там было, не знаю, с улицы не видать, только на лавочке сидел кто-то. То ли спал, то ли пьяный, я не понял. Я на него и не глядел, мне там поворачивать надо...

— Секундочку, — перебил профессор. — Кто сидел? Знакомый, незнакомый?

— Не, незнакомый. Он вот вроде... дремал как будто! Я ещё подумал: вставай, мужик, холодно, одно место отморозишь!.. А Петровича я после увидал, он от пристани вверх поднимался. Ну, пьяненький уже, конечно. Тоже вот что значит — судьба, а? Знал бы я тогда, что он тётку эту идёт душить! Ну, приехали. Говорю же, если напрямки, тут две минуты! У нас здесь всё рядом.

По тому, как водитель выскочил из машины, как открыл заднюю дверь и подал рюкзак, Илья понял, что хорошо бы ему заплатить, несмотря на то, что машину за ним «прислали». Он вытащил из заднего кармана джинсов купюру, сунул в холодную, жёсткую, как наждак, ладонь, и, видимо, сунул больше, чем требовалось, потому что водитель подбежал и открыл перед ним дверь.

— Вы, если куда понадобится, в Тутаево или на станцию, сразу мне звоните! Вот телефон мой, я мигом подъеду.

Илья пообещал звонить, подождал, пока машина в несколько натужных приёмов развернётся и уедет, и огляделся по сторонам.

Хорошо освещённая, широкая мостовая перед нарядным подъездом в русском стиле была вымощена брусчаткой, скорее всего — недавно. Старая, по всем правилам уложенная брусчатка не шумит и не воет под колёсами. Вдоль двухэтажного купеческого особняка горели солидные фонари, и все окна светились празднично, полоска газона была зелёной, ухоженной, как будто летней. Вход располагался в полукруглом эркере, тепло и призывно освещённом изнутри, с невысокой белой балюстрадой на уровне второго этажа.

...Вот молодец Олег Палыч! Оборотистый мужик, ничего не скажешь!..

Мостовая, постепенно расширяясь, переходила в небольшую уютную площадь, с двух сторон окружённую каменными двухэтажными домами. С третьей стороны был прудик, в котором колыхалась и подрагивала от ветра тёмная вода. Посередине площади высилась колокольня. Интересно, это та самая, которая чуть было не завалилась?..

Илья сбросил рюкзак на лавочку, вытащил из кармана перчатки и не спеша пошёл через мостовую к старым липам, просторно стоявшим на берегу прудика.

— Ой! А вы куда?

Илья оглянулся. Высокая дверь в эркер была открыта, из неё выглядывала женщина в накинутом на плечи платке. Она улыбалась и махала ему рукой.

— Я гляжу, машина подъехала, а гостя нету! Заходите, заходите, не стесняйтесь, холодина — страсть! А у нас топлено!

Илья повернул обратно.

— Что-то припозднились вы, мы вас раньше ожидали! Давайте я вещи ваши заберу.

— Благодарю, я сам.

— Олег Палыч звонил, осведомлялся, прибыли, нет ли, а мне и сказать-то нечего! Ну, слава богу, на месте!..

Вестибюль, как ему и полагается, был раззолочен, выложен сверкающей плиткой и уставлен прекрасными вазами — тут и там.

Впрочем, самому себе признался профессор Субботин, оформлено не без юмора.

— Можно паспорт ваш? Кухню мы предупредили, что ещё один гость у нас опаздывает, так что ждут вас, поужинаете, отдохнёте. Апартаменты самые удобные, как Олег Палыч распорядился. — Женщина хлопотала за конторкой, время от времени взглядывала на него и улыбалась. — В первый раз у нас? Понравится, завсегдатаем станете, вот помяните моё слово!.. У нас так не бывает, чтоб по одному разу приезжали. И от суеты отвлечётесь, и поработаете! Вы же работать приехали?

Илья согласился совершенно искренне — он приехал работать.

— У нас многие приезжают и работают!.. Вот фильм вышел недавно про инопланетян, не видели? Такой шикарный, рекламу целыми днями крутили! Так режиссёр и сценарист у нас целый месяц прожили, всё писали, писали!.. Целями днями напролёт!

— Это нонсенс, — вылез разомлевший было в тепле профессор Субботин. — Так не бывает. Чтобы сценарист с режиссёром днями напролёт работали. А водку они когда пили? По ночам?

Женщина засмеялась и покачала головой:

— Ну, не без этого, конечно, без этого у творческих личностей дело не идёт! Да вы и сами небось знаете, вы же писатель, инженер, так сказать, человеческих душ.

Профессор Субботин не знал, что он писатель.

— А Олег Палыч? На месте? Мне бы с ним переговорить.

— Ой, — огорчилась администратор. — Как раз нету его. Уехал, и давно уж. Велел вас встречать, принимать, как дорогого гостя, потчевать, ухаживать, а сам уехал.

Но я могу ему позвонить, — и она схватилась за телефон.

— Спасибо, не нужно, — остановил её Илья. — Завтра поговорим.

— Ваш номер на втором этаже, в самом конце коридора, там тихо, никто не обеспокоит. Люкс, называется «Николай Романов».

— Романов, — под нос себе пробормотал профессор, — да ещё Николай!..

— Я вас провожу, помогу с вещами.

Воспоследовали препирательства. Женщина настаивала на помощи и ухаживаниях, а Субботин отказывался и благодарил. Победа осталась за ним, и через пять минут он уже с изумлением оглядывал огромный роскошный номер. Здесь не было ни позолоты, ни сверкающей плитки, ни окаянных точечных светильников на потолке. Номер в точности оправдывал своё название — паркет, крашенные в синий цвет стены, дубовые шкафы в стиле модерн, полосатые кресла, оттоманка возле самого окна, а рядом старинный торшер, наводивший на мысль о толстой книге и чашке английского чаю, письменный стол с чернильным прибором, головой купидона и зелёной лампой на полированной каменной подставке.

Илья подошёл и приподнял лампу. Она тяжеловесно покачнулась и поехала у него в руке — всё настоящее, никаких пластмассовых подделок.

— Всевышнему Богу, — пробормотал профессор Субботин, отдёрнул белоснежную тонкую штору и посмотрел вниз, — и людям известно, что трачу я деньги, добытые честно...

...Кто такой этот всесильный и оборотистый Олег Павлович, принимавший его по первому разряду и воздвигший в номере в сельской гостинице дубовые шкафы в стиле модерн? Что за таинственное убийство произошло в этом уютном и странном мире? Что за люди живут за толстыми глухими стенами?..

...Пожалуй, расследование обещает быть интересным, хотя задача и кажется чрезвычайно простой. Поначалу профессор сомневался, стоит ли соглашаться — он не любил примитивных загадок! — а сейчас радовался, что согласился. Курс лекций, которые он читал студентам, начинался со второго семестра, и осенью, как правило, ему особенно нечем было заняться.

Какое-то движение внизу на лужайке привлекло внимание Субботина, но видно было плохо. Он выключил свет — комната как будто ухнула в непривычную, немосковскую темноту — и снова посмотрел вниз.

Этой стороной особняк был обращён в парк, и в темноте казалось, что парк огромен и запущен, как лес. Белый плотный туман, подпёртый снизу светом из окон, лежал над травой пластами. Не было видно ни дорожек, ни тропинок. Илья почти прижимался носом к холодному стеклу, и дыхание то расползалось у него перед глазами, то медленно таяло, и он снова начинал видеть. Тёмный силуэт, темнее деревьев, неторопливо двигался к дому, возникая и вновь проваливаясь, как в чернила. Илья вдруг подумал, что сейчас человек поднимет голову и увидит его, и почему-то от этой мысли ему стало не по себе.

— Чепуха, — пробормотал профессор Субботин, которому было не по себе. — Нонсенс! У вас же свет не горит, юноша. Снаружи ничего не может быть видно!..

Человек внизу некоторое время стоял неподвижно, словно поджидая кого-то. Илья прислушивался, но ничего не было слышно. Очень осторожно он повернул щеколду — в номере люкс «Николай Романов» на рамах были щеколды, — и, сильно и коротко дёрнув, приоткрыл окно.

Сразу зашумели листья, как будто листопад вошёл в комнату, потянуло сырым ветром и грибами.

— Ты где? — донеслось снизу. — Я тебя жду!

Человек ещё постоял немного, словно прислушиваясь, а потом побрёл обратно и вскоре исчез, растворился в тумане.

Илья перевёл дыхание.

Ничего не могло быть ни странного, ни подозрительного в том, что вечером по парку гуляет мужчина. Мало ли людей любит гулять по вечерам в парках!.. Но почему-то Илье этот человек под деревьями, явно ждавший и не дождавшийся кого-то, показался до крайности подозрительным.

Он зажёг свет и, поворачивая рюкзак туда-сюда, нащупал карман и достал записную книжку и ручку. Илья любил современные технологии, охотно ими пользовался, но действительно важное привык доверять бумаге. Он с удовольствием уселся за письменный стол — всё самое лучшее и самое интересное в его жизни происходило именно за письменным столом, — зажёг лампу и написал на желтоватой упругой странице: «Олег Павлович. Убитая Лилия Петровна и её дочь. Машина и водитель. Человек возле магазина. Повариха Клавдия. Шарф в кармане у задержанного».

Немного подумал и решил, что лучше не дописать, чем написать лишнее, перевернул страницу и нарисовал с обратной стороны огромный вопросительный знак.

«Народный промысел» оказался закрыт на замок, да ещё заложен поперечной перекладиной — кривовато. Впрочем, на такую удачу, как открытый в девять утра сельский магазин, Илья не особенно рассчитывал.

«Промысел» располагался в отдельном домишке, ни слева, ни справа не было ни домов, ни заборов, только яблони с пожухлыми, скрученными, побитыми первыми морозами листьями и почти облетевшие клёны. Магазин был справный, как будто подновлённый, как и дома на главной улице этого необыкновенного села, выкрашенный весёлой жёлтой краской, и казалось, что на него откуда-то светит солнце, хотя день начинался серый, маетный. В окнах его были выставлены манекены — серые, обрубленные сверху и снизу торсы. К торсам пришпилены кружевные воротники, манжеты, манишки, а в соседнем окне манекен был наряжен в вязанную крючком жилетку. Жилетка странно смотрелась на сером подобии человеческого тела, и хотелось её запахнуть. Приблизившись к окну вплотную и приставив козырьком ладони, Илья попытался рассмотреть, что там, внутри, и ничего не рассмотрел. С той стороны были задёрнуты шторы.

Он обошёл «Народный промысел» кругом, изучил все окна и зачем-то подёргал перекладину. Вот и лавочка, на которой, как рассказал словоохотливый водитель, незадолго до убийства дремал какой-то человек, и это совершенно точно был не Петрович, потому что Петрович в это время поднимался от пристани вверх.

...Почему оборотистый и ловкий до невозможности директор Дома творчества, как отзывался о нём дедок из электрички, так уверен, что Петрович не виноват? Почему это вообще пришло ему в голову? Почему по селу Сокольничьему ходят такие слухи? И что это за слухи — самые обыкновенные, ни на чём не основанные, как большинство слухов, или всё же кто-то что-то видел, запомнил, сопоставил?

Илья уселся на скамейку, глубоко засунул руки в карманы, закрыл глаза и прислушался к себе и окружающему миру.

В себе слушать было нечего — профессор Субботин сердито помалкивал. Во-первых, он терпеть не мог рано вставать, во-вторых, никогда не делал выводов, не располагая сколько-нибудь достоверными фактами, а фактов покамест не было никаких.

Окружающий мир поначалу не давал о себе знать — просто тишина, какой никогда не бывает в больших городах, — но постепенно стал проявляться. Вот отдалённо прогрохотала по брусчатке тяжёлая машина, и снова стало тихо. Хлопнула какая-то дверь, тоже неблизко. Из-под горушки, куда сваливалась шоссейная дорога, зазвучали голоса, но что они говорили — не разобрать. Видимо, там как раз пристань. Вдруг где-то электрическим звоном зашёлся звонок, и Илья подумал, что, должно быть, в местной школе кончился первый урок. Зашуршало совсем близко, пришлось открыть глаза. По опавшим листьям неторопливо бежала чёрная кудлатая собачонка, она остановилась, когда он пошевелился.

— Ты чья? — спросил Илья.

Собачонка повела ухом и отправилась по своим делам, вновь зашуршали листья.

Он поднялся и пошёл к перекрёстку.

Что-то хорошее ожидало его, и эта мысль о хорошем была очень определённой, но он никак не мог вспомнить. Вспомнилось только, когда он повернул за угол и увидел двухэтажный купеческий особняк — свой нынешний дом. Ну конечно!.. Завтрак!.. Хвалёная повариха Клавдия на самом деле оказалась какой-то волшебницей. Ужин он съел до крошечки, удивляясь, что такой талант пропадает в селе Сокольничьем. Впрочем, может, и не пропадает вовсе, а, наоборот, процветает?

Во всём этом ещё предстоит разобраться.

В приятных мыслях о завтраке и таланте Илья обошёл лужу — в кедах ноги совсем замёрзли, а другой обуви он почему-то не захватил, — и пройти ему оставалось всего ничего, когда из-за поворота прямо на него вылетела машина. Он не заметил её, потому что приближалась она стремительно и бесшумно, и она убила бы его, если б в последний момент, заметив её боковым зрением, он не отшатнулся назад. Падая, он, как в замедленном кино, увидел длинный-длинный полированный бок, хромированные диски колёс и ещё что-то огромное, блестящее, железное, промчавшееся в десяти сантиметрах от его головы.

Он упал на спину и в этом замедленном времени удивлённо и беспомощно ждал, когда в лицо ему ударит холодная грязная волна, поднятая колёсами машины.

Вода плеснула в лицо, он замотал головой, и время, остановившись на мгновение, вернулось к своему обычному ритму.

Илья Субботин осознал, что лежит в луже посреди села Сокольничьего и вода натекла ему в штаны и ботинки, а машина, чуть было не сбившая его, давно уехала.

Очень неловко он встал на колени, опёрся на руки и поднялся. В ушах шумела кровь, с пальцев капало, дышать было тяжело. Улыбаясь смущённой идиотской улыбкой, которая как бы должна была демонстрировать неким невидимым свидетелям, что всё происшедшее просто шутка, он выбрался из лужи на асфальт, зачем-то потопал ногами — в разные стороны полетели брызги и песок — и поотряхивал джинсы.

Шум в ушах немного утих.

— Нужно переодеться, — сам себе сказал Илья фальшивым голосом. — Всё мокрое.

Деловито размахивая руками, он зашагал к эркеру, и единственное, что заботило его, — чтоб никто не попался навстречу, таким униженным он себя чувствовал. Если б кто-нибдуь попался, он сгорел бы со стыда, и этот стыд казался ему страшнее, чем пролетевший в сантиметре от головы многотонный металлический снаряд.

Как крыса, он прошмыгнул по лестнице на второй этаж в люкс «Николай Романов», захлопнул за собой дверь и только тут смог отдышаться.

... Машина вылетела совершенно неожиданно и так быстро! Он ничего не заметил. Он даже приготовиться не успел. Если бы успел, то не оказался бы в таком идиотском положении!

Илья стягивал и швырял как попало мокрую одежду. Профессор Субботин испуганно помалкивал.

...Откуда она взялась, эта машина? Он, Илья, пришёл со стороны пристани, правильно? Магазин «Народный промысел» стоит на горке, а ниже река или водохранилище и... что там есть ещё? Какая-то скоростная магистраль, с которой могла свернуть машина?! Он ведь даже не разглядел ни цвета, ни марки — страх как будто на мгновение лишил его зрения.

Илья выудил из шкафа в стиле модерн джинсы, футболку и кофту на пуговицах и стал одеваться. Вчера вечером занудливый и педантичный во всём профессор Субботин разложил вещи «по местам», он всегда так делал во всех поездках и командировках!..

«...Меня собирались... убить? Кто и за что?! Я ещё даже не начал расследование! Но эта вылетевшая непонятно откуда, словно с неба упавшая машина только чудом не убила меня».

— Секундочку, — вслух сказал несколько приободрившийся профессор Субботин, — секундочку, юноша! Вам прекрасно известно, что переехать машиной человека, да ещё так, чтобы он помер, — очень ненадёжный способ убийства! Вы же физику знаете! Напугать — допустимо, сбить — вполне возможно. Но убить?

Илья сердитым рывком натянул футболку. «Со страху у меня разум помутился, — решил он, и щекам стало жарко, и щетина заколола как-то особенно остро. — Никто не собирался меня убивать!.. Тогда что? Пугали?

Зачем и кто? Что такого я сказал или сделал, что меня имело смысл вот так пугать?»

Никаких других башмаков, кроме насквозь промокших и грязных кедов, у него не было с собой, и он сунул ноги в носках в идиотские беленькие гостиничные тапки. Какая разница!.. Наверняка Дом творчества и не такое переживал!

В ресторане негромко играла музыка, звякала посуда и какие-то люди разговаривали — вчера он ужинал один и сейчас от удивления даже остановился в дверях.

— На любое свободное место садитесь, — вежливо сказала девчушка в кружевном переднике и наколке на завитых волосах. — Вон у окошка свободно, хотите?

— Здрасти, — в воздух сказал Илья Сергеевич Субботин и прошагал к столу «у окошка». Беленькие тапочки держались плоховато, он то и дело ловил их, делая антраша ногами.

— Доброе утро, — отозвался бодрый пожилой джентльмен, читавший над чашкой чая и остатками яичницы ярославскую газету, и проводил его глазами. Остальные промолчали.

Илья уселся, мстительно вытянув длинные ноги так, чтоб уж точно все увидели его тапочки.

Некоторое время он смотрел в окно, затем в карточку меню, подсунутую завитой девчушкой, а уж потом, дав присутствующим насладиться собой, перевёл взгляд на ресторанный зал и принялся рассматривать его заново, хотя вчера за ужином изучил довольно подробно.

Скатерти были белыми, стулья в малиновых чехлах. Стена увешана многочисленными часами, барометрами и прочими приятными глазу штуками. Странное дело, но все часы шли и даже показывали правильное время!.. В торце небольшой зальцы стояло кабинетное пианино, и на нём тоже были часы, одни явно старинные, с эмалевой крышкой. Профессору Субботину захотелось подойти и изучить их поближе, но Илья профессора остановил, не пустил. В простенках между окнами висели картинки — акварели, довольно милые.

Ну вот, а теперь пришёл черёд гостей Дома творчества. Кто здесь сценаристы, режиссёры, писатели, художники и поэты?

И тут же Илья столкнулся взглядом с мрачной девахой, облачённой в чёрные одежды. Деваха сидела напротив, что-то активно жевала, работала челюстями и смотрела на него, не отрываясь. На голове у неё были дреды, а голые по локоть руки все в наколках.

Профессор слегка усмехнулся, но Илья не дал ему сказать ни слова.

— Приятного аппетита, — пожелал он девахе.

Она проглотила то, что жевала, моргнула и произнесла низким отчётливым голосом:

— На редкость идиотское выражение.

Пожилой джентльмен выглянул из-за газеты и опять скрылся, какая-то девушка, сидевшая к ним спиной, оглянулась и сморщилась, будто от сдерживаемого смеха. В руке у неё был телефон.

Илья молчал, но глаз не отводил. Деваха скатала из хлеба шарик — у неё были длинные красивые пальцы, — кинула его в рот, опять с силой прожевала и продолжила:

— Желать приятного аппетита в нашей цивилизации — бред и враньё. Нужно желать мерзкого аппетита, чтобы не жрать! Сейчас жрать немодно. И потом — скоро на планете не хватит еды, и куда мы денемся с этим приятным аппетитом?

— Субботин Илья, — представился профессор вежливо.

Деваха махнула на него рукой. Зазвенели браслеты, брелоки и цепочки, намотанные на запястье. Так же колыхнулись цепи и кресты на бюсте. Бюст у неё был выдающийся, и Илья задержал на нём взгляд.

— Зачем мне ваше имя? Вы кто?

Илья осторожно уточнил, в каком смысле — кто?

— Вот именно, — заключила деваха. — И я об этом! Вам всем нужен смысл, и вы не можете понять, что никакого смысла нет. Есть только бессмыслица и скука.

— Ещё кофе? — тихонько спросила официантка, и деваха пробасила:

— Только нормального налейте, а не холодных помоев!

Пожилой джентльмен смял газету, подозвал официантку и что-то ей зашептал. Она зарделась, и джентльмен отечески потрепал её за локоток.

Вот как, подумал Илья.

Молодой человек, сидевший со смешливой девушкой, выглянул из-за её плеча, кивнул Илье и опять уставился в телефон, от которого не отрывался ни на минуту, ещё какой-то тип, очень лохматый, в болотного цвета свитере, тоже попросил кофе. А дама в самом углу так и не подняла глаз от планшета.

Илье принесли две тарелки с какой-то закуской, и деваха в дредах сказала на весь зал:

— Приятного аппетита желать не буду!..

— У нас всегда вкусно, — обиженно пробормотала официантка у его уха. — Правда вкусно!

— Я знаю. — Илья улыбнулся ей.

Он ел, стараясь не стрелять по сторонам глазами. Вчера вечером не удалось увидеться с директором, и это плохо! Он ничего не знает об этих людях, а следовало бы знать. Впрочем, он встретится с директором сразу после завтрака.

Омлет с сыром и зеленью был прекрасен, как молодая луна. Его полный, нежный край с тонкой корочкой возвышался над тарелкой, и весь омлет дышал и двигался, как живой. Илья некоторое время любовался им. На него имело смысл сначала полюбоваться, а только потом есть.

Девица в дредах вдруг захохотала, и Илья поднял на неё глаза.

— Вы любуетесь жратвой, как картиной, — сказала она и опять захохотала. — Или вы этот? Как его? Натюрмортщик? Натюрморты пишете?

— Натюрмортов я не пишу, — признался Илья и вилкой прикоснулся к огнедышащему омлету. Есть его было жалко.

В дверях зальцы произошло движение, кто-то провозгласил торжественно и даже отчасти празднично:

— Друзья мои!

Все завтракающие оглянулись. На пороге стояла невысокая худая замученная женщина со стянутыми в пучок гладкими волосами и в очках. Она изо всех сил улыбалась.

— Друзья! Доброе утро! Мы очень рады, что к нам присоединился ещё один гость! Здравствуйте, — она приложила руку к сердцу и поклонилась Илье. Он вскочил и тоже поклонился. — Сидите, сидите, что вы!.. Все позавтракали? Прекрасно! Напоминаю вам, что сегодня утром у нас экскурсия! Да-да, экскурсия! В Музей музыкальных феноменов! Это уникальный музей, единственный в России, где вы сможете увидеть всю эволюцию музыкальных инструментов! Допивайте кофе, я жду вас внизу! Да-да, внизу!.. Музей здесь рядом, экскурсия недолгая и очень приятная! Нам повезло, сегодня утром нет детских групп! Всё можно будет посмотреть, потрогать своими руками, сфотографироваться и сделать селфи с нашими уникальными экспонатами! — Тут она подмигнула игриво, словно сообщила некую тайну. — Жду! Всех жду внизу!..

И она исчезла так же внезапно, как и появилась. По лестнице протопали её резиновые боты.

Весёлая девушка тихонько рассмеялась ей вслед, поднялась, засовывая телефон в карман, и потянула своего соседа:

— Ванюш, мы же пойдём в музей? Давай, давай, вставай!..

— Подожди, я ещё один пост лайкну.

Джентльмен аккуратно сложил газету и пробормотал:

— Вот как тут откажешь? Нужно идти!

И деловито зашагал к выходу. Лохматый человек в болотном свитере поплёлся за ним следом. А дама в углу подняла глаза, оглядела зал и опять принялась читать. Теперь она читала какие-то бумаги, по виду похожие на договоры, планшет валялся на соседнем стуле.

Илья с удовольствием ел омлет.

— А вы чего? Не пойдёте феномены изучать?

Деваха в дредах качалась на стуле и ковыряла во рту зубочисткой.

— Я ещё не решил.

— Да, — согласилась деваха. — Неохота. Всем неохота!.. Но все пойдут. И знаете почему?

— Почему?

— Потому что притворяются.

Илья вопросительно смотрел на неё. Профессор Субботин отлично умел задавать своим студентам вопросы, не говоря ни слова. Эти безмолвные вопросы были гораздо труднее тех, что он произносил вслух.

Деваха сообразила, что от неё ждут продолжения, и послушно продолжила:

— Да, да, притворяются! Они все притворяются благородными людьми! И что жалеют Зою Семёновну, тоже притворяются! А как же! У неё в магазине кого-то там зарезали, она в истерике была.

— Зоя Семёновна? — уточнил Илья.

— Ага, — и деваха кивнула в сторону дверей, — вот эта, которая зазывала! Она ещё экскурсовод во всех местных музеях. Есть экскурсия — есть баблишко! Нет экскурсии — обломись! Все такие добрые, такие хорошие, и все врут!..

— Понятно.

Он доел омлет, одним глотком влил в себя кофе, нашарил на полу беленькие тапочки и поднялся.

Деваха, запрокинув голову, изучала его.

— Злитесь, — констатировала она с удовольствием. — А на меня все злятся. Я всех вывожу из себя! Вот и вас тоже! Вы теперь меня возненавидите?

Профессор Субботин помедлил, потом поманил её пальцем. Она — дурёха! — удивилась и поднялась.

— Даже не надейтесь, — сказал он ей на ухо.

На лестнице его догнала дама с договорами и планшетом. Он посторонился, пропуская её.

— Вы выиграли, — сказала дама и улыбнулась ему. — Наша поэтесса сидит там и строит планы мести. Не обращайте на неё внимания.

— Она поэтесса?

— Говорит, что да. В Сети сейчас множество поэтов и поэтесс.

— Ах, в Сети.

Дама улыбнулась ещё шире и подала руку. Рука была узкая, ухоженная, со сложным и тяжёлым кольцом на безымянном пальце.

— Екатерина. Можно Катя.

— Илья, больше никак нельзя.

— Ну что? В музей?

Он сказал, что ему непременно нужно повидать директора, и в нарядном вестибюле они разошлись в разные стороны.

Идти к неведомому Олегу Палычу в тапочках было как-то неловко, а с другой стороны — в чём тогда идти?..

Однако вчерашняя приветливая женщина за конторкой сказала, что директор ещё не приехал, он никогда в такое время не приезжает. Всё больше после двенадцати.

Илья Сергеевич вдруг разозлился.

В конце концов, он явился в Сокольничье только и исключительно потому, что Олег Павлович умолял его об этом — да-да, вот именно, умолял! И просил выкроить время, обещал заплатить! Вот именно, заплатить!.. Почему теперь, приехав, он, профессор Субботин, вынужден гоняться за ним, караулить, выяснять, когда директор объявится?!

Самым правильным было сию минуту пойти в музей, поговорить с Зоей Семёновной, под носом у которой произошло убийство, оглядеться по сторонам, познакомиться с обитателями Дома творчества, раз уж директор не удосужился ему о них рассказать, но... кеды? Он бросил их посреди номера «Николай Романов», и когда уходил завтракать, на паркетную розу натекла небольшая грязная лужица!

— У вас есть обувной магазин? — хмуро спросил он приветливую конторщицу.

— Обувного нет, — расстроилась она. — Хозяйственный — это да, есть, сразу за почтой.

— То есть башмаки негде купить? — продолжал приставать Илья, хотя всё было ясно.

— За площадью есть магазинчик, «Торговля Гороховых» называется. Они огурцами солёными торгуют, капусткой квашеной, мёдом. Иногда у них бывают... резиновые, кирзовые тоже... сапожки. Вам не подойдут, наверное.

— Наверное, — проскрежетал Илья Сергеевич.

...Не ехать же в Ярославль из-за того, что какой-то придурок на машине загнал его в лужу!..

В своих «апартаментах» он натянул мокрые и грязные кеды — ногам сразу стало противно и холодно, да ещё как-то местами, и нужно было ждать, когда противно и холодно станет везде, — куртку и вышел на улицу.

Зоя Семёновна притоптывала на месте и делала энергичные движения руками — грелась в ожидании экскурсантов. Молодая парочка на берегу пруда кормила уточек — молодой человек бросал хлеб, а девушка фотографировала себя на фоне молодого человека и уток; пожилой джентльмен прохаживался в отдалении, как будто маршировал на плацу; лохматый тип сидел на лавочке, свесив голову, и рассматривал букашку, ещё не впавшую в зимний сон. Букашка неторопливо ползла по жёлтой плитке.

— Ну вот, почти все в сборе! — возликовала Зоя Семёновна, когда позади Ильи хлопнула дверь и показалась Екатерина, закутанная в элегантные дымчатые меха. — Больше никого не ждём! Или ждём?..

Остренький носик экскурсоводши покраснел, она то и дело шмыгала им и поддёргивала сползающие очки. Ей бы решительно не помешали меха — хоть дымчатые, хоть недымчатые, любые.

— А где это «Торговля Гороховых», не знаете? — негромко спросил Илья у джентльмена. Тот сдёрнул перчатку и сунул ему холодную сухую руку:

— Николай Иванович.

— Илья Сергеевич. Можно просто Илья.

— Конкретно про Гороховых не знаю, а торговля здесь повсюду, — сообщил тот. — Вон магазин, и с той стороны пруда тоже магазин.

— Мне бы ботинки купить.

— Ботинки? — удивился джентльмен и скользнул взором по субботинским кедам. Сам он был в блестящих коричневых ботинках хорошей кожи и на солидной подошве. — Этого не знаю, не скажу. А огурцы солёные тут знатные!

— За мной, за мной! — призывала Зоя Семёновна. Она шла спиной вперёд и на ходу говорила: — Село наше на Ярославской земле было не просто знаменитым! Слава о нём неслась по всей России-матушке, и не только потому, что здесь выращивали знаменитые сокольничьи огурцы! Хотя и поэтому тоже! Сокольничье — огуречная столица России!

— А Луховицы что же? Не столица? — спросил Николай Иванович и погрозил Зое Семёновне пальцем. — Там даже памятник огурцу установлен!

— Памятник памятником, а наши огурцы к царскому столу подавали и за тыщу вёрст на подводах отправляли — вниз, в Астрахань, и вверх, в Кострому, хотя костромские огурчики тоже неплохие! Но, как мы знаем, на вкус и цвет...

— Все фломастеры разные, — пробормотал рядом лохматый, и Илья оглянулся на него. На лице у того отражалось страдание, глаза были красные и воспалённые, он поминутно облизывал обветренные губы.

— Водички нет с собой? — спросил лохматый, когда Илья оглянулся. — Я из ресторана чего-то... не догадался...

...Должно быть, вчера лохматый пил и остановился только под утро. Интересно, с кем он мог пить? Никто из экскурсантов не подходил ему в компанию! Один?..

— ...Знаменитый кирпичный завод! Здесь неподалёку на берегу реки Ухтомки подрядчик Крапивин в первой трети девятнадцатого века основал небольшой кирпичный заводик. Он был очень удачно расположен, да и глины хватало, и она была хорошего качества, и дело у Крапивина пошло. Вот почему село Сокольничье стало быстро богатеть и развиваться. В некоторых документах того времени наше село именуется городом. Считается, что Сокольничье похоже на Санкт-Петербург!

Двигаясь в небольшой группе и стараясь не думать о мокрых носках, Илья смотрел по сторонам.

...Удивительно, что в одном месте сохранилось так много крепких, солидных купеческих домов и особнячков. Войны и революции, на дыбы поставившие весь мир, не наделали здесь особенных бед? Но почему? Как это получилось?

С правой стороны в ряд стояли домики, похожие на магазин «Народный промысел», возле которого Илья утром сидел на лавочке, — двускатные крыши, круглое чердачное оконце, невысокое крылечко. «Продуктовая лавка» — сообщала длинная жёлтая вывеска, устроенная на старинный манер. С левой стороны морщился от ветра пруд, загороженный широкой плотиной. По плотине неторопливой рысью бежала каурая лошадка, катила тележку, на которой боком сидел мужичок в телогрейке и картузе.

Илья вдруг подумал, что в тележке в соломе непременно должны быть яблоки, твёрдые, красные осенние яблоки, холодные и восковые на ощупь. Порыться в соломе, залезть поглубже, раскопать такое яблоко, крепко обтереть его ладонями и надкусить, чувствуя, как стынут в плотной холодной мякоти зубы!..

Лошадь с тележкой, аккуратные домики, колокольня на той стороне и ещё, кажется, баня с подпёртой дверью — всё было из другой жизни, о которой Илья Субботин читал и которой не могло быть в действительности, но странным образом действительность соответствовала нарисованной воображением картинке.

— ...Российское предпринимательство шло своим, особенным путём, — надрывалась Зоя Семёновна. — Как нам известно из курса политической экономии, к концу восемнадцатого века в Европе уже вовсю развивалась промышленная революция...

— Ох, не могу я больше, — пробормотал рядом лохматый и скорым шагом двинул в сторону дома с жёлтой вывеской.

— Матвей! — закричала ему вслед несчастная Зоя Семёновна. — Матвей, вы куда? Нам дальше!

— Я догоню! — не останавливаясь, махнул рукой Матвей, и тяжёлая дверь на длинной скрипучей палке с пружинным звоном захлопнулась за ним.

— Болеет парень, — констатировал Николай Иванович. — По всей видимости, вчера злоупотребил!

— С кем не бывает! — радостно сказал Ванечка. — Я однажды тоже так набрался, наутро думал — помру. Помнишь, Лилечка?

Весёлая девушка махнула на него рукой:

— Ну тебя. Хорошо, что меня мама тогда домой забрала, а то бы я с тобой ещё возилась!

— А кому ещё со мной возиться?

— Ну-у, ты будешь в клубах зажигать, а я за тобой ухаживать, что ли? — И она бросила в него перчаткой. Он поймал перчатку, взял в зубы и стал ходить туда-сюда, изображая циркового пуделя.

Все засмеялись.

— Ждать нам Матвея Александровича или не ждать? — сама у себя спросила экскурсоводша. — Он же догонит! Как вы думаете, догонит?

В этот момент Матвей выскочил из продуктовой лавки. Карманы куртки у него с обеих сторон длинно и выпукло оттопыривались, а в руке он держал завязанный сверху полиэтиленовый пакет.

— Вот и ждать не пришлось! — возликовала Зоя Семёновна. — Итак! Кирпичный завод очень быстро стал известен не только за пределами Сокольничьего, но и за пределами Ярославля. Все кирпичи, которые завод выпускал, были именными, на них стояли такие специальные клейма, сейчас в музее я покажу вам, как они выглядели, и до сих пор в Петербурге, да и в Москве в старинных домах можно увидеть кирпичи именно с нашими клеймами.

Илья, двигая ногами в мокрых кедах, пошёл следом, но кто-то придержал его за руку. Он оглянулся.

— Слушайте, мужики, — сказал Матвей, обращаясь к Илье и Николаю Ивановичу, и облизнул губы. Николай Иванович смотрел на него полковничьим взором. — Я вот тут взял... что было. Тяпнем, а? Выручайте.

— Прямо здесь?! — спросил Николай Иванович и оглянулся.

— А закусить? — спросил Илья и тоже оглянулся.

— Закусить есть! — И лохматый Матвей потряс перед ними мокрым кульком. — Огурцы солёные. Говорят, здесь какие-то офигенные огурцы!..

Николай Иванович радостно прочистил горло и крикнул зычно:

— Зоя Семённа, куда следовать прикажете? Этот дом или соседний? Мы с товарищами отлучимся на минутку, вот... Илья Сергеевич ноги промочил! Переобуться бы! Да мы догоним!

— Где же это вы? Как же это вы? — захлопала крыльями курица Зоя Семёновна, но Николай Иванович уже удалялся бодрым пружинящим шагом, а за ним, как две большие собаки разных пород, трусили замёрзший Субботин и лохматый Матвей.

— Вон там за углом чудесная лавочка поставлена, — на ходу говорил Николай Иванович. — Мы там разместимся.

Моментально они домчались до «чудесной лавочки», и Матвей извлёк из одного кармана поллитровку, а из другого пузатую зелёную минеральную воду.

— Запивать будем? — усомнился Николай Иванович. — По-аглицки?

Илья ещё раз оглянулся. Пить с незнакомыми людьми в одиннадцатом часу утра на лавочке ему было внове.

— А разлить?

— Есть, всё есть!..

Появились пластмассовые стаканы, водка забулькала, и командир приказал:

— Ну, взяли!

Матвей маялся, морщился и отворачивался, Илье было интересно и весело, а Николай Иванович делал дело.

— За что пьём? А! За знакомство и за то, чтоб в другой раз без последствий!..

И опрокинул водку в себя. Илья тоже опрокинул, а Матвей глотнул, задышал ртом и припал к минеральной воде.

— Что такое?! — тоном врача, распекающего пациента, воскликнул Николай Иванович. — До дна, до дна!

— Не могу я, противно мне!

— А вчера было не противно?! Давай, давай, как лекарство!

Матвей с усилием проглотил водку и зашарил в уже развязанном пакете.

— Огурцы на самом деле первый сорт, — хрустя, сказал Николай Иванович. — Интересно, что такое они в маринад кладут?..

Илья тоже взял холодный и плотный огурец в налипших укропных семечках, откусил и стал жевать.

От водки в животе моментально сделалось горячо и просторно, а от огурца солоно и терпко — хорошо!

— Ну, ещё по одной и вперёд! К искусству!

— Водку пьёте? — спросили рядом, и все трое оглянулись. — А Зоя Семённа чего? Бросили?

Утренняя собеседница Ильи Субботина, глубоко засунув руки в карманы кожаного «бомбера», с интересом взирала на водку и пакет с огурцами.

— Мне нальёте?

Николай Иванович засомневался, и видно было, что он сомневается.

— Девушкам по утрам пить не полагается, — наконец сказал он.

— Да ладно! У нас уже сто лет равноправие!

— У вас, может быть, и равноправие, — отчеканил Николай Иванович, — а у нас нет.

— Да я водки выпила больше, чем вы за всю жизнь!

— Николай Иванович, — вмешался Илья. — Вы затягиваете эпизод. Налейте ей, и дело с концом.

— А я больше не буду, — испуганно сказал Матвей, сделал шаг назад, наступил Илье на ногу и не заметил. Илья поморщился и посмотрел. На мокром кеде отпечатался след чужой рифлёной подошвы. — Я вот лучше огурчика!..

Джентльмен пожал плечами — недовольно — и разлил по стаканам оставшуюся водку.

Илья дожевал свой огурец и вытащил из пакета ещё один.

— Как вас зовут?

— Ангел, — ответила деваха.

— Так я и знал, — сказал профессор Субботин. — Тост, Николай Иванович!

— Всем здоровья до ста лет, — четко объявил джентльмен.

Деваха фыркнула, широко разинула белозубую пасть и лихо выплеснула туда водку. Илья наблюдал с интересом. Выплеснув, деваха, ясное дело, начала надсадно кашлять, мотать головой и выпучивать глаза. Свалявшиеся, как войлок, хвосты её причёски мотались по сторонам.

Николай Иванович покачал головой с осуждением, отвернулся и захрустел огурцом. Илья аккуратно поставил пустой стакан на лавочку, подумал — деваха задыхалась и хрипела — и с силой постучал её по спине. Она сдавленно всхрюкнула и качнулась вперёд.

— Вы если чего-то не умеете, — поучительным тоном произнёс профессор Субботин, — так не делайте или сначала научитесь!

— По... шёл... ты! — пролаяла страдалица.

Она всё продолжала кашлять, профессор опять учтиво постучал. Из-за воротника её негнущейся и громоздкой, как стог, куртки вылезла наивная белая магазинная бирка. Илья заправил бирку — профессор терпеть не мог неаккуратности!..

Побросав в урну пластмассовые стаканчики и пустую поллитровку, они устремились за экскурсией и нагнали её в нижнем этаже красного кирпичного дома, на котором значилась вывеска, что это — музей.

— Ну, взглянем, что тут за феномены, — под нос себе говорил Николай Иванович, стягивая пальто, — в знаменитом селе Сокольничьем!..

Небольшая зала была уставлена разнообразными музыкальными ящиками, фисгармониями, механическими пианино, кабинетными орга́нами с пупырчатыми латунными валиками — по валику двигалась металлическая пластина, и орга́н играл музыку, — а также граммофонами, патефонами и фонографами. Были ещё музыкальные шкатулки и какие-то громоздкие машины по извлечению звука из чего угодно — из струн, деревянных и железных штуковин, с педалями и колками, войлочными молоточками и рукоятками, похожими на колодезный ворот.

— В этом помещении, — говорила не видимая за спинами Зоя Семёновна, — у нас собраны многочисленные увеселительные устройства, бывшие в ходу у жителей Ярославской губернии в конце девятнадцатого и в начале двадцатого века. В те времена, представьте себе, не было телевизоров и мобильных телефонов, и люди развлекались совершенно не так, как сейчас.

Ванечка обнял свою спутницу, они оба, как по команде, состроили одинаковые улыбки, и девушка сделала селфи на фоне механического пианино. Потом они перебежали к столу с музыкальными шкатулками и там сделали селфи тоже. Затем переместились к окну и ещё несколько раз запечатлелись.

— А где же Матвей Александрович? — вдруг спросила Зоя Семёновна совершенно другим, не экскурсионным голосом. — Потерялся?

Илья оглянулся — и вправду никакого Матвея среди собравшихся в зале не было. Странное дело. Когда же он отстал?

— Продолжайте, Зоечка Семёновна, — ласково сказал Николай Иванович. — Он, должно быть, погулять решил!.. Зато мы вот... девушку к вам доставили.

Сетевая поэтесса по имени Ангел смотрела злыми глазами. Куртку она так и не сняла.

Илья голову мог дать на отсечение, что при известии о том, что Матвей «решил погулять», Зоя Семёновна огорчилась и утратила интерес к экскурсии.

Выходит, она ради него старалась?! Или дело в чём-то другом? Может, она... следит за Матвеем? Боится упустить его из виду?

— Здесь всё можно трогать руками, — продолжала увядшая Зоя Семёновна. — И фотографировать можно...

Видимо, это было сказано специально для парочки, которая только и делала, что фотографировалась.

— Вот такой музыкальный ящик можно было увидеть в гостиной зажиточного крестьянина или средней руки купчика. А такое развлечение могли позволить себе только люди побогаче. Инструменты покупались для жён и дочек, которые целыми днями сидели дома, и единственной отрадой для них были модные музыкальные пьески и гуляние по главным улицам. Таких в Сокольничьем было три — Ярославская, Середская и Давыдковская.

Сильные пальцы впились Илье в запястье.

— Я водку пить умею, — прошипела поэтесса. — Я поперхнулась просто!

Он скосил на неё глаза. Рукав куртки задрался, обнажив нечистую, как будто смазанную синеву татуировок.

— А ты пошляк! Водочка под огурчик, музыкальные феномены! Пальцем поманил и думаешь — умнее всех, да?

Профессор Субботин аккуратно вытащил руку из поэтессиных когтей. Такой бурной реакции он не ожидал. Нужно быть внимательнее, сказал он себе. Ссориться с ними и вообще как-то выделяться не стоит. Он ничего о них не знает, — насколько проще было бы, если б директор имел привычку приезжать на работу вовремя, а не после двенадцати! Сейчас можно только наблюдать и задавать ничего не значащие вопросы.

— Вы Матвея не видели? — примирительным шепотом спросил Илья у поэтессы. — Куда он делся, непонятно.

— Никого я не видела!..

— Да, насколько по-другому люди жили, — негромко сказала рядом Катя. — А времени-то прошло всего ничего.

Она подошла к окну, приподняла занавеску и посмотрела на улицу. Зою Семёновну никто не слушал.

— Скучно жили! — издалека поддержал Катю Ванечка. — Ведь на этой музыке далеко не уедешь! И улиц всего три! Лилечка, ты бы согласилась гулять взад-вперёд по трём улицам?

— Я?! По улицам гулять?!

— А что? Купчихи же гуляли!

— Я тебе не купчиха, — обиделась девушка.

— Нет, но если бы!..

— Я бы отсюда уехала в Париж, — объявила девушка. — В Париж ведь всегда можно уехать!

— Не всегда, — почему-то ответила Зоя Семёновна. — В Париж можно уехать не всегда. — И встрепенулась. — Пройдёмте в следующий зал, там продолжение экспозиции, и мы познакомимся с некоторыми подробностями быта жителей Сокольничьего, а также с уникальной технологией выращивания и хранения наших знаменитых огурцов.

— Лилечка, ты умеешь выращивать огурцы?

— Я умею их есть! Битые огурцы, помнишь, в китайском ресторане? Я забыла, как он называется! Вкусно было.

— Слушай, давай ещё на фоне вот этой штуки щёлкнемся!.. Ты выкладываешь?

— Да выкладываю, но здесь вай-фая нет! Только мобильный Интернет, и тот еле шевелится.

Поэтесса большими шагами пошла к выходу — музыкальные феномены задрожали и забренчали ей вслед, — хлопнула дверь.

— Отряд не заметил потери бойца! — провозгласил Николай Иванович. — Екатерина, если желаете, могу вас сфотографировать. Возле окна романтично.

— Нет, спасибо, — отказалась Катя. — Пойдёмте, там Зоя Семёновна одна.

Из музея Илья выходил самым последним. Он долго рассматривал фотографии, запечатлевшие бородатых мужчин в шапках пирожком, коротких пальто и сапогах и женщин в длинных юбках и блузках с широкими рукавами. Рядом с женщинами, как правило, было несколько перепуганных детей в белых рубахах и улыбчивая такса. Дальше следовали фотографии возов, в которых лежали огурцы — холмами, а потом фотография площади, судя по колокольне, той самой, на которую выходили окна Дома творчества.

Ванечка и Лилечка давно умчались, Николай Иванович проследовал за Катей — на некотором расстоянии, но всё же не отдаляясь, а Илья продолжал рассматривать фотографии. Ноги в музейном тепле как будто размокли, и теперь в кедах хлюпало по-настоящему.

Наконец Зоя Семёновна вышла из двери с табличкой «Служебная» и стала торопливо спускаться по деревянной крашеной лестнице. Локтем она прижимала большую сумку, похожую на кошёлку, а другой рукой заправляла под капюшон волосы.

— Зоя Семённа!

— А! — Она испуганно оглянулась.

— Прошу прощения. Где здесь «Торговля Гороховых»? Мне бы обувь какую-нибудь купить.

Она посмотрела с сомнением:

— Тамошняя обувь вам не подойдёт, — сказала она. — Ну, ступайте за мной, я покажу.

Она придержала перед ним дверь.

День разошёлся, и тучи разошлись, выглянуло солнце, и стало ещё холоднее. Илья пожалел, что он без шапки.

Всё вокруг было залито холодным ярким светом. Колокольня упиралась золотым крестом в одинокое облако с сизым набрякшим дном. Листья, устилавшие траву, были ещё цветными, сочными. На берегу речушки с другой стороны плотины стояла большая задумчивая лошадь с мохнатыми ногами. Какие-то мальчишки прокатили на велосипедах и взвились в горку, как стайка воробьёв.

Зоя Семёновна покачала головой:

— Холод такой, а они на велосипедах. Отчаянные! Хотя им лишь бы в школу не ходить.

Илья хотел было спросить, есть ли у неё дети, но передумал и не стал спрашивать.

— Хорошее у вас село.

— Да всё Олег Палыч! Если б не он, ничего бы тут не было. С него всё началось. И работа появилась, и народ поехал!

«...Ну, это я уже слышал», — подумал Илья.

— В Доме творчества народу, прямо скажем, не очень много.

— Так ведь осень, — Зоя Семёновна на ходу пожала плечами. — Сейчас ни купания, ни ягод-грибов. И не погуляешь особенно.

— А наша повариха Клавдия за грибами ходит.

— Так ведь она знает, куда идти-то! У неё отец до снегов грибы носил, и она умеет. А я даже летом пойду, все с полными корзинами, а у меня три грибочка. Во-он «Торговля Гороховых», видите? Тут у нас всё на виду, рядышком.

— А там что? Часовня какая-то?

— Источник, целебный. Правда, правда! Спуститесь, попейте водички. Повредить точно не повредит, а то и поможет!..

— Зоя Семёновна, а правду говорят, что у вас тут недавно женщину убили?

Она остановилась. Очки сползли, и она нсловко поправила их пальцем.

— Да что же это такое, а? — спросила Зоя и раздула ноздри. — Сколько ж это будет продолжаться?! Что вы все ко мне привязались?! Я не виновата, что он её убил! И не знаю, не видела!

Илья не дрогнул.

— Извините меня, — взмолился он и прижал руку к куртке, то есть как бы к сердцу. — Я только что приехал, и... ну, мне рассказали!.. Вы же интеллигентный человек и всё понимаете. Для Сокольничьего это тема номер один на много лет вперёд! Все будут спрашивать!

Упоминание об интеллигентности несколько смягчило Зою Семёновну, и профессор Субботин себя похвалил.

— А мне что делать? Пристают и пристают! Господи, уеду я отсюда, только бы не приставали! Да ещё Витька! Он мухи не обидит, а тут говорят — убил!..

— Так, может, не он убил? Как вы думаете? — осторожно спросил Илья и ошибся!..

Зоя Семёновна стала хватать ртом воздух, замахала на него кошёлкой, замотала головой и стала отступать:

— Что тебе надо?! Что ты ко мне привязался?! Витька убил! Витька убил и сидит! Он, он убил!.. И пусть сидит!

И она бросилась бежать, оставив удивлённого профессора посреди залитой холодным солнцем площади.

— И эту тоже из себя вывел? — спросили рядом. — Или ты просто её укусил?

— Где вы прятались? — осведомился профессор Субботин. — Под кустом? Я вас не заметил.

— Я не пряталась, — объявила поэтесса. — Я просто хотела тебе сказать, что всегда нужно точно знать, с кем имеешь дело! Иначе попадёшь впросак, понял? Вот ты же меня совсем не знаешь!

Раздумывая, что могло так напугать Зою Семёновну, Илья отрицательно покачал головой.

— Не знаешь, — подтвердила поэтесса. — И не узнаешь никогда! А мне, может, просто скучно жить!

...Витька, судя по всему, и есть тот самый алкоголик Петрович, бывший муж экскурсоводши. Почему она закричала — Витька убил и сидит?.. А до этого сказала — он мухи не обидит? Что из этого правда? И почему так важно, что сидит этот самый Витька?

— Я решила, что всем и всегда буду говорить правду. Вот ты часто говоришь правду? Или тебе плевать?

Зоя Семёновна скрылась за углом, пропала из глаз. Илья перевёл взгляд на поэтессу, которая топталась рядом.

— Почему вы называете меня на «ты»? Что за амикошонство?– осведомился профессор Субботин.

Деваха фыркнула, её дреды колыхнулись. Она сунула в них палец с розовым ногтем и энергично почесалась.

— Какие он слова знает! Сколько тебе лет, умник?

— Э-э... тридцать пять.

— Так ты ещё молодой! — И она с силой стукнула его по плечу. — Я думала, ты старше! А я всех молодых называю на «ты». Я терпеть не могу притворства!.. Зачем люди называют друг друга на «вы»? Затем, что они притворяются вежливыми! На самом деле всё сводится к тому, что никто никого не уважает, в грош не ставит! А зачем тогда выкать?! Ты историю русского крестьянства читал?

Илья ещё постоял немного, раздумывая, и пошёл в сторону «Торговли Гороховых».

— Так вот там написано, что на «вы» обращались только к барину, да и то к чужому! Понимаешь? Крестьяне были от земли, от самого корня жизни, они не умели притворяться!

— А почему вы привязались именно ко мне? — поинтересовался профессор Субботин. — Почему не к Матвею?

— Я к тебе не привязывалась! — вспылила деваха. — Ты просто вёл себя, как классная дама! И я решила с тобой поговорить. Может, ты ещё не совсем потерян! Может, в тебе есть нечто человеческое и с тобой можно договориться!

— Договориться со мной нельзя, — перебил Илья. — Как вас зовут? В паспорте что написано?

— Ангел, — сказала деваха, и у неё покраснела шея. — Тебе что, паспорт показать?

— Ни в коем случае! — возразил профессор Субботин. — Вы разразитесь речью о бесполезности документов и о том, что у русского крестьянства вовсе не было паспортов. Зайдём?..

Он распахнул и придержал перед ней крашенную коричневой краской дверь в «Торговлю Гороховых».

В лавке было полутемно и сильно пахло укропом, тмином и ещё чем-то, принадлежавшим к соленьям и маринадам. С правой стороны тянулась длинная конторка со старинными весами — две чашки на длинных цепях, в чашках гирьки. Под сводчатым амбарным потолком висели непонятного назначения ткани, а вдоль стены стояли сундуки и бочки. В бочках громоздились, придавленные камнями, разбухшие деревянные круги.

За конторкой никого не было.

— И где тут могут быть сапоги? — сам у себя спросил Илья. — Кирзовые или хотя бы резиновые?

— Какие сапоги? Ты чего, коллекционируешь сапоги? Или ты с ними фотографируешься?

— Я ношу их на ногах, — сообщил профессор Субботин. — Как русское крестьянство. Об этом написано в книге, которую вы читали?

...Он вовсе не собирался её дразнить! На самом деле не собирался! Отчего-то ему было жаль нелепую деваху с её голой замёрзшей шеей, синими руками и слишком огромной и неудобной курткой с дурацкой магазинной биркой! Нельзя было поддаваться жалости, и он старательно не поддавался.

— Здравствуйте, здравствуйте, проходите, — налегая на «о», пропела толстая бабка в платке, вынырнувшая из задней двери. — Вам чего, родненькие? Огурчиков, капустки?

— Говорят, у вас сапоги бывают?

— Сапоги-и? — протянула бабка тоже как-то округло. — Есть, как не быть! Резиновые, есть и кожаные. Поглядите?

Она вывалилась из-за конторки, они посторонились, подкатилась к тёмному буфету, открыла дверцу, упористо стала на колени и зашарила внутри.

— Вот одни сапожки, резиновые, а вот ещё... щас... кожаные...

Из буфета вывалились огромные уродливые штуки — «сапожки резиновые», а потом ещё что-то. Поэтесса ткнула пальцем в кучу:

— Ты вот это носить собираешься? Или ты рыболов-спортсмен?

— В резиновых уж холодно, хотя если носок поднадеть, может, и ничего, — говорила бабка. — А кожаные одни у меня такие, это дядя Вася Галочкин пошивает, он уж старенький совсем, а сапожник знатный. К нему в семидесятых из Ярославля модницы ездили обувку заказывать. И председателю райисполкома, и колхозному начальству только он сапоги и шил. А как на колодку сажал, как бочки́ прилаживал, лучше всех покупных и заграничных! Да говорю, старый он стал, невмоготу работать. Ну чего? Прикинешь на ногу-то? Вон садись на сундук!..

Илья Сергеевич уселся на указанный сундук и с наслаждением стянул мокрый резиновый кед.

— Тю! Да у тебя там болото, гляди, лягушки заведутся! Подожди, носок дам сухой, так не лезь!

Бабка выдвинула ящик и, порывшись, достала пару бумазейных армейских носков, сцепленных белой ниткой.

Кожаный сапог, сработанный знаменитым дядей Васей, был рыжего цвета, странно лёгкий, но на толстой, как будто многослойной, подошве.

Нога даже в сухом носке в узкое голенище лезла с трудом. Бабка стояла над Ильёй и руководила:

— Ты штанину-то, штанину подматывай, как портянку! Вот молодёжь, ничего не умеете! А если вдруг в отечестве война, в чём по дорогам пойдёте, в шлёпанцах этих, что ли? Второй рукой-то помогай! Пусти, я сама, бестолковый!..

Но Илья уже втиснулся в сапог.

...Собственно, выбор был невелик. Или сапоги, или беленькие гостиничные тапочки. В Ярославль он за башмаками не поедет, а Николай Иванович вряд ли одолжит ему свои.

— Ну чего? Удобно ноге-то?

Илья нагнулся, нашарил второй сапог и стал натягивать.

— Ты ещё меня вспомнишь, — приговаривала бабка. — И дядю Васю!.. Им сносу нет, сапогам этим, внук твой будет носить! И в лесу — самое милое дело, нога не упреет, с кочки не соскользнёт! Резиновые перед этими сапожками — тьфу!

— Зато резиновые в моде, — подлила масла в огонь поэтесса. Она наблюдала всю сцену с живейшим интересом. — И не промокают.

— Тю! Не промокают!.. — Бабка презрительно махнула рукой на громоздившуюся возле буфета резиновую гору. — И хде они не промокают-то, у них в Китае, что ль?! Весь товар китайский! Поди-ка денёк походи в резине, не промокают! А в дяди-Васиных ножки как новенькие будут!.. Слышь, парень, если в болото полезешь, сначала дёгтем сапоги намажь как следует, а сушить ни на печке, ни на батарее нельзя, всю кожу попортишь. Лучше всего на чердаке за стрехой повесить. В каждый сапожок овса насыпать, овёс всю влагу вытянет, да и зацепить, чтоб маленечко ветерок обдувал.

— Зачем тебе такие сапоги? — спросила поэтесса у Ильи. — Всё равно выбросишь. Оставь для тех, кому они на самом деле понадобятся!

— Сколько? — спросил Илья у бабки. Ногам было непривычно и неудобно.

Бабка вздохнула и отвела глаза.

— Дядя Вася пять тыщ просит. Да ты гляди, какая работа, стежок к стежку! А подмётка! И возни с ними много, оттого дорого.

Илья достал из заднего кармана кошелёк.

— Возьмёшь? — просияла хозяйка. — Бери, сынок, не прогадаешь, вспомнишь ещё меня и дядю Васю-то!

А я вам за просто так капустки положу и вон огурчиков! А шлёпанцы твои в газетку заверну.

— Говорят, у вас тут убийство было, — сказал Илья, глядя, как обветренные, будто занозистые бабкины пальцы ловко заворачивают в газету его кеды.

— Было, было, сроду ничего такого не знали, а тут на тебе — случилось! И женщина она хорошая, почтенная такая, приезжала часто. Одним разом под Новый год или под Рождество, что ли, у меня капусты всю бочку взяла. Там у ней какой-то банкет или праздник в Москве-то намечался, она и взяла. Шофёр ейный прям бочку в машину и бухнул! А потом вернула тару-то. У нас бочки все считаны, их тоже, хороших, не достать.

— А почему её убили, если она... почтенная?

— Дак не знает никто! — Бабка аккуратно положила свёрток и побрякала штырьком рукомойника — ополоснула руки. — И вот что я тебе скажу — не наши это, не сокольничьи! Приезжие её убили.

— Как — не ваши? Арестовали же какого-то вашего алкоголика!

— Витьку-то? — И бабка махнула рукой. — Да ну его! Он небось шлялся возле Зойкиного магазина, хотел сотенную на поллитру стрельнуть, а покойница-то там где-то платок обронила, или из кармана он у ней вывалился. Его ведь почему арестовали? Потому что платок у него нашли, а платок с покойницы, и вся недолга.

...Случайный дедок в электричке тоже утверждал, что арестовали ни в чём не повинного человека. А Зоя Семёновна — Зойка! — кричала, что он убил. Он убил и сидит! И водитель, который вёз Илью со станции, говорил, что убил Петрович.

...Сплетни и слухи. Олег Павлович, директор, запрещает своим разговаривать об убийстве. Но он зачем-то разыскал Илью Субботина и умолял приехать. Именно так — умолял.

— Только Зойка чего-то знает, — заговорщицким тоном продолжала бабка, — и молчит. Может, она сама Витьку и оговорила, и платок ему подкинула, чтоб его под замок замкнули.

— Зачем это ей?

— А чужая душа потёмки. Она от него тоже, знаешь, натерпелась! Как аборт в Ярославле сделала, с той поры ведь и нет деток. Ребёночка Витька не схотел. Куда нам, говорит, мы молодые, для себя пожить должны. Нынче всякий для себя живёт, а не для Бога и не для общества. Вот и Витька так. Чего положить-то? Вилок или крошева?

— А? Вилок.

Бабка отвалила камень, прижимавший деревянный круг, и запустила руку в бочку.

— Ещё, может, какой хахаль у ней завёлся из приезжих, у Зойки-то. Она всё время с ними крутится, с вами, то есть.

Поэтесса по имени Ангел громко захохотала. Бабка вынырнула из бочки и посмотрела на неё неодобрительно.

— Хахаль! — с нажимом хохотала поэтесса. — У Зои Семённы!

— Ну, доподлинно я не знаю, — бабка поджала губы, — а только живёт у ней кто-то, вот те крест. И никто его не видал.

— Секундочку, — встрепенулся профессор Субботин. — Кто живёт? Где?

— А у Зойки в магазине! На втором этаже! Сама-то она за плотинкой квартирует, а второй этаж в магазине у ней под мастерскую приспособлен, там всякие решёта, коклюшки, машинка швейная, ло́скут, стол огроменный!.. От это я своими глазами видала. Она, когда открытие сделала, всех односельчан звала посмотреть, как всё устроено. Ну, мы и ходили. А нынче у ней в мастерской живёт кто-то. И давно живёт-то!

— Что вы видели?

— Свет я видала, хоть и зашторено всё, как в бункере! — Илье показалось, что бабка сейчас покажет поэтессе узловатую фигу. — Чего это Зойка просто так свет станет жечь, когда за него такие деньги дерут! Да и магазин на замке был, и ещё на поперечину заложен!.. А сама она дома была, мне отсюда видать, как народ по плотинке шастает, и Зойку я видала!..

— Да она старая, Зоя Семённа! Какие у неё кавалеры? — влезла деваха.

— По-вашему, по-городскому, может, и старая, — отчеканила бабка, — а по-нашему — ишшо не очень. Ну? Всё? Заговорилась я с вами!

На ярком солнце после полутьмы лабаза да в непривычной обуви Илья оступился и чуть не упал с крыльца.

— А ты чего? Тайный следователь? Чего ты всё спрашиваешь?

— Мне нужно, я и спрашиваю.

— А зачем тебе нужно?

Он не ответил.

...Слухи, сплетни. Кто-то что-то видел. Кто-то что-то сопоставил, и ответ в уравнении не сошёлся.

— Ты писатель? — не отставала Ангел. — Роман пишешь?

— Я поэму пишу, — рассеянно сказал Илья.

— Ты чего, поэт?!

— Я в прозе.

Они дошли до берега речушки, заросшего облетевшими ивами. Какие-то до странности одинаковые домики из почерневших брёвен стояли на этом и том берегу. И крупная мохнатая лошадь глядела себе под ноги.

Илья Субботин дошёл до лавочки — два пенька и доска между ними, — плюхнулся и подтянул рыжее жёсткое голенище. Его невообразимая спутница пристроилась рядом.

— Зачем ты врёшь? — спросила она, вытянула ноги и стала качаться туда-сюда. — Боже, какая скука — это постоянное враньё. Все врут. Бабка врёт про сапоги, что они хорошие, ты делаешь вид, что веришь, следовательно, тоже врёшь. Потом она врёт про Зою и её кавалеров, а ты врёшь, что поэт. Зачем всё это? Почему нельзя просто нормально говорить друг другу правду?

— Хочешь огурец?

Она взглянула на него. У неё были очень светлые, как будто волчьи, глаза, густо и неряшливо подведённые.

Илья полез в пакет и выудил четвертинку капустного вилка, холодного и влажного, в крошках моркови и зёрнышках тмина. Отделил несколько пластинок и стал хрустко жевать.

— Вот эта лошадь, — сказал он и показал капустой, какая именно лошадь, — не врёт. Она просто стоит и отдыхает от работы.

— А люди все врут.

— А зачем тебе правда?

— Как зачем? Чтобы жить по-человечески!

— Секундочку, — сказал профессор Субботин и отделил себе ещё кусок капусты. — Здесь логический сбой. Если лошадь не врёт, а люди поголовно врут, значит, мы, добиваясь правды во всём, хотим жить по-лошадиному. Вот так логично.

Ангел рассердилась.

— Люди должны быть честными! Для начала просто честными! Если они научатся не врать, человечество выживет. А если будут продолжать...

Илья перебил, она ему надоела:

— Всё это очень остроумно, но ты, например, ещё утром объявила во всеуслышание, что никому и никогда не врёшь.

— И чего? Я решила не врать и не вру, оказалось, что это просто: нужно только...

Он опять её перебил:

— Ты сейчас изо всех сил пытаешься меня обмануть. Тебе кажется, что окружающих ты уже обманула, но они просто заняты своими делами и не слишком внимательны. Со мной этот номер не пройдёт.

Он дожевал капусту и вздохнул:

— И я спрашиваю себя — зачем ты обманываешь? Что тебе нужно? От меня и вообще. Тебе ведь явно что-то здесь нужно!

— Мне... ничего, — пробормотала она и вскочила. — Кто ты такой?!

Он вверх посмотрел на неё:

— А ты кто такая? Что ты должна делать? Следить за мной?..

— Ещё не хватает! Ни за кем я не слежу!

— Ты была здесь, когда убили женщину?

— Ну, была, и что?!

— Ты разговаривала с ней?

— Нет! Я её увидела, только когда Зоя Семёновна завопила, что человека убили, и все побежали, и я побежала тоже!..

— Где ты была, когда завопила Зоя Семёновна?

— Я... просто гуляла. Вон там.

Илья полюбовался на свои необыкновенные сапоги. В разные стороны покрутил подошвами.

— Ну, как хочешь.

Она смотрела на него.

...Нужно время. Время пройдёт, она всё обдумает, изобретёт какую-нибудь более или менее безопасную для себя версию и выдаст её за правду. Подождём, послушаем. А можно попытаться ускорить события. Почему нет?..

Илья вытер влажные от рассола пальцы о джинсы, откинувшись назад, достал из кармана куртки записную книжку и карандаш — поэтесса следила за ним насторожёнными белыми глазами. Он перелистнул жёлтую упругую страницу, подумал и записал: «Зоя Семёновна и Витька. Дочь убитой и её кавалер. Свет из мастерской. Человек в парке. Клавдия и грибы».

— Какой человек в парке? — живо спросила поэтесса. Она читала за его рукой. — И что за дочь убитой?

— Лилечка, которая живёт с нами в гостинице, дочь убитой Лилии Петровны. Она подходит по возрасту. И ещё ты.

— Да ну-у-у!.. Говорю же, ты ничего не знаешь о людях! Лилечка! Быть не может, что у неё маму... мама умерла! Да ещё совсем недавно! Она селфи делает и хохочет.

— Вот именно.

— Что — именно?! Что ты можешь вообще знать?! С чего ты взял, что она её дочь?

— Я знаю, что должна быть дочь, значит, это кто-то из вас двоих. Ты не дочь покойной?

— Пошёл к чёрту.

— Тогда остаётся только Лилечка.

Он поднялся и забрал с лавочки свёрток с кедами и пакет с огурцами и капустой.

— Прошу прощения, но мне нужно идти. Ты со мной?

Она помедлила немного — он успел сделать несколько шагов вдоль бурой осенней речки — и нагнала его.

Он был рад, что она не осталась на лавочке. Просто рад, и всё.

— Почему ты всё записываешь?

— У меня такая привычка.

— Зачем тебе это?

Илья сбоку посмотрел на её войлочную голову. Деваха была высокой, почти вровень с ним. Высокой и довольно крепкой, никакого «лёгкого дыхания», сплошной монументализм, подкреплённый курткой-стогом, широченными штанами и тяжёлыми ботинками.

— Как ты это терпишь?

— Что?

— Да вот эти... экзерсисы на голове?

— Какие он слова знает! — пробормотала Ангел себе под нос. — А тебе, конечно, это не нравится, да? У девушки должны быть локоны и кудри, да? Всех под один стандарт, да?!

— Зайдём в гостиницу.

— Нет, ты мне скажи!..

Приветливая конторщица поднялась и заулыбалась, когда они вошли в тёплый холл.

— Олег Павлович приехал? — первым делом спросил Илья.

— Нет, — виновато сказала администратор. — Но звонил, звонил, предупредил, что вы станете спрашивать! Отозван в Ярославль по срочному делу, никак не мог с вами повидаться!.. Он для вас ключики от кабинета оставил, а там на столе папочку! Сами зайдёте или принести вам?

Профессор Субботин молча смотрел на неё.

...Выходит, неуловимый Олег Павлович встречаться с ним не собирается. В чём тут дело? Директор настаивал на его приезде, торопил и обещал содействие, а теперь прячется? Что могло измениться за вчерашний день? Означают ли эти перемены, что в услугах Илья Субботина больше не нуждаются?..

...Ну нет. Дело начато, и оно будет доведено до конца, хочет этого директор или уже расхотел. Может быть, вчера это директорское желание имело значение, а сегодня совершенно не важно.

Илья встрепенулся, поняв, что обе дамы смотрят на него вопросительно.

— Вот этот свёрток нужно отнести в мой номер, — сказал он и сунул на полированный стол, за конторку, кеды. — Матвей Александрович приходил?

— А, нет, нет, не было. Екатерина вернулась, Николай Иванович на месте, а его нет. Там уборочка сейчас происходит. Его номер убирают, а следующий ваш.

— Тогда я сам отнесу, — внезапно решил Илья, схватил кеды и ринулся вверх по лестнице. Ангел тяжеловесно захлопал крыльями и полетел за ним.

— Ты чего? — спрашивала она на лету. — Ты куда ломанулся-то?

Дверь соседнего номера была распахнута, возле неё стояла обычная гостиничная тележка, на которых развозят чистые полотенца, простыни и всякую милую ерунду, вроде шампуней в крошечных бутылочках и душистого мыла в бумажках. Спереди к тележке был прицеплен огромный мусорный мешок.

Илья сунул поэтессе кеды — она приняла — и полез в мешок. Некоторое время копался в мусоре, она громко сопела ему в ухо, а потом постучал в открытую дверь и заглянул в комнату.

— Можно?

В ванной лилась вода и что-то двигалось.

Илья в мгновение ока обежал небольшой номер и зачем-то заглянул под стол, а потом распахнул холодильник.

— Ты что?! — прошипела сзади Ангел. — Что ты делаешь?! Это не твой номер!

Он не обратил на неё внимания.

— Прошу прощения! — громко сказал он.

В ванной ойкнули, и шум воды смолк. Показалась молодая женщина с тряпкой в руке, лицо, полное и добродушное, как свежеиспечённый блин, казалось испуганным:

— Вы кто?!

— Я из соседнего номера, — сообщил Илья. — Из «Николая Романова». Вы сейчас у меня убирать будете?

Женщина смотрела на него во все глаза.

— Так я тут пока... убираюсь, — в конце концов сказала она.

— А потом ко мне пойдёте, да?

Она кивнула.

— Я кеды промочил, — объяснил Илья и вытащил у Ангела из-под мышки свёрток. — Вы когда в мой номер придёте, поставьте их на батарею, ладно?

Женщина перевела взгляд с него на свёрток.

— Так... ладно.

Илья вынул кошелёк.

— Спасибо вам большое.

— Так... нам ничего не надо, — перепугалась женщина и махнула тряпкой. — Не надо, не надо!

— Как же не надо, — Илья подошёл и сунул бумажку ей в карман фартука. — За труды всегда полагается...

Толкая Ангела перед собой, он вышел из номера, где опять полилась вода, и стал спускаться по лестнице.

— Чего ты выделываешь-то?! — поэтесса оглядывалась на него и возмущалась. — Мы что, не могли сами твои кедульки занести?! Или ты, как все маргиналы, очень обожаешь прислугу обременять?

— Прочти мне своё стихотворение. Любое.

— Что?! — задохнулась она.

Они скатились с лестницы — его новые сапожки, сработанные дядей Васей Галочкиным, производили страшный шум — и выскочили на улицу.

— Твоя дверь следующая по коридору, ты чего, не мог сам?! Или ты шастаешь по чужим номерам и смотришь, что там есть?

— В данном случае я смотрел, чего там нет.

Ангел осеклась. Шнурок на её ботинке развязался и теперь болтался, того и гляди наступит.

— И чего там нет?..

Илья присел и завязал ей шнурок, как маленькой.

— Так, хорошо, — сказал он. — Пойдём в ту сторону, где парк. Как туда попасть?

Она кивнула куда-то вправо.

— ...Кто ты такой?

Он улыбнулся — уж очень растерянный у неё был вид.

...Слухи, сплетни. Маскарады, карнавалы. Кто скрывается под маской, друг или враг? Или не друг и не враг, а просто разухабистые деревенские ряженые, и маски сработаны так себе, на скорую руку, и вскоре соломенные волосы отвалятся и отклеятся носы из папье-маше?..

Вдоль ухоженной стены купеческого особняка они добежали до калитки, на вид совершенно неприступной. Илья толкнул её, и она легко и бесшумно открылась.

— А где же служебный вход? Вон там, да?

Лужайка, на которую он вчера вечером смотрел из окна, при свете дня была не загадочной, не таинственной: с трёх сторон молодые ёлки и берёзы, сбоку вкопаны качели и устроено нечто вроде детского городка. Илья огляделся.

— Там спуск к водохранилищу, да?

— Откуда я знаю!

— Ты давно здесь прячешься, должна знать.

Она перепугалась. Он уловил момент, когда она перепугалась. Дрогнули её немыслимые волосы, и она отвела глаза.

— Я?! Ни от кого я не прячусь, — фальшиво возмутилась она. — Я здесь отдыхаю. Работаю, короче! Мне нужно стихи писать, а в Москве я не могу, мне там все мешают!

— Много написала?

Она посмотрела на него.

Установив, где служебный вход, а где детская площадка, он стал совершенно безмятежен, как будто в этом было всё дело. Уселся на качели и начал отталкиваться. Длинные цепи поскрипывали — уить, уить.

Ангел топталась рядом, ей сесть было некуда.

Уить, уить — поскрипывали качели.

— Чего не было в номере? Этого, как его зовут, я забыла? Матвея!

Илья рассматривал небо и лес, сбегавший под горку.

— Чего, ну?!

— Того, что меня интересовало, — не было. На вопрос, что меня интересовало, я не отвечу.

— Ты жулик, может?

Он отрицательно покачал головой.

— Тогда почему ты лезешь в чужие номера? И почему всё записываешь? Какая тебе разница, кто убил ту тётку? И что тебе за дело до её дочери или, может быть, не дочери?..

— Секундочку, — перебил Илья. Он развлекался. — Сформулируйте главный вопрос и задайте его правильно. На этот вопрос я постараюсь ответить.

— Кто ты такой?

— Это неправильный вопрос. Я Илья Сергеевич Субботин. Попытайтесь ещё раз.

— Ты издеваешься, да? — закричала поэтесса, шея у неё покраснела, и она топнула ногой.

...Он не собирался её дразнить. На самом деле не собирался!.. Но она понравилась ему. Она понравилась ему, когда они сидели на лавочке, сколоченной из двух чурбаков и доски. Он ел капусту и смотрел на неё. У неё была беззащитная шея и очень странные глаза, показавшиеся ему красивыми. Она легко краснела, и это тоже было забавно.

Дверь служебного входа отворилась, и на улицу вывалилась дородная тётка в белом халате с перетянутым животом. Тётка прищурилась на солнце, постояла, пошарила в карманах и двинула под грибок, вкопанный поблизости.

— Ага, — сам себе сказал Илья. — Вот и она.

Он поднялся с качелей и окликнул тётку, как давнюю и хорошую знакомую:

— Клава!

— А!..

— Здравствуйте!

— И тебе того же!

— Я вас тут поджидаю!

Тётка засмеялась полным, сдобным смехом:

— Чего это?

— Вот хочу спасибо сказать за ваше гениальное искусство!

— Чего это?!

Илья подошёл и поклонился.

— Вы не повар, — сказал он с чувством. — Вы полный и окончательный Поль Бокюз!

Тётка покачала пергидрольной жёлтой головой, вытащила из смятой пачки папиросу и спичечный коробок и прикурила.

— Москвич небось? — сказала она невнятно из-за папиросы. — Пришёл мне работу в столичном ресторане предлагать? Так я это, не поеду, сразу говорю! Я родилася тут, и помру тоже тут!

— Рано вам помирать, Клавочка, — сказал Илья, ставший вдруг разбитным парнем. — Вы ещё молоденькая совсем!

— Ой-ё-ё-ёй, какие он слова говорит! А?! Вы послушайте его!..

— Правду я говорю, Клавочка! А готовите вы так, что умереть можно. Нигде так вкусно не ел, как в селе Скольничьем, а я весь мир объездил.

— Ты гляди, — хохотала Клавдия. — Вот врёт, вот врёт!

Махорочный дым поднимался под крышу грибка и там замирал, а от самой Клавдии пахло хорошо — свежим, сдобным.

— Значит, в Москву не поедете?

— Ни за что на свете, вот озолоти меня!..

— Тогда я сам опять приеду. Что же, мне теперь с голоду умереть?

— Ой, все вы так говорите — приеду, приеду!.. Вон Николай Иванович так же говорит! И всем вам верь?!

Повариха Клавдия всеми местами выпирала из белой блузки и фартука, и выпирала тоже как-то сдобно, притягательно. И когда хохотала, показывала белые крупные зубы, и глазами стреляла по всем правилам.

— И что мне с вами со всеми делать-то, а? Я женщина слабая, одинокая. Ну, говори, чего тебе сготовить! Чего охота? Калиток, мож, с ягодой или утку?.. Сейчас для утки самое время! Ухи могу наварить сиговой. А хошь пирогов с капустой?

— Я всего хочу, Клавочка!

— Ой, прыткий!

Поэтесса наблюдала всю сцену от качелей, ближе не подходила. Илья мельком глянул на неё. Ему некогда было сейчас ею заниматься.

— Ладно, будет тебе пир! Уговорил.

По всей видимости, уговорить её было проще простого!

— А говорят, у вас в Скольничьем не только огурцы, но ещё и грибы вкусные.

Клавдия округлила накрашенный красной помадой рот:

— А ты грибник? Да грибы у нас такие, полведра в один присест можно уговорить! Маманя моя так солила, так солила, царствие ей небесное. А папаня до первого снега из лесу таскал по корзине, по две!..

— Говорят, вы тоже в лес часто ходите, и в тот день, когда женщину убили, как раз ходили.

Клавдия вздохнула, все её выпуклости дрогнули.

— Ты мне лучше не напоминай, парень, как звать-то тебя? — Он сказал как. — Я ж прям мимо протопала! Прям вот рядышком! Эх, знать бы, что там смертоубийство происходит! Я б не допустила! Я бы поганца этого, вон, башкой в окошко сунула, и дело с концом! Уж он у меня не дёрнулся бы!..

Она энергично затушила папиросу, шмыгнула крупным носом и посмотрела на Илью:

— А ты чего спрашиваешь? Так просто или дело какое?

— Ещё говорят, что женщина убитая обычно на машине приезжала, шофёр её привозил. А в тот день почему-то пешком пришла. Вы машину не видели?

— Видела, — сказала Клавдия как о чём-то само собой разумеющемся. — Как не видать!

— Так, хорошо. Где была машина?

— А с той стороны, где Заиконоспасская горка, знаешь? Прям, где с дороги своротв рощу. Стояла машина ейная, шофёр спал. А может, и не спал, а музыку слушал, я не глядела.

— Так это неблизко, — протянул профессор Субботин так, как будто на самом деле имел представление, где «своротв» на Заиконоспасскую горку.

— А оно как поглядеть. Как поглядеть, Илюшенька!.. Если по шоссейке, так и не близко, а если через лес, так два шага. И дорожка там хорошая, ровная. Иди не хочу!

...Получается, что убитая Лилия Петровна, женщина курпулентная и почтенная, как о ней рассказывают, почему-то оставила машину и водителя возле какого-то поворота и пошла в Сокольничье пешком. Зачем? Почему?.. Она любила прогулки? Или с кем-то в этом лесу встречалась? С кем она могла встречаться?

...Плохо, что о ней ничего не известно. Каким человеком она была, что её связывало с Сокольничьим и его обитателями? Олег Павлович должен был внести ясность, но почему-то не пожелал. Почему он не пожелал?

— А как Петрович у Зои в магазине мог оказаться? — спросил Илья. — А, Клавочка? Он же к ней никогда не заходил! Говорят, он из-за неё запил и с завода уволился.

— Из-за вас, поганцев, все наши бабьи беды, — с сердцем отвечала Клавдия. — Хорошая баба, толковая, умная, всё книжки читает, а он кто? Никто без палочки!.. Ух, был бы он мой муж, я б ему показала!.. И не заходил он к ней, и не заглядывал никогда! Деньги она ему давала, это точно, сама видала! Он сколько раз орал, что к Зойке ни ногой, а в тот раз понесло его чего-то! До белой горячки, видать, допился.

— Не заходил и не заглядывал, — повторил Илья. — Понятно.

— Да чего тебе понятно, ничего тебе не понятно! Вот так был человек, и нету его!.. И не простой человек, а женщина богатая, серьёзная. Вон дочка ейная — пустое место, финтифлюшка. Всё сама себя сымает на телефон, а как сымет, так кавалеру показывает, а то он её не видал, кавалер-то! И хоть бы слезинку уронила по мамаше, хоть бы платочек чёрный поднадела. Нет, всё ей хорошо, весело. Олег-то Палыч, надо быть, думал, что ей утешение потребуется, а она довольная-счастливая! Как и не было у ней матери!

— Дочка первый раз приехала? Только сейчас?

— Сейчас и приехала. Какие-то то ли вещи, то ли деньги у Олег Палыча остались, он хотел передать и дочку покойной сюда вызвал. Она и приехала, отдыхает теперь, устала больно. Глаза б мои на неё не глядели...

Илья помедлил немного.

— А остальные гости, Клавочка? Все в первый раз?

— Вроде да. Эту, твою-то, — и повариха кивнула в сторону детской площадки, где поэтесса Ангел сидела на карусели и, свесив дреды, ковырялась в песке, — я бы запомнила, больно видимость у ней выдающаяся. Николай Иваныч точно в первый раз заехал, его от министерства культуры путёвкой снабдили, он хвастался.

— От министерства культуры? — переспросил Илья.

Клавдия кивнула.

— Ну, дочка с хахалем раньше никогда не приезжали, а Катерину вроде я помню... Только не знаю, откуда. Может, в Ярославле видела. Она женщина тоже приметная.

— А Матвей?

— Полоумный-то? Не, он уж много раз бывал. Тоже стряпню мою нахваливал! Я, главное, говорю ему — чего ты хвалишь, разве не видишь, что пирог ни в коня, ни в Красную армию не удался! А он мне на это...

— Что значит — полоумный?

— Как что? Дурачок, значит, негораздок.

— Он... не в своём уме, что ли?

Клавдия махнула рукой:

— Чудно-ой!.. Взрослый же мужик, а как дитё малое. Навроде Витьки-душегуба, только в другую сторону. Сядет вон на берегу и сидит целый день, глядит, не шелохнётся. А летом купаться пойдёт, ну и бродит потом по берегу, не может вспомнить, куда одёжу положил. А один раз два супа заказал на обед — рыбный и похлёбку грибную. То из одной тарелки поест, то из другой, я уж с кухни-то поглядела. Блаженный, говорю же.

Тут Илья задал такой вопрос:

— А он пьющий? Вы не замечали?

— Так чтоб через край — получается, непьющий. Может, и попивает где, а у нас в Сокольничьем под кустами не валялся.

— Клава-а! — закричали из кухни. — Где ты там застряла? Перекипит бульон! Или чего, снимать?

— Я те сыму, я те сыму, — всколыхнулась Клавдия. — Уболтал ты меня совсем! Прыткий! Всё ему расскажи!

И она кокетливо погрозила Илье толстым красным пальцем, собираясь ринуться к бульону.

— Клава, вы когда в тот день мимо Зоиного магазина шли, никого на лавочке не видели? Не отдыхал никто?

— Да шут его упомнит!.. Не видала вроде.

— Клавочка!

Повариха и профессор разом оглянулись. По дорожке вдоль дома шел Николай Иванович. Солнце сияло на его благородных сединах и отражалось от великолепных башмаков.

— Батюшки-светы, — пробормотала Клавдия растерянно.

— Не мог не поблагодарить, — издалека на ходу начал Николай Иванович. — Вот зашёл специально. Через ресторан не смог, двери на замке. Ваши завтраки, Клавочка, а особенно обеды...

— Да будет вам, — пробормотала Клавдия и стала отступать в сторону двери. Щеки у неё покраснели и набрякли. — Чего там...

— Нет, позвольте мне выразить восхищение вашей гурьевской кашей. Классический рецепт чрезвычайно труден в приготовлении, это ещё мне моя матушка говаривала, а вы подаёте превосходную гурьевскую кашу!..

— Бульон, — вымолвила Клавдия. — Перекипит у меня бульон-то...

Она ринулась в сторону двери, откуда неожиданно выглянула чья-то любопытная физиономия. Выглянула и скрылась. Клавдия влетела в кухню, и оттуда сразу оглушительно загрохотало и послышались громкие голоса.

— Денёк сегодня какой, — бодро сказал Николай Иванович. — Прямо подарочный!.. Вы тоже за угощение благодарили, молодые люди?

Оказалось, что поэтесса перестала ковыряться в песке и телепается у Ильи за плечом.

— Я спрашивал про убийство, — сообщил Илья, и Николай Иванович немного дрогнул. — Я слышал, Клавдия оказалась почти свидетелем.

— Вот именно — почти, — Николай Иванович поднял палец. — А вы детективами интересуетесь?

— Детективами не очень, а убийствами — да, интересуюсь.

— Это в каком же аспекте?

— В аспекте разоблачения преступников, Николай Иванович.

— Виноват, вы из Следственного комитета?

Профессор Субботин поморщился. Он терпеть не мог линейного мышления! Ну что за ерунда — если человек интересуется преступлениями, значит, он непременно состоит на специальной службе!..

— Прочти нам с Николаем Ивановичем свои стихи, — велел он поэтессе и сделал особенное поэтическое лицо. — Погода располагает к поэзии.

– Не буду я ничего читать, — пробормотала поэтесса. Опять он пристал и напугал её, и она бросилась в атаку. — А что ты детективов не любишь, это опять враньё. Почему люди всё время врут?! Ты же не читаешь детективов, верно?

Илья придержал перед ней и Николаем Ивановичем калитку.

— А если ты их не читаешь, откуда ты знаешь, хороши они или плохи? Вот, допустим, ты никогда не ел...

— Ухи, — подсказал Илья. Он думал о Матвее, который из двух тарелок ел грибную похлёбку и уху — по очереди.

— Да, вот ухи, например! Откуда ты можешь знать, любишь ты её или не любишь?!

— Теоретически, — подсказал Николай Иванович. — На основании некоего частного случая можно сделать вывод о явлении в целом, милая Ангел. Чисто теоретически!..

И он улыбнулся, словно извиняясь, что вслух произнёс глупейшее имя.

— Э, не скажите, Николай Иванович, — вступил Илья. — Теории теориями, но и факты хорошо бы знать, тут наша Ангел права.

— Я не милая и не ваша, — грозно сказала Ангел и поддала ногой в суровом ботинке гору листьев. Листья разлетелись — красиво.

— Например, — продолжал профессор Субботин, как ни в чём не бывало. — Известно, что на китайского императора смотреть нельзя, за это голова с плеч. Но нужно установить размер носа китайского императора. Как это сделать? Можно провести теоретическое исследование — опросить миллиард китайцев и задать вопрос, как они себе представляют нос императора. Потом полученные данные обработать и усреднить. Мы получим некую довольно точную величину. Но, видите ли, в чём дело, эта величина — довольно и даже весьма точная, прошу заметить — никакого отношения к реальному носу императора иметь не будет. Этот пример в своё время придумал Дик Фейнман.

— Мы о детективах говорили, — напомнила она.

— Что вы хотите сказать? — подумав, спросил Николай Иванович.

— Ничего особенного. Только то, что, опросив сто человек, вы получите некое представление о событии или явлении, и оно будет совершенно определённым, но очень далёким от реальности. Сто человек скажут вам, что детективы плохи, вы поверите, а потом случайно прочитаете один, и он окажется хорош. Примерно так.

— Ты читаешь детективы?!

— Или пятьдесят человек скажут вам, что алкоголик Петрович не мог убить некую даму, а ещё пятьдесят скажут, что именно он и убил. И что тогда делать? Где искать истину?

Николай Иванович вышагивал рядом и щурился на пруд, сверкавший нестерпимым холодным блеском.

— Видимо, — выговорил он неторопливо, — придётся опросить ещё двести или пятьсот человек, чтобы установить истину.

— Секундочку, — перебил профессор Субботин. — Надо не просто опросить, а добраться до того конкретного, который видел или помнит то, чего не видели или не помнят другие. И вот тогда делать выводы! Иначе у нас получится нос китайского императора!

— Вы писатель? — вдруг спросил Николай Иванович. — Детективы сочиняете?

— Я пишу поэмы, — по привычке соврал Илья. — В прозе.

— Ты опять врёшь!

— Ты же никогда не читала моих поэм. — Илья повернулся и шёл теперь спиной вперёд, лицом к Ангелу. — Откуда ты знаешь, пишу я их или не пишу?

— А... мы далеко направляемся? — Николай Иванович огляделся по сторонам. — Сейчас откроют ресторан, самое обеденное время. Может, имеет смысл пообедать?

— Я хочу нагулять аппетит, — сказал Илья. — И направляюсь в магазин «Народный промысел». А вы меня провожаете.

— Я там ещё ни разу не был, хотя любопытство, конечно, адское. Место преступления как-никак! Но мне совестно тревожить Зою Семёновну...

— Какие старомодные слова вы говорите, — Илья покачал головой. — Совестно тревожить!.. Таких слов сейчас никто не знает и не употребляет.

— Скажи ещё про современную молодёжь, Интернет и бездуховность!.. — скривилась поэтесса.

— Ну, некоторых из нас Интернет совершенно не интересует, правда?

Она исподлобья посмотрела на него.

— А других интересует, — продолжал он как ни в чём не бывало и кивком показал куда-то. Николай Иванович посмотрел и засмеялся.

Прямо по курсу возле кирпичной стены — по виду старинной — молодой человек фотографировал девушку, предполагаемую дочку Лилии Петровны. Девушка откидывала волосы, так и сяк поводила головой, потом вытянула вверх руку, согнула в колене ногу, изогнулась и неторопливо повернула к нему сияющее лицо.

— Во-во-во, — говорил Ванечка, — ещё разок. Тянись, тянись!

— Слушай, а где наша палка для селфи? — спросила она.

Молодой человек огляделся, словно ища палку для селфи поблизости.

— В номере осталась.

— Надо было взять, — огорчилась девушка, — волосы бы развевались красиво!..

Перестав изгибаться, она немедленно достала из кармана телефон и уткнулась в него. Молодой человек тоже смотрел в мобильник.

— А от палки развеваются волосы? — спросил Николай Иванович у Ангела. — Вы не знаете?

— Развеваются, — мрачно сказала Ангел и тряхнула дредами. — Для этого к ней приделывают вентилятор.

— Я Фрэда репостнул, — сообщил молодой человек, не поднимая глаз от телефона. — Фотки с завтрака — пятнадцать лайков, прикинь?

— А с экскурсии?

— Пока семь всего.

Девушка скорчила смешную гримаску и тут только заметила надвигавшуюся группу тяжеловесов.

— Хэлло! — весело сказала она. — Давайте вместе сфоткаемся для инстаграмма. Ванечка, сфоткай нас!

— Омайгадабл! — завопил молодой человек. — Забыл совсем!

— Ты что?

— Я дедлайн профакапил! Мне в час нужно было с чуваком связаться, он в Бейрут летит! Помнишь, который мудборд своего дизайн-проекта представлял? Ну, когда мы на стрелку ездили в антикафе?

— В какое?

— Где брифовали насчет стартапа широкополосного стриминга! Ты что, забыла? Ты ещё сказала, что он тру, этот чувак!

— Помню, — просияла Лилечка. — А чего он в Бейрут летит? Живёт там?

— Никто не живёт в Бейруте, зая. Там все дела делают, и я тоже делаю.

— Сфоткай нас, Ванечка! А то как будто мы в этой дыре одни! А тут ещё люди, прикольные!

И она улыбнулась мрачной поэтессе, благостному Николаю Ивановичу и внимательному профессору.

— Давайте вот так вставайте! Ванечка, почему ты палку для селфи не взял?! Мы все вместе в кадр не лезем!

— Дай я сам!..

Они шутливо препирались, остальные ждали. Когда наконец с селфи было покончено, Ванечка водрузил на нос тёмные очки и сказал, что нужно ещё сфотографироваться возле колокольни.

— Для инстаграмма, — сказал он так, как говорят: это нужно для дела.

Они перешли дорогу и двинули к колокольне.

Лилечка смотрела в телефон и время от времени спотыкалась, Илья поддерживал её под локоть. Молодой человек рассказывал, что не может жить без тёмных очков — вот не может, и всё тут.

— У меня «рэйбенов» штук пятнадцать, и все разные, даже коллекционные есть, как из «Джеймса Бонда», там Шон Коннери в таких. Я когда их в инстаграмм выложил, лайков сто пятьдесят набрал! У меня много разных очков! «Бугатти», «шопарды». «Диоры» есть, Лилечка дарила, но «диоры» — это так, гламурненько, не очень тру.

— Что-о-о?! — не отрываясь от телефона, вскричала Лилечка. — «Диоры» не тру?

— Тру, тру, но они такие... для папиков больше. Я разбираюсь в очках.

— Он ещё в машинах разбирается, — поддакнула Лилечка, не поднимая глаз от телефона, споткнулась, и Субботин опять её поддержал. — У него их четыре, и одна совсем раритетная. Как она называется, я забыла, Ванечка?

— «Победа». Хотите покажу?

— У моего отца была «Победа», — сообщил Николай Иванович негромко. — Он после войны на «Опеле» трофейном ездил, а потом ему «Победу» дали.

— Любопытно, — сказал Илья. — «Опель» после войны — это не шутки.

— Да какие уж тут шутки. Лётчик, Герой Советского союза, наградили «Опелем».

— Вот, вот она! — Ванечка стал совать им телефон. В ярком свете дня на экране ничего не было видно, он загораживал его ладонями. Илья и Николай Иванович, сталкиваясь головами, совались поближе к экрану. Ангел, задрав голову, смотрела на крест колокольни.

Ванечка сорвал свои «рэйбены» — видимо, в них он совсем уж ничего не видел — и так и сяк поворачивал телефон. Николай Иванович благожелательно мычал.

— Смотри, Лера с Никасом, — сказала подошедшая Лилечка и сунула Ване свой мобильный. — Только сейчас выложили. Я лайкнула.

— Молодец. А где они, я забыл?

— Я тоже забыла.

Она опять уставилась в телефон.

— Какова же высота этой колокольни, как вы думаете? — спросил Николай Иванович у Ильи.

— Можно прикинуть по длине тени.

— Мы будем фотографироваться или нет? — гневным голосом спросила мрачная Ангел. — Я замёрзла!

— Да, да, сейчас!

— А чем вы занимаетесь? — поинтересовался Илья, пока Ванечка молниеносно тыкал пальцами в экран, печатал какое-то сообщение.

— По жизни? — уточнил Ванечка, не поднимая головы. — Бизнесом. Хайтеком. У меня всякие стартапы... разные, в общем. Вот чувака профакапил, жалко!.. — Он всё печатал, стремительно. — У меня в Израиле бизнес... тоже... я там учился. А что? Почему вы спрашиваете?

— Из любопытства, — пояснил профессор Субботин. — Давайте правда сфотографируемся, если вы хотите, и мы пойдём в магазин народных промыслов.

Лилечка вдруг топнула ногой и почти завыла:

— А-а-а!.. Да что ж это такое?! Ваня! Я больше не могу! Я не хочу!

— Что такое? Что, Лилечка?! — не выпуская телефона, он бросился к ней. Глаза у неё налились слезами.

— На, читай! Опять! Я же всем, всем разослала!

И она обеими руками закрыла лицо.

— Я удалю, удалю! Уже удаляю, не плачь, зая! — Он одной рукой обнимал Лилечку, а другой производил манипуляции с телефоном. — Нет, ладно бы хейтеры поганые, и то свои родные френды!..

Мимо пробежала давешняя лошадь с тележкой. Теперь на соломе сидели двое — мужик в телогрейке и мальчишка в яркой куртке для сноуборда. Позади них тряслись и тяжеловесно стукались две высокие алюминиевые фляги, по всей видимости, с молоком.

Илья проводил их глазами. Лошадь повернула к плотинке и потрусила под горку.

— ...Я специальный пост разместила, что у меня мама погибла, — горестным и немного горделивым тоном объясняла Лиля Николаю Ивановичу, который совал ей безупречный носовой платок в крупную клетку. — И попросила никаких соболезнований не выражать! Ну, мне тяжело, невозможно! Все у себя перепостили, все ок. Я думала, все меня услышали. И вдруг опять, — голос у неё поехал вверх, — дорогая Лиля, крепись, мы с тобой!.. Нет, ну попросила же по-человечески!..

— Я удалил, удалил! — утешал её Ванечка.

— Это нормальное человеческое желание, — сказала Ангел в сторону. — Выразить соболезнование. Хотя это тоже враньё!.. На самом деле всем наплевать.

— А мне не наплевать! — запальчиво воскликнула Лиля. — Меня это грузит! Мне нельзя об этом думать, мне так док сказал, знаменитый психотерапевт! Я не думаю, а мне все напоминают! Скоты, сволочи!

— Ваша мама часто приезжала в Сокольничье? — спросил Илья.

— Откуда я знаю! Ванечка, мне нужно чего-нибудь выпить. У неё своя жизнь, а у меня своя. Была. И вообще я в Нью-Йорке жила, пока она меня оттуда не дёрнула. Вдруг ей в голову ударило, что я должна жить на родине!.. Ну вот, теперь я живу на родине, а она умерла.

— Примите наши... — начал Николай Иванович, осёкся, но всё же договорил, — соболезнования.

Девушка не обратила на его слова никакого внимания.

— Я думала, тут попроще будет. В Москве вообще все свои, это ж большая деревня!.. А тут все чужие. И, главное, мужик этот пропал, который звонил, директор. Как будто мне делать больше нечего, сидеть тут и ждать его!

— А зачем вы его ждёте? — спросил Илья.

— Да ему мать деньги оставила на что-то, причём наличные! А договор они не подписали. Ну, он позвонил и говорит, заберите деньги, я их всё равно использовать на дело не могу, меня проверяющие органы за жопу возьмут.

— Какой порядочный человек, — изумился Николай Иванович. — По идее, мог бы вас и не извещать. Оставил бы себе...

Лиля махнула рукой.

— Да мать деньги килограммами раздавала! Он небось от неё всласть покормился, а сейчас совесть проснулась, да и мать умерла, убили её. Алкоголик какой-то задушил...

Лиля уже смотрела в телефон, говорила деловито, как будто сюжет фильма пересказывала.

— Я дела тут... с наследством... порешаю... и всё равно... в Нью-Йорк... улечу. Да, Ванюш? Там жить по приколу. А здесь бардак и пробки, больше ничего.

— Почему же Лилия Петровна вас забрала в Москву, если вам было хорошо в Нью-Йорке?

Лиля пожала плечами. Большие пальцы рук у неё работали с невероятной скоростью.

— Она сказала... да ну её... что пора делом заниматься, а не по барам зависать... Каким ещё делом... Потом замуж... дети... Какие дети... Я ей говорю, это в вашем поколении всем нужно было замуж и рожать, а сейчас всё по-другому... Мы в другом мире живём... Не стану я никаких детей... рожать... И замуж... не выйду.

Тут Ванечка оторвался от своего гаджета, обнял её, прижал к себе и приподнял.

— И за меня не выйдешь, зая? Свадьба на Сардинии, гости, белые шары! Платье поедем выбирать!

Лилечка засмеялась.

— Вот он всегда так! — сообщила она остальным. — Знает, как меня развеселить! За тебя выйду, конечно!.. Только за тебя! Пошли, выпьем чего-нибудь.

— Смузи?

— Сам ты смузи!.. Коктейльчик попросим сварганить. Вы с нами?

И они пошли в сторону гостиницы. Ванечка обнимал Лилю за плечи, но при этом каждый из них смотрсл в свой тслсфон.

Галки поднялись с дальней крыши и понеслись в сторону леса.

— Поколение Интернета, — заключил Николай Иванович, когда галки скрылись.

— Нонсенс, — отрезал профессор Субботин. — Интернет ни при чём. Я должен подумать.

Он зашагал было по траве, но потом остановился и обернулся.

— Вот тебе пример честности, — сказал он Ангелу серьёзно. — Люди не врут. Эта девочка не любила свою мать. Она честна! И не хочет делать вид, что у неё горе. Она уладит дела с наследством и отбудет в Нью-Йорк.

— Ну и что? — пробормотала Ангел. — Ну и правильно.

— А по-моему, это омерзительно, — высказался Николай Иванович. — И как раз нечестно. Погибшая наверняка достойна того, чтоб о ней погоревали хотя бы самые близкие.

— Какие старомодные слова вы говорите, — пробормотал Илья.

Длинная хищная машина неслышно вырулила из-за угла, неспешно прокатила по улице и затормозила у входа в гостиницу. Крышка багажника стала сама собой открываться, хлопнула дверь, и наружу выбрался человек. Выбравшись, он всем телом потянулся, посмотрел по сторонам и неторопливо полез в багажник.

— Утром я видел эту машину, — сообщил Илья.

— А она какая-то особенная? — спросила Ангел.

Он кивнул.

— Прошу меня извинить, — сказал Николай Иванович и потопал ногами, — вряд ли я составлю вам компанию. Холодает прямо ощутимо. Да и пообедать хотелось бы. Я смотрю, вам всё же удалось купить обувь! Ну и как? Удобно?

— Не очень.

— Обувь должна быть удобной.

— Ничего, — сказал Илья. — Я разношу. В крайнем случае, разносят мои внуки. Мне обещали, что внуки будут носить эти сапоги.

Николай Иванович неопределённо улыбнулся. Человек из машины, повесив на плечо баул, вошёл в гостиницу, хлопнула дверь.

...Эта машина тогда, утром, исчезла, как призрак, и в селе Сокольничьем её не было. Куда она делась и почему сейчас вернулась? Кто на ней приехал? Всё это следует выяснить — чем скорее, тем лучше.

Именно потому, что его очень тянуло догнать человека с баулом и дать ему по шее, Илья решил, что ничего выяснять сию минуту не станет. Он отправится туда, куда и собирался.

— Я тоже пойду обедать, — в спину ему сказала Ангел.

— Приятного аппетита, — на ходу ответил он, и она догнала его. Он скосил на неё глаза.

— У русского крестьянства было принято начинать приём пищи с благодарственной молитвы, а не с проклятий, — сказал он. — В книге, которую ты читала, об этом написано?

— Что ты привязался к этой книге?!

Он не ответил. Ему было о чём подумать, и он думал.

До магазина «Народный промысел» они добежали быстро — от холода. Дверь была распахнута настежь и подпёрта половинкой красного кирпича. В опавших кленовых листьях чесалась чёрная собачонка, она вскочила, когда они приблизились.

Ангел потопала прямиком к ней. Собачонка оскалилась и зарычала. Илья посмотрел в дверной проём.

— Глупое животное, — говорила Ангел, наклоняясь, — что ты рычишь? Я тебя хочу погладить!

Собачонка тявкнула, клацнула зубами и отбежала.

— Над собаками не наклоняются, — сказал Илья профессорским тоном. — Если хочешь погладить, присядь. Они не любят, когда над ними нависают. Не любят и боятся.

— А ты всё знаешь, да?!

Он взглянул на часы и туда-сюда покрутил колёсико.

— Спустимся к пристани.

— Ты же хотел в магазин!

Но он уже уходил от неё большими шагами. Она постояла и пустилась вдогонку.

...Какая-то непонятная история. Какой странный день!.. Он то и дело уходит от неё, а она то и дело его догоняет. Зачем она его догоняет?

Дорога резко уходила вниз, как будто падала, и за деревьями видна была большая вода, свинцовая и тяжёлая по осеннему времени. По воде ходили холодные всполохи солнца, резали глаза. Илья подумал рассеянно, что сейчас не помешали бы солнечные очки, в которых так хорошо разбирается Ванечка.

Навстречу им попались какие-то тётки в резиновых сапогах и с корзинами. Они громко разговаривали и замолчали, завидев чужих.

— Здрасти, — пробормотала Ангел.

Тётки проводили их глазами, поставили корзины и опять заговорили им вслед, приглушённо — видно, обсуждали чудных!

Пристань казалась заброшенной. Ветер с воды гонял по дороге какой-то мусор, и здесь было гораздо холоднее, чем наверху.

Илья огляделся.

— Что ты ищешь? — спросила Ангел через некоторое время. Нос у неё покраснел, и она прятала его в жёсткий воротник куртки.

— Не знаю. Водитель, который меня вёз, сказал, что в тот день видел здесь Петровича.

— Кто такой Петрович?

— Убийца, — объяснил Илья. — Предполагаемый, если говорить корректно. Бывший муж Зои Семённы, алкоголик и тунеядец.

Ангел смотрела на него во все глаза.

— Что он мог тут делать, хотел бы я знать? Летом тут ходит паром, но почему он толкался на пристани, когда ничего не ходит?.. И даже если паром, что ему делать на той стороне?

Налетел ветер, на головы им посыпались холодные разноцветные листья.

— Может, он тут водку брал? — предположила Ангел. — Вон, видишь, палатка? «У Абдуллы» называется. Да вон, вон!..

Никакого «Абдуллы» Илья не видел. Она взяла его за плечо и повернула.

Действительно, за кустами проглядывал какой-то фанерный павильончик с нарисованными кальяном и рюмкой.

— Превосходно, — сказал профессор Субботин. — Будем считать, что Петрович угощался именно здесь. Ну, вперёд!..

И вдруг бросился бежать вверх по склону. Поэтесса, не ожидавшая ничего подобного, некоторое время смотрела ему вслед, потом завопила, чтобы он подождал её, но он не остановился и не оглянулся.

Она побежала за ним, но вскоре поняла, что бегом такой крутой и длинный подъём ей не осилить, да и тяжёлые ботинки словно прирастали к брусчатке, и куртка-стог мешала. Всё же она бежала!.. Илья был далеко впереди, и ей казалось очень важным успеть за ним, догнать, как будто от этого зависело что-то, без чего ей не обойтись.

Ну, давай, давай, подгоняла она себя, злясь изо всех сил, что ты такая корова!.. В боку кололо, сердце подкатывало к горлу, и вскоре пришлось перейти на шаг. Она торопилась изо всех сил и смотрела вверх. Вот Илья обежал тёток с корзинами, — они опять остановились, вытаращились и как по команде всплеснули руками, — вот добежал до кривой берёзы. Сейчас пропадёт из глаз!..

Она всё ускоряла шаг и наконец опять побежала, медленно и тяжеловесно.

А потом оказалось, что он идёт ей навстречу, часто и тяжело дыша!..

— Получается пять с половиной минут, — отрывисто сказал он и, потянув «молнию», расстегнул куртку. — Фу, как жарко. Если бегом, а у меня первый разряд по лёгкой атлетике.

Ангел наклонилась и упёрлась руками в колени, стараясь унять дыхание. Лицо было красным и мокрым, пот блестел на коже черепа между стянутыми в дреды волосами.

— Петрович был сильно пьян. Так сильно, что вроде бы в пьяном угаре задушил человека! Значит, поднимался он долго. Предположительно, раза в два дольше, чем я.

Он подал Ангелу руку, и она взялась за неё.

Он вёл её по дорожке под берёзами и думал.

— Нонсенс! — И он фыркнул. — Получается ерунда. Там, где должен быть мотив, рвётся логика. А там, где должна быть возможность, рвётся время. И что получается?

— Слушай, давай посидим, — попросила Ангел хрипло.

— Ты зря понеслась, — сказал он, думая о другом. — Без подготовки такие подъёмы не штурмуют.

Они дошли до лавочки и обрушились на неё. Ангел обмахивалась пятернёй.

— Итак, мотив. Он должен быть, но его нет. Все, с кем я разговаривал, этот мотив объясняли так: не хватило на водку, и Петрович задушил женщину. Взял он у неё, по слухам, только какой-то платок. Так не бывает, и мы это понимаем. Второе — время. Незадолго до убийства — во сколько это было, я точно не знаю, — но именно в этот момент мимо «Народного промысла» проезжал местный таксист. И видел внизу, где поворачивает дорога, Петровича. Если сразу после этого Петрович бросился бежать наверх и бежал, допустим, с моей скоростью, ему потребовалось бы около шести минут. Это немало. При этом совершенно ясно, что с моей скоростью он бежать не мог, и ему понадобилось бы примерно вдвое больше времени, то есть минут двенадцать. Получается, что ничего не получается. Впрочем, время хорошо бы уточнить.

— Зачем тебе всё это? — спросила Ангел. — Из чистого любопытства?

— Я исследую преступления, — сказал профессор Субботин. — Ко мне обращаются те, кто хочет установить истину. Не посадить за решётку преступника, а узнать, что случилось. Почему случилось именно так. Кто виноват. Ведь подчас виноват вовсе не тот, кто поставил точку.

— Поставил точку, значит, убил?

Он кивнул.

— Ты считаешь, есть убийцы, которые ни в чём не виноваты?

Он посмотрел на неё.

— Кто ты такой?! — опять спросила она.

— Я профессор физики, — сказал Илья Субботин. — Мои здешние исследования к моей работе не имеют никакого отношения.

— То есть тебя нанимают, чтобы ты объяснил, как было дсло.

— Да.

Она как будто содрогнулась немного.

— И кто тебя нанял на этот раз?

— Директор нашего Дома творчества. Он хочет знать, за что была убита Лилия Петровна. Попутно он хотел бы узнать, кто именно её убил. Формальности, насколько я понимаю, его не интересуют. Как раз формально преступник обнаружен, обезврежен и посажен за решётку!.. Директор хочет знать, что произошло на самом деле. Видимо, Лилия Петровна была ему не безразлична. Дочери наплевать, а ему нет. Он разыскал меня и предложил разобраться.

— Ты что, даёшь объявления в Интернете — найду убийцу по вашему желанию?

Он пришёл в раздражение:

— Какая разница, как это происходит технологически? Я работаю только по рекомендации. И сам проверяю детали. Чтобы меня заполучить, нужно очень постараться.

— Я думала, ты нормальный, — сказала Ангел, прищурилась и посмотрела на небо. — А ты вон какой.

Его это задело.

— Нормальность — это не ко мне, — объявил он со всей любезностью, на какую был способен в данный момент. — Я ненормален с детства. Меня всегда больше интересовала небесная механика Кеплера, чем пение в караоке-клубе.

— Хорошо, а если ты узнаешь, что убийство совершил не тот человек, которого обвиняют...

Он поправил:

— Не если, а когда. Когда я узнаю!..

— Хорошо, пусть так. Когда ты узнаешь, что убийство совершил другой, что ты будешь делать?

— Ничего. Обычно я объясняю своему клиенту положение вещей и больше не делаю ничего.

— Ты считаешь, это честно?

— Это опять из книги о русском крестьянстве?

Он ругал себя, что ввязался в дискуссию, она чувствовала его недовольство и злилась ещё сильнее.

— Хорошо, — сказала она. — Допустим, ты такой великий и неповторимый сыщик и тебя интересуют только исследования, а моральная сторона дела тебе по барабану.

— Так и есть.

— Почему тогда тебя так взбесила эта девушка, Лиля? Я думала, ты её ударишь.

— Тебе показалось.

— Да ну! Ничего мне не показалось!..

Он поднялся и протянул ей руку в перчатке.

— Ты сейчас сама себе всё объяснишь. И придёшь к выводу, что я не так уж плох. Или что меня можно исправить. Женщины всегда так делают. Если логика или здравый смысл говорят вам одно, вы всегда сами убеждаете себя в противоположном.

Она оттолкнула его руку.

— Пошёл ты! Я ни в чём не собираюсь себя убеждать! Мне наплевать на тебя.

— Это очевидно, — согласился профессор Субботин. — Именно поэтому ты весь день за мной таскаешься.

Она повернулась и пошла прочь. Он смотрел ей вслед. Он не собирался её догонять.

Из «Народного промысла» вдруг вышел Матвей, огляделся, профессора не заметил и пошёл куда-то за дом, загребая ногами опавшие листья.

Илья так удивился, что некоторое время соображал — окликнуть его, пойти следом или ничего не делать!..

— Матвей! — Тот оглянулся и остановился. — Мы вас потеряли. Зоя Семённа распереживалась.

— Да я... — Матвей вновь оглянулся по сторонам, — спать пошёл. Выпили мы, и я... пошёл в гостиницу.

...В гостиницу ты уж точно не ходил, подумал Илья. В гостинцу как раз пошёл я, и тебя там не было. Куда ты отправился?.. Как это узнать?

— Вы бы Зою Семёновну предупредили. У неё все экскурсанты наперечёт.

Матвей опять оглянулся.

— Да я вот сейчас зашёл к ней, извинился. Ничего, ничего, как-нибудь...

— Что как-нибудь?

Матвей пожал плечами, сунул руки в карманы и кивнул то ли Илье, то ли самому себе.

— Я пойду? — он словно спрашивал разрешения.

— Вы ведь здесь не в первый раз, да?

— Я... нет, не в первый. А что такое? Какая разница, в первый или в какой? Я отдыхаю... мне нравится...

— Мне тоже нравится, — сказал Илья, внимательно рассматривая его от волос до мягких меховых мокасин. — Вы, должно быть, уже во всех окрестностях Сокольничьего побывали, да? Всё видели?

— Я?! Ничего я не видел! То есть да, да, видел. Музеи видел, церкви. Здесь хорошие церкви, — он вдруг улыбнулся, — душеспасительные. И люди есть хорошие, приятные.

— Люди приятные, а женщину задушили.

Матвей вздохнул, полез в карман, достал очки в тяжёлой оправе и нацепил на нос. И посмотрел на Илью.

— Ничего не вижу, — смущённо сказал он. — Ни вблизи, ни вдали.

Илье хотелось спросить, хорошо ли он слышит.

— Как вы думаете, зачем её убили?

— Кого? — испуганно спросил Матвей.

— Лилию Петровну. Вы её знали? Она ведь сюда часто приезжала! Наверняка вы с ней встречались.

— Встречались, — медленно сказал Матвей. — Конечно.

Вдруг раздался грохот, и дверь в «Народный промысел» с силой захлопнулась.

— Не успел, — вздохнул Илья. — Хотел зайти и купить изделия народных мастеров. Завтра придётся.

— Завтра можно, — сказал Матвей. — Зоя... Семёновна каждый день открывает, если у неё экскурсий нет. Бывает так, что с самого утра и до вечера люди.

— Лилия Петровна к ней тоже любила заходить?

— Я пойду? — спросил Матвей и на самом деле пошёл. Илья догнал его и пошёл рядом.

— Красиво здесь, — сказал Матвей, глядя под ноги.

Они обошли дом, остановились у заднего крыльца, и тут показалась Зоя Семёновна со своей кошёлкой и связкой ключей. Она мельком глянула на Илью и Матвея, налегла плечом и стала запирать замок.

— Вы зайти хотели? — спросила она у Ильи. — Давайте завтра!.. Вот Матвей Александрович каждый день заходит, спасибо ему. Какая тут у нас торговля! Особенно по осени, грех один.

— Кружева отличные, — сказал Матвей. — И вышивки.

Илья изумился — вот уж кто был не похож на ценителя вышивок и кружев, так это Матвей.

Зоя Семёновна спустилась с крыльца и зашагала по засыпанной листьями дорожке.

Ранние сумерки подступали к селу Сокольничьему, и совершенно непонятно, куда делся день, как будто и не было его вовсе. В холодном стоячем воздухе тянуло дымом, и Илья подумал, что хозяйки, должно быть, к вечеру затопили печи.

Почему-то и Матвей, и он сам неотступно следовали за Зоей Семёновной как привязанные.

— А какие у вас ещё интересные музеи? — спросил Илья, чтобы что-нибудь сказать.

— Русской предприимчивости, — хором ответили экскурсоводша и Матвей. — Потом ещё купеческого быта, — продолжала Зоя Семёновна. — Очень неплохой!.. Да и при заводе музей отличный. У нас здесь кирпичный завод неподалёку, до сих пор работает, и всё по старинным технологиям, как раньше.

— Лилия Петровна на музеи тоже деньги давала?

Зоя остановилась, Матвей налетел на неё и чуть не упал. Она поддержала его за рукав, как маленького.

— Мне Лилия Петровна никаких денег не давала, — сказала она с нажимом. — Что вы всё спрашиваете, какое ваше дело?

— Просто так, — ответил Илья. — Любопытствую.

— Вам любопытно, а мне хоть криком кричи!.. Ну, не виновата я, что её убили, понимаете?!

— Понимаю.

— А кто виноват, тот в тюрьме сидит! И пусть сидит, самое ему там место!..

— Зоя, он просто так, — пробормотал Матвей. — Он просто так спрашивает.

— А я не хочу, чтобы меня просто так спрашивали! Чтоб в жизнь мою лезли! Хотите в музей, приходите в музей! В магазин хотите, завтра открою!

Она нервно дёрнула головой и почти бегом бросилась по дорожке.

— Зоя! — вслед ей крикнул Матвей и напустился на Илью. — Зачем вы её обидели, а? Ну, что вам нужно? Представьте себе, человека убили почти на ваших глазах и убил ваш... родственник. Хотя какой он ей родственник!..

— Холодно, — сказал Илья. — Пойдёмте в гостиницу.

Матвей покорно потащился за ним.

— А вы где были, когда Лилию Петровну задушили?

— Я не помню. Что вы смотрите? Правда! Я вообще всё... плохо помню. Говорят, особенность такая. Вижу плохо, помню тоже не очень, — сказал Матвей.

— Лилия Петровна часто заходила в Зоин магазин? Или этого вы тоже не помните?

Матвей улыбнулся. Улыбался он хорошо, приятно.

— Всё время заходила. И покупала много! Только ею магазин и держался, не знаю, как теперь будет. Она на самом деле любила сюда приезжать и меня приохотила. Я бы и не узнал никогда, что есть на свете такое село Сокольничье...

— Секундочку, — произнес Илья. — Вы дружили с Лилей Петровной?

— Да не то чтобы дружил, но... она меня опекала, да.

Илья стиснул и разжал кулаки.

...Ангел говорила, что ему наплевать на моральную сторону дела, и была абсолютно права. Ему наплевать. Решительно. Абсолютно.

— Вы нуждаетесь в опеке? — уточнил он.

— Иногда очень, — признался Матвей. — Нет, не подумайте ничего такого, но иногда... не справляюсь.

— Чёрт знает что, — пробормотал профессор Субботин. — Нонсенс.

— А?..

— В тот день Лилия Петровна с вами встречалась в лесу?

Матвей посмотрел на него сквозь очки, а потом поверх очков.

— В лесу? — переспросил он в явном затруднении. — Никогда мы в лесу не встречались. Я вообще в лес не хожу, не вижу ничего. Там деревья, кусты. Полумрак всегда. Нет, не хожу.

— Она приехала, чтобы повидаться с вами?

— Наверное. Ну, и со мной тоже. У неё с Олегом Павловичем были какие-то дела, я никогда их не понимал. И не спрашивал.

Илья едва остановил себя, чтобы не задать идиотский вопрос, который ему сегодня задавала Ангел, — вы кто?!

— Но мы так и не поговорили, — продолжал Матвей. — Лилия Петровна первым делом зашла к Зое, и случилось то, что случилось. Это трудно понять. И пережить тяжело.

— С её дочерью вы дружили?

Матвей опять вздохнул.

— Мы даже знакомы были шапочно. Лилечка всё время за границей жила. У неё свои представления о жизни, очень... современные и заграничные. Она хорошая девушка, но я о ней почти ничего не знаю.

— И не знаете, зачем Лилия Петровна вернула её в Москву?

— Лилия Петровна была не так современна, понимаете? В один прекрасный день она решила, что её дочери нужна семья, дети...

— Но ведь у Лилечки, кажется, есть жених, и с этим вопросом всё обстоит благополучно. Вы не знаете, он прибыл вместе с ней или был приобретён уже здесь, на родине?

Матвей покачал головой:

— Я не знаю. Нет, подождите! Знаю! Кажется, Лилия Петровна что-то рассказывала...

Илья молча подгонял его — соображай, соображай, — Матвей медлил.

— Вроде бы он приехал следом за ней, этот молодой человек, и Лилия Петровна была недовольна. А может, я ошибаюсь... Были какие-то разговоры о её приятеле, но я правда сейчас не могу вспомнить.

— Жаль. Чем занималась Лилия Петровна помимо опеки над вами? Или тоже не помните?

— Вы шутите? — уточнил Матвей. Илья кивнул. — У неё был большой бизнес, кажется, унаследованный от мужа. Гостиницы, строительство. Она была очень деловым человеком. И любила помогать!.. Вот Олегу Павловичу, директору, помогала не только деньгами, но и связями. Говорят, связи — это очень важно.

— Правду говорят, — подтвердил Илья. — Может быть, её убили конкуренты? За деньги и связи?

— Я не знаю, — протянул Матвей уныло. — Я бы вам сказал, если б знал.

...Повариха Клавдия отозвалась о нём — блаженный, негораздок. На первый взгляд так оно и есть, но в этом деле полно ряженых с картонными носами и волосами из пакли. Может быть, Матвей как раз из них?..

Они дошли до прямоугольников света, падавших на мостовую из низких окон купеческого особняка.

— Я люблю здесь ходить, — сказал Матвей. — Особенно осенью. Осенью холодно и темно.

— Логично, — пробормотал профессор Субботин.

— Так приятно наступать в свет. Идёшь в темноте и приходишь в свет. Смотрите под ноги!

Илья уставился на асфальт.

— Видите, как красиво? А теперь опять темнота. Какие у вас отличные сапоги. Я бы тоже себе купил. Где вы нашли такие?

— В «Торговле Гороховых». Но там больше подобных нет.

— Не везёт мне, — сказал Матвей и улыбнулся. — А что за девушка была сегодня с вами?

— Какая девушка? — не понял Илья.

— Я шёл в магазин Зои Семёновны, а вы сидели на скамейке с девушкой.

— Это же наша поэтесса, мы вместе завтракали. А потом водку пили тоже вместе. Вы и её не помните?!

— Нет, это совершенно другая девушка, — заявил Матвей убеждённо. — Ту я бы узнал. Точно, точно!

Через эркер они вошли в тёплый мраморно-золотистый зальчик, и Илья стянул перчатки.

— Нагулялись? — женщина за конторкой заулыбалась приветливо. — Зябко небось, да? У нас тут кругом леса, холодает моментально!.. Олег Павлович звонил, спрашивал, забрали папочку, нет ли, велел её вам в номер отнести.

— Спасибо, — пробормотал Илья и оглянулся.

Матвей, замерев, во все глаза смотрел на стену. Лицо у него из смуглого сделалось болотным, в цвет свитера. Илья тоже посмотрел.

Стена, на стене картина.

Он тронул Матвея за рукав.

— Что случилось? А?..

— Её здесь не было.

— Кого, меня?! — поразилась администратор. Матвей дёрнулся, словно от тока.

— Картины! — крикнул он тонким голосом. — Откуда она взялась?!

Илья посмотрел ещё раз.

— Здесь висела другая картина, — бормотал Матвей, — кувшин на окне, в кувшине ромашки, а за окном поле! Другая!

— Да вы не волнуйтесь, — зачастила женщина. — Это Олег Павлович распорядился повесить. Да что с вами такое, может, водички налить?

— Какой... Олег Павлович?!

— Наш, наш, директор. Он заехал, привёз эту, а ту велел на второй этаж перевесить. Мы так и сделали. А что? Вам не нравится?..

— Откуда... откуда у него эта картина?!

Илья ещё раз посмотрел.

Он не разбирался в живописи, но отчего-то сразу было понятно, что картина хороша. И не просто хороша, а удивительна. Что именно на ней изображено, Илья затруднился бы сказать, но зато точно понимал, о чём она.

— Где ваш дирсктор её взял?!

— Так я же не знаю! Может, водички, а?..

Илья подошёл поближе, потом оглянулся на Матвея.

— Вы знаете эту картину? Или художника?

— Я не знаю, откуда она взялась, — ответил Матвей сквозь зубы. — А вы можете её снять?

— Как?!

— Просто снять, и всё. Перевесить в подвал.

Администраторша от неожиданности, кажется, отступила немного.

— Без разрешения Олег Палыча нет, конечно... Что вы... Хорошая же картина...

Матвей сморщился, замотал головой, замычал что-то и побежал по лестнице.

Илья подошёл к картине и посмотрел вблизи — это было трудно, широкие яростные мазки расползались, словно хлестали по глазам. На полотне не было ни даты, ни подписи. Илья аккуратно приподнял раму и снял картину.

— Да нельзя, ну как же! — Администратор выскочила из-за конторки. — Зачем вы её трогаете?

— Я только посмотрю.

На задней стороне холста тоже не было никаких пометок.

— А кто автор, вы не знаете? — Илья ещё раз внимательно посмотрел и так и сяк и стал прилаживать картину обратно.

— Да откуда же! Олег Павлович велел повесить, мы и повесили! Равняйте, равняйте, правый угол поднимайте!

— Он в котором часу заезжал?

— Да после обеда сразу же.

— И картину привёз с собой?

Женщина вздохнула и покачала головой:

— Какие все нервные, сил моих нет. — Она спохватилась и улыбнулась. — Ну, слава богу, на месте, а то попадёт мне от Олег Палыча. Да, да, с собой и привёз. Должно быть, новая какая-то, у нас такой не было никогда. Небось в Ярославле купил или даже в Москве. Деньги большие заплатил, как пить дать. И чего она Матвею Александровичу не понравилась?..

Они стояли вдвоём и рассматривали полотно.

— Не пойму только, чего на ней нарисовано-то. А вы? Понимаете?

— Мне кажется, тревога, — сказал Илья. — Или даже страх.

Женщина вздохнула.

— А что? Похоже.

Поднявшись на второй этаж, Илья подумал немного и постучал к Матвею. Подождал и ещё раз постучал.

— Кто там? — приглушённо спросили из-за двери.

— Матвей, это Илья! Откройте, пожалуйста.

Внутри завозились, кажется, что-то упало и покатилось, потом Матвей сказал:

— Я... не могу. Я заболел.

Илья вздохнул и спросил злобно, не нужно ли врача. Матвей проблеял, что ничего и никого не надо, он уже лёг спать.

— Какие все нервные, сил моих нет, — под нос пробормотал Илья Сергеевич и отправился к себе.

В люксе «Николай Романов» было очень тепло и свежо — горничная приоткрыла окно, выходившее в парк. Кеды бодро стояли на батарее. Илья подошёл и пощупал. В резиновое нутро каждого башмака была затолкана мятая газета. Они были абсолютно сухие и чистые.

— Так, хорошо, — сказал Илья. — Спасибо большое.

На обширном нетронутом пространстве письменного стола выделялась пухлая чёрная папка. Илья, стягивая куртку, несколько раз покосился на неё. Ему очень хотелось посмотреть, что в ней, и именно потому что не терпелось, он решил пока не смотреть.

Он плюхнулся в кресло и начал стягивать сапоги, сработанные знаменитым дядей Васей Галочкиным. Ясное дело, сапоги застряли и не шли, и он долго с ними возился. Пошвыряв их по очереди на середину тусклого ковра, он вытянул ноги и стал думать. Потом достал блокнот и принялся быстро писать.

...Сам виноват!.. Он был уверен, что такое простое дело разъяснится в два счёта. Он был уверен в этом в Москве, когда беседовал по телефону с исчезнувшим директором, — кстати сказать, директор уверял его, что Илья очень быстро во всём разберётся! Он был уверен в этом, когда словоохотливый старик в электричке убеждал его, что Петрович ни в чём не виноват. Он был уверен, когда утром за завтраком прикидывал, кто из присутствовавших больше всего подходит на роль убийцы, и пришёл к выводу: никто не подходит. Были разные странности, мелочи, несовпадения, но они казались или чепуховыми, или уж точно не могли иметь отношения к делу, как цепи, украшавшие бюст Ангела.

День потрачен впустую — или почти впустую. Ну что сегодня вечером он знает такого, чего не знал вчера?

Дочь убитой мечтает вернуться в Нью-Йорк и не собирается выходить замуж. Смерть матери не нанесла ей никакого сокрушительного удара. Вспоминать о том, что случилось, она не хочет, ей тяжело и неприятно. Что это значит?.. Ничего. Так бывает — дети не любят родителей, а родителям нет дела до детей. Это современный подход! Кажется, он называется — мы разные люди.

Жених — назовём его по старинке — то ли прибыл с девушкой из Нью-Йорка, то ли образовался на её горизонте уже здесь, самый обыкновенный молодой человек. Интернет интересует его гораздо больше, чем происходящее вокруг. Вполне возможно, что он не нравился Лилии Петровне, женщине деловой и хваткой, по всей видимости, неглупой. Разговоры про стартапы, мудборды и обучение в Израиле вряд ли могли произвести на неё завораживающее впечатление. Коллекция дорогих очков и раритетных автомобилей тоже едва ли её вдохновляла. Вполне возможно, что она желала дочери совсем другой партии, — тоже по старинке! — человека солидного, занятого делом и главное — понятного. Чтобы вместо палки для селфи клюшка для гольфа, вместо воркшопов и хакерспейсов химический заводик, и чтоб не в форксваре чекинился, а в бане парился. Что из этого следует? Ничего.

Уж тонны исследований написаны о том, что люди, родившиеся в начале двадцатого века, отличаются от людей, родившихся в середине, значительно меньше, чем сегодняшние молодые люди от своих родителей. Интернет, Интернет изменил всё!.. Стив Джобс, в изобилии снабдивший планету гаджетами, умудрился сделать то, что оказалось не под силу Сталину, Гитлеру и всем камбоджийским людоедам чохом, — удалил из реальной жизни значительную часть населения планеты. И для этого не понадобилось проливать кровь!.. Всего-то — в изобилии снабдить детей весёлыми, постоянно меняющимися картинками. Загипнотизированные дети очень быстро привыкли к простеньким зрелищам и, открыв ротики, принялись следить за мелькающими персонажами, мультяшными героями, красавицами и пейзажами, без этого им скучно, они не могут себя занять и начинают плакать. Чтоб они не плакали, умные и жёсткие кукловоды из абсолютно реального и жёсткого мира придумывают для них новые завлекательные картинки, и здесь, на поверхности, остаются только самые сильные или не подверженные гипнозу. Таким образом, конкурентная среда становится менее конкурентной — живущим в Интернете оттуда не выбраться и к реальности не приспособиться, а немногочисленным оставшимся и просторней, и свободней.

Следует ли из этого, что интернет-жених Ванечка задушил в магазине «Народный промысел» свою будущую тёщу? Нет, не следует. Вряд ли он на это способен.

Николай Иванович, который хвастал перед Клавдией, будто он из Министерства культуры, Екатерина в загадочных мехах — кто они на самом деле? Что они делают в селе Сокольничьем?

А Матвей, которого так перепугала картина, привезённая директором? Кто он такой? Почему он врёт напропалую, зачем? И зачем эта картина? Почему невидимый дух по имени Олег Павлович распорядился повесить её именно сейчас и так, чтобы её уж точно увидели все обитатели Дома творчества? Какую роль она должна сыграть?

Кого прячет на втором этаже своего магазинчика несчастнейшая Зоя Семёновна? Кого заметил водитель на лавочке за несколько минут до убийства? Как и в какой момент Петрович попал в магазин, если его видели на пристани, а подъём там крутой, трудный? С кем Лилия Петровна встречалась в лесу незадолго до смерти и встречалась ли? Зачем она оставила водителя и пошла в Сокольничье пешком, если ни с кем не встречалась?

Что за человек чуть не убил его сегодня утром? Куда он делся и почему под вечер приехал в Дом творчества как ни в чём не бывало?

Илья перечитал написанное и перелистнул страницу.

...Сам, сам виноват! Почему-то заранее убедил себя, что всё будет просто и быстро. Он взглянет на место преступление, на людей — и всё поймёт.

...Кстати сказать, места преступления он так и не видел.

Чокнутая поэтесса по имени Ангел — кто она на самом деле? От кого прячется в селе Сокольничьем? В том, что прячется, у Ильи Субботина не было никаких сомнений.

Тут он перестал писать и уставился на свои ноги в зелёных армейских носках.

...На поэтессе мысль начинала сбиваться и как-то раздваиваться, хотя по профессорской привычке он заставлял себя сосредоточиться. Что-то фальшивое и неверное было в том, что целый день они провели вместе. Нужно было или сразу избавиться от неё, или уж приглашать в сообщники, а дальше наблюдать, что из этого выйдет. Но этот проведённый вместе день как-то незаметно исключил её из числа подозреваемых, а это неправильно. Он ничего не знает о ней, кроме того, что она пытается всех обмануть, и ей кажется, что обманывает тонко и виртуозно.

Она понравилась ему, вот в этом всё дело, от этого раздваивается и сбивается мысль! Он закрыл глаза, вспомнил и усмехнулся. Они сидели на досточке, он жевал капусту, а она во все глаза смотрела на него.

Илья Сергеевич Субботин, профессор и доктор наук, к тридцати пяти годам устроил свою жизнь, как ему нравилось, и никакой другой не хотел. Он так хорошо всё придумал!.. Домик в старом дачном посёлке — ни заборов до небес, ни шлагбаумов, ни маникюрных салонов и супермаркетов поблизости. Домик достался ему в наследство, и его гонораров вполне хватало, чтобы жить и не тужить. Собака породы корги, по имени Хэм — как бы и Хемингуэй, и ветчина, что тоже приятно. Осенью траву засыпает иголками и сосновыми шишками, и когда они горят в костре, пахнет смолой. Кабинет, в кабинете диван и книги, на столе школьная металлическая подставка — когда он работает, ему удобно, чтоб книжка стояла на подставке. Он работает, а Хэм валяется в ногах — тоже трудится изо всех сил, время от времени всхрапывая и перебирая во сне короткими лапами. Илья Сергеевич часто уезжает по делам, и Хэм остаётся с Галей, которая присматривает за домом уже много лет, она досталась профессору в наследство вместе с домом. Впрочем, иногда Илья берёт корги с собой, и тогда Галя сердится — ей скучно приходить в пустой дом.

Лет с тринадцати он стал придумывать себе будущую жизнь, которой когда-нибудь заживёт. Собственно, жизнь представлялась ему смутно, зато отлично рисовалась картинка: вот он, уже взрослый и самостоятельный, ни от кого не зависит и ничего не боится, самое главное — не боится родительских ссор и скандалов. Он приходит домой, а дома тихо и нестрашно, и можно просто сидеть, наслаждаясь покоем. В тринадцать лет ему хотелось покоя!.. Его встречает собака — в тринадцать лет он мечтал, чтоб была собака, друг, — и они отлично понимают друг друга. С собакой невозможно поссориться!

Всё сбылось — и собака, и убежище, и стены, которые защищают. В его мир не допускался никто, способный даже случайно задеть его и причинить боль. Ему нравилась его наука, целый мир, который он мог рассматривать и изучать. Ему интересны были его исследования — они словно восполняли недостающие страсти и страдания, при этом почти его не касаясь. Ему хорошо было с Галей и Хэмом, и больше он ни в ком не нуждался. Иногда он чувствовал себя стариком, и его это забавляло. Нет, он посмеивался над собой и своими «стариковскими привычками», но всё же с некоторым превосходством относился к ровесникам, которые всё «искали», «разочаровывались», «начинали сначала»!..

Илья решительно не желал ничего «начинать сначала». Даже романы, в которые он время от времени ввязывался, были непродолжительны и скучны. Девушкам он казался слишком заумным и высокомерным, особенных денег у него никогда не водилось — ни колечек, ни волшебного уик-энда на Майорке. Нечего выложить в инстаграмм! Некоторые, совсем отчаявшиеся, так активно начинали боевые действия в направлении брака и семейного очага, что он пугался до смерти. Предпоследняя устроила целое представление с внезапной беременностью и воспоследовавшими попытками суицида, профессор еле ноги унёс!.. Последняя всё обижалась, что он не принимает её у себя — он никого и никогда не приводил в дом, — а после визита объявила, что у неё аллергия на собак и от Хэма придётся избавиться. Илья быстро избавился — от неё, — а Хэм остался. Время от времени она ещё продолжала писать и звонить, и он терпеливо удалял из почты её гневные письма.

Он слишком любил себя, свою собаку, свои книги и сосны, чтобы всерьёз делить всё это с кем-то ещё. Матери, которая иногда приставала с женитьбой, он говорил, что ленив, радости семейной жизни не для него. Для него — кабинет, разношенные джинсы, старая толстовка, кружка с чаем и пёс в ногах, больше ничего не нужно. На совместный быт, общую ванную, торговые центры по выходным — пойдём ещё вон те туфли посмотрим! — на подруг, их мужей и чад, на ужины с тёщей и тестем — водочка и разговоры о политике — он не готов решительно.

Но странная деваха в дредах понравилась ему — пожалуй, первый раз в жизни. Просто понравилась, и всё, без дальних прицелов, без осмыслений и переосмыслений, без разбора недостатков — с чем он может временно примириться, а с чем уж точно нет. Собственно, про её недостатки и достоинства он вообще ничего не знал, и — странное дело! — ему было наплевать на них.

Ему нравилось, как она смотрела на него, как говорила, хотя ничего особенного она не говорила, но её низкий голос хотелось слушать. Ему нравился её бюст, что ты будешь делать, и несколько раз он ловил себя на том, что шарит глазами по её куртке-стогу в попытках рассмотреть этот самый бюст!

И то, что она всё время и не по делу обижалась на него, ему нравилось. Ему хотелось её дразнить, разговаривать с ней, указывать ей на её промахи, держать за руку, хотя синие татуированные запястья вызывали у него некоторое содрогание.

Илья закрыл записную книжку, прицелился и кинул её на стол. Она шлёпнулась и поехала, немного подвинув чёрную папку.

...Он возьмёт её в сообщники, а там посмотрим. Он ведь почти взял!.. Без неё ему будет скучно. Он почувствовал эту скуку, когда остался на улице с Матвеем и Зоей Семёновной, а она ушла. Он ведь почти побежал за ней, лишь в последнюю секунду удержался, да и то потому, что из магазина появился Матвей. Только нужно сказать ей, что он всё видит и понимает, он ведь почти сказал!..

Почти, почти... Весь день он натыкался на «почти» — почти понял, почти додумал, почти сообразил.

Хотелось есть — целый день он провёл на улице, да ещё бегал, а утром водки тяпнул, — и при мысли о Клавдиином ужине настроение у него улучшилось.

Он вытащил из кедов газету, обулся и вышел из номера, позабыв на столе ключ.

В коридоре было тихо, а на лестнице разговаривали, и он замедлил шаг.

— Я тебя уничтожу, — негромко говорил низкий голос, Илья остановился и затаил дыхание. — Ты меня знаешь, так и будет. И не только тебя, всех. Это проще, чем ты думаешь. Если ты станешь мне мешать. Это понятно?

Пауза, какое-то топтание и словно хрип.

— И не смей никуда звонить. Что ты хочешь рассказать?? Кому?! Кого послушают, тебя или меня?! Ты оцени, попробуй!

И снова пауза.

Илья понял, что они сейчас уйдут, и опять будет «почти» — слышал и почти видел! — и бросился вперёд.

Броситься-то он бросился, но в этот момент распахнулась дверь в номер Матвея, и профессор лбом прилетел в её дубовый край. Череп треснул и раскололся надвое, перед глазами закружились и одна на другую повалились стены, и он осознал себя сидящим на полу.

Онемевший Матвей стоял над ним.

Илья взялся руками за голову и соединил расколотые половинки. В ушах звенело.

— Здрасти, — сказал Матвей.

Илья кивнул, держа голову в руках.

— Вы... упали?

— Я шёл по коридору, — едва выговорил профессор Субботин. — А ты дверь распахнул! И я ударился!

— Вы... подслушивали?

Так оно и было — подслушивал. Спохватившись, он вскочил, подбежал к лестнице и заглянул. Разумеется, никого давно не было на площадке.

— А ты что? — набросился он на Матвея. — Поправился уже? Ты же заболел. С тех пор, наверное, с полчаса прошло!

Матвей ещё постоял, глядя на него, потом закрыл дверь. В замке повернулся ключ.

— Остроумно, — пробормотал Илья Сергеевич и стал спускаться по лестнице.

Ужинал он в компании подвыпивших Ванечки и Лилечки, которые по очереди фотографировали друг друга и принесённые стаканы и тарелки. Ванечка был в тёмных очках, которые он то и дело ронял с носа и в конце концов уронил в борщ. Фотография «рейбенов» посреди борща была немедленно выложена в инстаргамм и к концу ужина набрала тридцать три лайка. Ванечка смеялся и утверждал, что будет ещё больше.

Кофе Илья пить не стал — ему очень надоела компания Ванечки и Лилечки, — вернулся к себе и только тут спохватился, что так и не запер дверь. В его люксе был вполне старорежимный замок, никаких самозапирающихся устройств и пластмассовых карточек.

В номере было по-прежнему тепло и тихо, ничего не изменилось, только чёрная пухлая папка исчезла со стола.

С порога Илья оглядел ресторанный зал. Все старожилы были на месте, добавилось новое лицо — мужик из вчерашней машины. Он сидел один, полоскал ложку в чашке с чаем и читал бумаги, как и Екатерина. Они сидели спинами друг к другу, скреплённые листы переворачивали почти синхронно, и это было забавно. Лиля и Ваня подняли головы от телефонов, кивнули ему и опять уставились на экраны. Николай Иванович читал газету — всё, как всегда, всё, как обычно!.. Матвей, сгорбившись, ел кашу. Ангел смотрела в окно.

...Кому из них понадобилась директорская папка?

— Доброе утро, — поздоровался Илья громко.

Секунду он колебался, потом сел за стол к Ангелу.

— Привет.

Она перевела на него взгляд и сказала хмуро:

— Привет.

— Секундочку, — произнёс Илья Сергеевич. — Как же так? Ты должна сказать, что меня не приглашала, чтобы я убирался вон, и пожелание доброго утра — враньё, как и само утро.

— Я тебя не приглашала, убирайся вон, а доброе утро — враньё.

— Так неинтересно.

— Я решила, что ты прав, — сказала она серьёзно. — Я долго думала и поняла, что так, наверное, лучше.

Он смотрел на неё и ждал — он умел задавать вопросы, не говоря ни слова.

Она взмахнула синей рукой с цепями и брелоками:

— Наверное, лучше знать, чем не знать. Ну, знать, что на самом деле случилось. Ты вчера говорил, помнишь? Я решила, что ты должен всё выяснить до конца.

— Остроумное замечание, — пробормотал профессор. — Прекрасно, что ты одобряешь мою деятельность.

— Я ничего не одобряю, — возразила Ангел. — Но так лучше. Кажется, никого, кроме тебя, этот вопрос не интересует. Что на самом деле здесь случилось?

— А ты знаешь?

Она покачала головой, её дреды колыхнулись.

— Я только знаю, что все врут.

— Понятно.

Он подозвал официантку и заказал гурьевскую кашу, которую так хвалил Николай Иванович, оладьи из печени и какао.

— Ты знакома с директором?

– Ну, видела.

— Как он выглядит?

Она удивилась:

— Как директор. Мужик в пиджаке, и всё.

Илья наклонился к ней близко.

— Посмотри внимательно, только аккуратно. Вот тот человек за столиком, который читает, на него похож?

Ангел моментально повернулась и выпучила глаза. Илья пожалел, что спросил. Человек, почувствовав взгляд, оторвался от своих бумаг, посмотрел на Ангела и усмехнулся.

— Совершенно не похож, — горячо зашептала она, перегнувшись к Илье. — Да это точно не он!

Илья Сергеевич с удовольствием съел принесённую кашу — Ангел время от времени поворачивалась и таращилась на мужика с бумагами, — а потом попросил у Ванечки планшет.

— Мне нужно просто посмотреть, — объяснил он туманно. — А телефон разряжается быстро.

И пересел за соседний стол. Лилечка мельком ему улыбнулась, быстро сфотографировала их с Ванечкой и планшетом и опять уставилась в экран.

— У вас тут латиница, — сказал профессор с уважением, — а это что?

Виртуальная клавиатура была снабжена ещё какими-то символами. Ванечка засмеялся.

— Буквы, — ответил он с удовольствием. — Это иврит, я в Израиле учился.

— Никогда не видел клавиатуру на иврите, — признался Илья Сергеевич.

— А с иероглифами видели? Это вообще чума! Иврит — ерунда. — И Ванечка молниеносно набрал нечто непонятное. — Здесь написано — с добрым утром.

Илья посмотрел сначала в планшет, а потом на Ванечку.

— Элегантно, — оценил он.

— Да ну, — Ванечка махнул рукой. — Какой сайт вам открыть?

— Я сам, спасибо.

— Да вы, наверное, долго будете искать. Я в Интернете точно лучше вас шарю.

— Это видно. Откройте мне сайт нашего Дома творчества.

Тут даже Лилечка оторвалась от телефона — так удивилась.

— А вам зачем?

Профессор Субботин объяснил и опять туманно:

— Хочу ознакомиться.

Ванечка стремительно пробежал пальцами по клавишам.

— Ну вот, пожалуйста.

Знакомился Илья Сергеевич недолго. Пролистал туда-сюда и вернул планшет.

— Как мне здесь надоело, — сказала Лилечка и потянулась. — Уехать, что ли, не ждать директора этого? Главное, сам пригласил, и сам же куда-то умотал.

— А деньги? — не поднимая головы, напомнил Ванечка.

— Денег жалко, конечно. Но может, он мне их пришлёт?

— Да ничего он тебе не пришлёт! Ты уедешь, и тютю. Давай на колокольню залезем! Оттуда вид небось зашибенный.

— Тут куда ни глянь, везде вид, — сказала Лилечка капризно. — Мне скоро выкладывать будет нечего, всё время виды какие-то!.. Люди, вон, в Милане на Неделе моды, а я всё в Рашке торчу, да ещё в какой-то деревне, блин.

— Кстати сказать, я даже не знаю, можно ли подняться на колокольню, — подал голос Николай Иванович.

— Можно, — сказал Матвей своей чашке. — Я забирался. Там красиво. Только трудно лезть, высоко.

Лилечка передёрнула плечами:

— Я высоты боюсь, ужас просто. А лифта нет, конечно?

— Лифт на колокольню? — переспросил профессор. — Остроумно.

Катерина поднялась, собрала свои бумаги и вышла из ресторана, ни на кого не взглянув. Вид у неё был то ли рассерженный, то ли недовольный. Николай Иванович проводил её глазами и тоже поднялся.

— Прогулка, молодые люди? Здесь самое милое дело — гулять. Впитывать, так сказать, воздух и красоту окружающего мира на год вперёд.

Ангел пробасила, что красота окружающего мира — враньё, Лилечка с Ванечкой так и не оторвались от телефонов, а Матвей кивал изо всех сил, соглашаясь. Вновь прибывший зычным голосом подозвал официантку и спросил счёт. Та пропищала, что завтрак включён в стоимость номера, и, кажется, рассердила гостя.

— Откуда я знаю, что у вас включено или не включено, — сказал он с досадой. — Я же не сам себе эти ваши номера заказывал!..

— Нет, нет, ничего не нужно, — пролепетала официантка.

Гость встал, кинул на стол смятую тысячерублёвую купюру и пошёл к выходу. Официантка помчалась за ним — возвращать деньги. Из-за двери послышались их препирательства.

— Это чаевые! — грохотал гость. — Вы что, чаевых никогда не видели? Дурдом!

— Мне нужно идти, — сказал Илья своей соседке. — Ты со мной?

— Я с вами, — неожиданно вскричал Матвей. — Можно?

Втроём они вышли в коридор.

— Я хочу вас попросить, — сказал Матвей, глядя в пол. — Только один на один. Извините меня, Ангел!

Она пожала плечами и фыркнула:

— Да пожалуйста! — И удалилась большими шагами.

Матвей взял профессора Субботина за рукав и потащил к двустворчатым дверям, за которыми оказался небольшой конференц-зал, совершенно пустой.

— Послушайте, — начал он, когда двери закрылись, — мне очень нужно, правда. Вы не подумайте, что я... ненормальный. Но мне очень нужно! Давайте вместе, а? Я сам не справлюсь. Ну, не получится у меня.

— Я ничего не понимаю.

— Боже мой, это же так просто. Я же вот и объясняю! Давайте вместе.

Илья улыбнулся.

— Вы непонятно объясняете, Матвей.

— Да?.. Что тут непонятного? Давайте украдём её, и всё закончится.

Илья Сергеевич молчал.

— Она не должна там оставаться, понимаете? Никак не должна. Ей там не место.

Профессор Субботин уточнил:

— Насколько я понимаю, речь идёт о картине?

Матвей несколько раз с силой кивнул.

— Вы должны мне помочь. Больше никому!

— Зачем?

Тот пришёл в изумление:

— Как зачем? Это необходимо!

Илья легонько надавил ему на плечо и заставил сесть в ближайшее кресло, и сам пристроился рядом.

— Матвей, — начал он проникновенно, — зачем нам красть картину со стены в Доме творчества села Сокольничьего?

— Ей там не место.

— Что это за картина?

Матвей быстро взглянул на Илью и опять уставился в пол.

— Я не могу вам объяснить.

— А я не ворую картин.

Воцарилось молчание.

— Давайте дождёмся Олега Павловича и попросим, чтоб он вам её подарил. Или продал. Так будет логичней, я думаю.

— Он не отдаст. Он повесил её на стену.

— Это ваша картина?

Матвей молчал.

— Или вы где-то её видели? Где, Матвей? Почему ей здесь не место?

— Я не могу вам сказать, правда. Я бы сказал, если бы... если бы было можно.

Тут Илье стало очевидно, что объяснять Матвей ничего не станет и все попытки выпытать что-то определённое обречены на провал. Пустая трата времени.

— Нонсенс, — под нос себе пробормотал профессор Субботин. — Как вы планируете её украсть?

— Вы позовёте дежурную к себе в номер или куда-нибудь ещё. А я сниму.

— При входе наверняка есть камеры, — проинформировал Илья. — А в коридорах уж точно. Нас с вами повяжут и впаяют срок.

— Что сделают? — перепугался Матвей.

— Отдадут под суд. А картину отберут и вернут на прежнее место.

— Нет!

— Да.

Матвей взялся руками за уши и стал раскачиваться туда-сюда. Илья наблюдал за ним.

— Объясните мне, в чём дело, и я вам помогу, — попросил Субботин.

— М-м-м, — промычал Матвей, как от боли. — Я не знал, что она есть, эта картина. Я был уверен, что её давно нет. Понимаете, она была у Лилии Петровны, Лилия Петровна обещала...

— То есть это ваша картина, и вы её отдали Лилии Петровне? Когда, Матвей?

— Давно.

— Где вы её взяли? В музее?

Матвей уставился на него.

— В каком ещё музее? Нет, конечно, не в музее.

Матвей ещё немного пораскачивался. Илья предпринял вторую попытку:

— Вы художник?

— Какой я художник!

— Тогда чья картина?..

Матвей безнадёжно махнул рукой и поднялся.

— Так я и знал. Я знал, что будет плохо, и вот так оно и вышло. Извините меня, я пойду.

Профессор Субботин, и без того пребывающий в раздражении, окончательно вышел из себя:

— Объяснитесь, — велел он злым голосом. — Я ничего не понял. Что такое с этой картиной?! Что за истерику вы устроили?

— Да, да, — согласился Матвей и вышел из конференц-зала. Дверь тихо притворилась за ним.

Илья в номер «Николай Романов» подниматься не стал, выскочил на улицу, где было холодно и солнечно, в два шага добежал до пруда, подобрал камешек, кинул его в толстую утку, которая неторопливо плыла довольно далеко от берега. Утка возмущённо захлопала крыльями, но не взлетела, а только поплыла быстрее.

Илья поддал ногой ворох цветных листьев и сунул руки в карманы. Поблизости не было больше никого и ничего, на чём можно было бы сорвать раздражение. Он повернулся и обнаружил, что хозяин длинной машины копается в багажнике, — вот это удача.

— Послушайте, — начал Илья Сергеевич издалека. Человек оглянулся. — Да, да, вы послушайте! Вы вчера меня чуть не убили! Вон там, на повороте, где лужа!

Человек смотрел на него во все глаза, Илья стремительно приближался.

— Вы что, ездить не умеете?! Если не умеете, научитесь или не садитесь за руль!

— Ты чего, парень?.. Обалдел?

— Я не обалдел! А ты не обалдел?! Ты чего, хотел меня переехать, что ли?

— Да никого я не хотел переезжать, приди в себя!

— Я в себе! — заорал профессор Субботин. — А ты?! Как ты ездишь?! Или у тебя мозгов нету?!

Мужик захлопнул багажник и прищурился.

— Ты чего нарываешься, парень? Схлопотать хочешь? Я могу устроить!

— Я сам кому хочешь могу устроить! Зачем ты на меня налетел?!

— Да когда?! Когда я на тебя налетел?!

— Вчера утром! Я просто шёл, вон там, а ты выскочил из-за поворота!

— Не выскакивал я!

Они стояли на расстоянии двух шагов и орали друг на друга. Илья сжимал кулаки в карманах, а мужик упирал руки в боки. Неизвестно, до чего бы они долаялись, вполне возможно, что и до потасовки — обыкновенной уличной собачьей потасовки, но из эркера выскочила Ангел, на ходу напяливая куртку-стог.

— О чём беседуем, мужики? — зычным басом гаркнула она. — О погоде?

Они разом оглянулись — два ощетиненных взъерошенных пса. Илья с силой вдохнул и выдохнул.

— Наверняка на углу камера есть, там пешеходный переход, — сказал он. — Даю слово, я найду запись и подам на тебя в суд.

Его противник неожиданно дрогнул и как будто немного сдал назад. Он моргнул, опустил руки и повёл плечами, словно стряхивая злость.

— Да ты толком можешь объяснить, что случилось? И когда?!

— Вчера! Я шёл, а ты летел, как... как... — Профессор Субботин тоже несколько пришёл в себя и договаривать не стал. — Ты меня в лужу загнал, хорошо что не убил.

— Вчера утром? — переспросил противник и немного посображал. Ангел, застёгивая куртку, подошла и стала рассматривать его машину. — Я тебя не видел, это точно.

— Зато я тебя видел!

— И чего? Я тебя задел, что ли?

Илья Сергеевич понял, что дискуссия зашла в тупик.

— Я шёл, — повторил он, — собирался переходить дорогу. Вон там. Ты летел. Ты меня не ударил, но в лужу загнал. Или ты по сторонам не смотришь, когда ездишь, особенно на пешеходном переходе в населённом пункте?

Этот «населённый пункт», как и упоминание о суде, ещё немного смягчило его соперника.

Он упёрся руками в крышу своей машины и посмотрел в асфальт.

— Вчера утром, говоришь? Да утром я... думал о другом. Мог и не заметить. Так ты меня... извини, парень. Как тебя зовут?

— Илья Субботин.

Мужчина сунул ему холодную жёсткую руку.

— Пётр Артобалевский.

Ангел оторвалась от созерцания машины и вытаращила глаза.

— Вы Артобалевский?!

Мужчине кивнул с таким видом, словно сожалел о том, что у него такая звучная фамилия. Илья Сергеевич ничего не понял.

— Вы знакомы? — спросил он у Ангела.

— С Петром Артобалевским все знакомы, — сказала та, рассматривая мужика во все глаза.

— Ай, бросьте, — махнул рукой мужик. — Слушай, Илья, если тебе надо... компенсацию там или чего, ты скажи, я заплачу.

Профессор Субботин молча смотрел на него.

— Не надо, я так понимаю? Ну, извини ещё раз. Я не нарочно. Я вчера не в себе был малость и по сторонам на самом деле не смотрел.

— В другой раз смотри, — посоветовал Илья.

Артобалевский кивнул, ещё раз сунул ему руку и пошёл к эркеру. Его машина мигнула жёлтыми огнями, запирая себя на замки.

Илья и Ангел проводили его глазами.

— Ты чего без куртки? — спросила она наконец. — Мороз на улице.

— Я закаляюсь. Кто такой Пётр Артобалевский?

— А то ты не знаешь!

— Я не знаю.

— Да ладно. Или правда не знаешь?

Профессор молчал.

— Слышь, вон там чайная. Она уже открылась или нет? Который час?

Илья сказал который.

— Пойдём там посидим. А то сейчас Зоя Семённа явится, и ты за ней в Музей русской предприимчивости поволочёшься. Ты же у нас сочувствующий, как и все остальные. Людям помогаешь!

Скорым шагом они прошли вдоль особняка. На соседнем доме и впрямь красовалась надпись «Чайная» и над крыльцом — крендель.

Внутри было не так богато, как в ресторане Дома творчества, но деревянный пол чисто вымыт, на окнах весёлые занавески, а на буфете самовар. На второй этаж вела чугунная неширокая лестница. Илья Сергеевич остановился и изучил лестницу.

— Нравится? — басом спросила Ангел. — Ты тоже любитель старины, да? Теперь все прикидываются любителями старины!

— Литьё отличное, — проинформировал профессор.

— Можно подумать, ты разбираешься!..

— Примерно так же, как ты в истории русского крестьянства, — парировал Илья Сергеевич. — Давай вон за тот столик сядем. Где посветлее.

Ангел сняла свою куртку — Илья помогал, придерживая её за воротник — и отправилась прямиком к стойке, за которой копошилась девушка в белом колпачке и переднике.

— Что ты будешь? — зычно спросила Ангел. Впрочем, кроме них в чайной никого не было. — Тут такая фишка, что нужно самим брать, за стол не приносят.

Гурьевская каша и горка оладий из печёнки — Илья никогда такой вкусноты не едал! — сделали своё дело, думать о еде было страшно. Илья попросил минеральной воды со льдом. Ангел приволокла ему зелёную бутыль и высокий запотевший стакан. Он наблюдал с интересом. Себе она взяла чаю с лимоном и... бутерброд с салом. На глиняной тарелке плотно лежали холодное сало, ломоть ржаного хлеба, солёный огурец и горка хрена.

— А водки? — осведомился профессор.

— Ты хочешь водки? — живо поинтересовалась Ангел и отхлебнула чаю из стакана. Стакан был весь резной, жёлтого хрусталя, в увесистом подстаканнике.

— Кто такой Пётр Артобалевский?

Она выложила сало на хлеб, добавила хренку и откусила. Подцепила с тарелки огурец и тоже откусила.

— Смотри, — сказала она с набитым ртом. — Пётр Артобалевский великий киношный продюсер. Его знают все нормальные люди. Он не только муть снимает для старпёров и жиртрестов, но и человеческое кино. Ты чего, фильмов не смотришь?

Илья налил в лёд немного воды — она еле слышно зашипела и стала стрелять крохотными каплями, — глотнул и сказал, что нет, кино он не смотрит.

— Нет, всякий примитив про любовь он тоже снимает, но ему прощают, правда. Он в Каннах недавно первую премию взял. Режиссёров всегда первоклассных приглашает, актёров неизвестных берёт. Не тех, которые в ящике всех переиграли, а настоящих, талантливых. Короче, нормальный чувак, профессионал. Ты правда кино не смотришь?

— Английские детективы смотрю иногда, — признался Илья.

— И вот этот фильм не видел, где священник приезжает в глухомань, вообще в полную жопу? Там все спились давно, а деревню цыгане держат, наркота, все дела. Он там чего-то служит, служит, а потом его подставляют, обвиняют в педофилии, ну, судят, и на зоне уголовники его убивают. Хороший фильм.

— Кино про попов я не люблю.

— Да это не про попов, а про философию, — объяснила Ангел, хрустя огурцом. — Про несовершенство мира. Понимаешь, он же приезжает служить. Он всем помогает, мечтает изменить жизнь, он скотов хочет сделать людьми. А скоты не хотят меняться. Им и так отлично! И они его предают, понимаешь?

Илья ещё попил воды.

— Предать могут друзья, — заметил он. — Союзники. Никак не скоты. Впрочем, это совершенно не важно. Пётр Артобалевский продюсер этого гениального кино, так?

Она кивнула.

— Он вообще не очень светится, только в жюри каких-нибудь и на красных дорожках.

— Должно быть, его тоже премировали путёвкой в Министерстве культуры.

— Какой путёвкой?!

— В наш Дом творчества.

Ангел захохотала.

— А правда, как он сюда попал?! Я не подумала!.. Может, просто решил отдохнуть?

— Или у него тоже денежные дела с Олегом Павловичем? — продолжал Илья. — Кто такой этот Олег Павлович, если все ему дают деньги и валом валят в село Сокольничье?

— Да сейчас всех в деревню несёт, — Ангел соорудила себе ещё один бутерброд. — Вон город Плёс, жил себе, не тужил. Его ещё Левитан писал, знаешь такого?

— Лично нет, не знаю, а картины видел.

Ангел перестала жевать.

— Хорош выделываться, а? — велела она и снова принялась за свой бутерброд. — Ну вот. Плёс как Плёс. А потом стал страшно модным местом. Туда теперь вся эта кодла прётся — светские дамы, собачки, содержанки, журналистки. И все живут в гостевых домах из брёвен, и чтоб обязательно русская печь! Без русской печи цимес не тот. И ходят на концерт казачьего хора. Это называется родину любить, я тебе говорила.

— Пётр Артобалевский тоже приехал родину любить, — сказал Илья. — Остроумно.

Он допил воду и посмотрел на улицу. Мимо чайной бодро прошествовал Николай Иванович в тёплом пальто и английском кепи.

— Между прочим, я даже не знаю, как выглядит наш неуловимый директор, — проводив глазами Николая Ивановича, продолжал Илья. — На сайте Дома творчества его фотографий нет. Я посмотрел в Ванечкином планшете.

— Да наверняка найдёшь, если поищешь! Ему в Кремле медальку вручали, из Кремля-то точно фотографии есть.

— Скорее всего, — согласился Илья Сергеевич, — но всё же очень странно, что их нет на сайте.

— Ты хочешь сказать, что он засекреченный?

Илья смотрел в окно. Катерина, показавшаяся ему за завтраком то ли рассерженной, то ли огорчённой, пересекла площадь и направилась к колокольне. Сегодня на ней были какие-то другие меха, но тоже роскошные.

— Красивая женщина, — сказал Илья задумчиво.

— Обыкновенная богатая стерва, — ни с того ни с сего ощетинилась Ангел. — Очень себе на уме! И держится, как будто ей все должны! Вот ты мне скажи, с чего они взяли, что им все должны?! С того, что их любовники или мужья денег наворовали и они теперь эти денежки прогуливают?

— Я бы не сказал, что Дом творчества в селе Сокольничьем такая уж гульба.

— Да ладно! Можно подумать, она сама хоть копейку в жизни заработала!

— А ты? — спросил профессор Субботин. — Ты заработала в жизни хоть копейку?

Ангел засопела.

— Я тут ни при чём. И я себя не веду, как царица Савская!..

Профессор хотел сказать, что она именно так себя и ведёт, просто представляя другую ипостась царицы, но воздержался. Ссориться с ней ему не хотелось. Вчера без неё ему моментально стало скучно.

— А почему ты сайт Дома творчества смотрел с планшета этого дурачка Вани? У тебя чего, телефона нету?

— Я просто хотел взглянуть на его планшет.

— И чего там интересного?

— Например, раскладка на иврите.

— Да он всем сто раз говорил, что в Израиле учился, подумаешь, открытие!..

— Да, я слышал.

— И чего?..

Илья достал из кармана блокнот и карандаш. Ангел моментально вскочила и пересела на его сторону — смотреть, что именно он станет писать.

— Вчера у меня из номера пропала папка. Её передал директор. Я собирался посмотреть её после ужина, но когда вернулся, папки уже не было.

— Украли?! — ахнула Ангел. — Так нужно администраторше сообщить!.. Ты чего?! Так нельзя оставлять!

— На лестнице кто-то кому-то угрожал. Я слышал, но не видел. Это мог быть кто угодно, кроме Матвея.

— Почему — кроме?

— Потому что он был в номере. Я подслушивал, а он открыл дверь. Он очень нервничал из-за картины. Директор привёз картину, и её повесили внизу у лестницы.

— Я обратила внимание, — поддакнула Ангел. — Хорошая такая картина. Страшная.

— Матвей предложил мне её украсть.

— Зачем?!

— Я не знаю. Но он пришёл в сильное волнение вчера, когда её увидел, и сегодня утром решил украсть. Вроде бы я его отговорил, но кто его знает...

— Может, твою папку он и попёр? Может, он клептоман?

— Я не смог у него узнать, что за картина и почему он пришёл в такое смятение. Он сказал только, что когда-то отдал её Лилии Петровне. С ней Матвей был хорошо знаком. Она его опекала.

— Ничего себе, — пробормотала Ангел.

— Накануне он где-то всерьёз напился. Где он мог напиться? С кем?

— Да в номере у себя! — сказала Ангел. — И в одиночку! Я сколько раз в одиночку напивалась!

Илья поморщился. Он говорил и быстро писал в блокноте.

— Мы заходили в его номер, там горничная убирала.

— Да, да, ты лез к ней со своими кедульками!

— Ни в мусоре, ни в корзинах, ни в холодильнике никаких следов спиртного я не обнаружил. Я везде посмотрел. В номере он пить не мог.

Ангел ошарашенно смотрела на него.

— То есть ты там искал бутылки?! Ты сказал, что тебя интересует то, чего нет. Не было бутылок, да?!

— Где он мог выпивать? Вечером он сказал мне, что полдня проспал, и это тоже неправда. В гостинице его не было. Где он спал? Где он вообще был?!

— Вот ты даёшь, — с неожиданным восхищением сказала Ангел. — Я думала, эти твои расследования-исследования так, фантазии и позёрство, а ты правда умеешь?!

— И ботинки, — Илья записал в блокнот слово «ботинки». — Утром он был в кроссовках. Он наступил мне на ногу, когда мы выпивали на лавочке. Вечером на нём оказались меховые мокасины. А в гостиницу он не заходил. То есть в Сокольничьем есть место, где Матвей не только выпивает, но и может переодеться. Он где-то здесь живёт. Где? И с кем? И зачем номер в гостинице, если у него тут дом?

— Подожди, я за тобой не успеваю.

— Он знал Лилию Петровну, но я так и не смог от него добиться, откуда и как давно. Она его опекала — что это значит? Тоже давала деньги? На что?

— Может, спросить у него?

— Я пробовал, ничего не получается. Он или не отвечает вовсе, или говорит, что ничего не помнит.

— Послушай, а если они с Лилией Петровной поссорились или чего-то не поделили. Может быть, эту самую картину, которую он ей отдал!.. И Матвей её задушил.

«Задушил Матвей» быстро дописал профессор Субботин, поставил жирный вопросительный знак и обвёл его в кружок.

— Я должен подумать, — заявил он и стал перечитывать написанное.

— Да что тут думать, всё ясно! Матвей здесь живёт, ты сам сказал. У него тут лежбище! Он подстерёг Лилию Петровну в магазине и укокошил!..

— Почему все говорят разное? — сам у себя спросил Илья и вновь посмотрел в окно. — Зоя Семёновна говорит, что убил её бывший муж, то есть Петрович. Клавдия вроде бы с ней согласна. Бабка из «Торговли Гороховых» и старик из электрички утверждали, что Петрович убить не способен. Таксист видел кого-то на лавочке возле Зоиного магазина как раз перед убийством. Клавдия толком не помнит, но, кажется, никого не видела. Тот же таксист видел Петровича на пристани, а оттуда подниматься тяжело и долго. И нет мотива.

Ограбление? Петрович ничего у неё не взял, по крайней мере, так говорят. Только какую-то косынку. Зачем ему косынка? Зачем он убил? В приступе белой горячки?

— Все всегда врут, — объявила Ангел. — Я точно знаю.

— Артобалевский, если это на самом деле он, зачем-то приехал в Сокольничье. Вчера утром. Он покатался здесь, загнал меня в лужу и до вечера куда-то укатил. Куда он мог деться? Где-то с кем-то встречался? Где и с кем? Здесь ничего нет, кроме Дома творчества, церквей и музеев! В музеи и церкви он не ходил, мы нигде ни разу не видели его машину. А она заметная.

— Не то слово, — поддакнула Ангел.

Илья опять принялся писать, она следила за его рукой, как вдруг на неё напали тоска и отчаяние.

...Зачем, зачем!.. Он всё повторяет это своё «зачем»! Вот зачем она с ним сидит и смотрит за его рукой?.. Зачем она вчера к нему привязалась? Понятно ведь, не затем, чтоб узнать, кто виноват в смерти той старухи!.. Опять получается враньё, ужасное, подлое, а она дала себе слово больше никогда не врать!.. Просто он её почему-то... задел, удивил. Она разозлилась и вот — привязалась. Такой странный парень и тоже всё время врёт. Врёт, что профессор, врёт, что его кто-то нанял! Только что соврал, что не знает Артобалевского, которого все знают, вся страна. Понятно, что он из органов, жандарм, презираемый тип. Они все там продажные и узколобые, наживаются на людских несчастьях. Их бы, если по-хорошему, по правде, всех разогнать, отдать в общественные работы, пусть улицы метут вместо дворников из приезжих, которых они угнетают, не считаясь с их человеческим достоинством! Приезжие свободные люди, даже хуже — они гости! А их гоняют, пугают, бьют, высылают — такие, как этот парень! Вот и получается, что она ничем не лучше остальных —

сама продолжает врать и, хуже того, делает вид, что ему верит. Но ведь в такую галиматью невозможно поверить, а она делает вид!.. А почему?.. Потому что он ей... нравится, что ли? Фу, какое гадкое, пошлое слово — нравится! Конечно, нет! Конечно, он ей не нравится!

Она сбоку посмотрела на него и раздула ноздри от негодования.

...Худощавый, длинный. Сегодня не брился, щетина пролезла. Глаза внимательные, настороженные, что ли. Говорит, как лекцию читает!.. На неё не обращает внимания — ну, бегает за ним собачонка, и бегает, шут с ней. Ест ножом и вилкой, красиво. Пишет вон — ничего не поймёшь, быстро, мелко и как-то на редкость коряво. Шнурок ей завязал. У неё шнурок развязался, а он присел и завязал, как будто так и надо! Она чуть не расплакалась, так это было трогательно и приятно.

Самое ужасное, что ей всегда нравились именно такие парни — независимые, как будто холодноватые, занятые своими делами, не озабоченные внешним видом — стал бы озабоченный ходить весь день в самопальных сапогах, купленных у старухи!..

...Самое ужасное, что именно такие парни никогда не обращали на неё внимания. Никогда!.. Таким, как правило, нравятся расписные матрёшки — чтоб кудри белокурые, губы надутые, глаза накрашенные и груди надувные. Они от матрёшек сходят с ума и впадают в экстаз. А она раз и навсегда дала себе слово — не врать, не притворяться, никому не доверять, не попадаться! С неё довольно.

...Самое ужасное, что она дала себе такое слово, и — бегает за ним, слушает его бред, смотрит, как он пишет! И ей нравятся его длинные ноги в джинсах, его щетина, его запах, даже как он карандаш держит!..

Вдруг раздался какой-то звук, совершенно чужеродный и лишний в аквариумной тишине чайной, Ангел сильно вздрогнула и отодвинулась от Ильи. Оказывается, всё это время она почти дышала ему в шею!.. Не отрываясь от блокнота, он полез в карман, достал телефон, взглянул на экран, нажал кнопку и прижал аппарат плечом.

— Да, Галь, привет. Нет, всё нормально. Ты знаешь, раз я не звоню, значит, всё в порядке. Как у вас?..

Ангел поднялась и отошла. Женщина у него в трубке говорила довольно громко, и она не хотела слушать.

— Я пока не знаю. Ну, вскоре, вскоре. Что он делает?.. А ты что?..

...Он? Значит, есть не только матрёшка, но и ребёнок. А может, и не один! А ты что нафантазировала, дура? Вот дура!..

— Короче, Галечка, вы сами разбирайтесь. Я позвоню, и ты мне звони.

Илья положил телефон на стол, дописал и огляделся.

— Я тебя потерял, — сказал он Ангелу. И продолжал как ни в чём не бывало: — Самое скверное, что у меня нет никакого плана. То есть он был, но сейчас уже нет.

— А что, вас в ваших ментовских школах ничему не учат?.. Или ты учёбу пропил-прогулял? И вообще!.. Зачем тебе это? Посадили же какого-то терпилу, пусть сидит. Или ты решил, что я поверила во все эти сказки?!

— Какие сказки? — уточнил Илья Сергеевич.

— Ну, что ты ищешь, кто на самом деле виноват!

— Я никого не ищу. Я устанавливаю истину.

— Ври больше! — выкрикнула она. — Нашёл идиотку!.. Можно подумать!.. Бутылки он искал в комнате у Матвея! Как будто из бутылок можно выводы делать!.. Езжай домой, мальчик, тебя Галя заждалась!..

— Галя привыкла меня ждать, — проинформировал Илья. — Я не понял, что с тобой?

— Со мной?! Ничего, всё в порядке! Но я ненавижу, ненавижу, когда люди врут!..

— Тогда сама не ври, — попросил Илья и поднялся, засовывая в карман блокнот. — Росписи с рук смой. Краска слезает и мажется. У меня вчера все пальцы были синие. Нет у тебя никаких татуировок.

Ангел отступала на шаг и упёрлась спиной в буфетную стойку. Из задней двери выглянула девушка в колпачке и опять скрылась.

— Бирки магазинные с одежды оторви. Ты когда перешла в неформалы? Неделю назад? Или меньше?

— Дней десять, — выговорила она. Её светлые, почти белые глаза, густо подведённые чёрным, шарили по его физиономии.

— И вот это тоже спрячь, — пальцем он ткнул куда-то в область её рельефного бюста, и она прижала к груди ладони, защищаясь. — Это голубой топаз и бриллианты. Я видел такую штуку в «Картье». Она стоит миллион. Или два.

— Что ты делал в «Картье»?

Он улыбнулся — забавная девчонка.

— Я пил кофе в Пассаже. Рядом с витриной. Ты что, поссорилась с папой и решила стать готтом? Заплела косы, нарисовала на руках драконов, придумала себе кличку и купила кожаную куртку?

— Я не ссорилась с папой.

— Я ошибся. Ты поссорилась с любимым и решила радикально измениться.

Она беспомощно оглянулась, но поблизости не было никого, кто мог бы её спасти.

— Что... ты... о себе... возомнил? — начала было она, но профессор перебил:

— Так неинтересно.

Он похлопал себя по карманам.

— Нужно заплатить и идти. Где буфетчица?

— Я заплатила, — пролепетала Ангел. — Тут такая фишка, что нужно сразу платить.

Илья подал ей куртку с дурацкой белой биркой, пришпиленной к воротнику. Ангел дёрнула бирку, и леска порвалась.

— У тебя кругом ценники, — заметил Илья.

Они вышли на улицу. Солнце светило, в тени на траве лежал иней, и кучи листьев под липами сверкали растаявшими каплями. Воздух был прозрачный и острый, и в нём особенно отчётливо рисовались ветки деревьев, крыши купеческих домиков и крест колокольни.

— Я не стану ничего рассказывать, — заявила Ангел.

— Не рассказывай.

Она взглянула на него.

— Катерина! — вдруг закричал Илья и ускорил шаг. — Рад вас видеть. Вы случайно не из музея русской предприимчивости?..

Катерина оглянулась и остановилась. Она была в тёмных очках, нос прятала в глубокий меховой воротник.

— Боже мой, почему вы раздеты, Илья?.. Так похолодало!

— Мы в чайную ходили, здесь два шага.

— Господи, как можно в чайную после наших завтраков?! Я уговаривала Клавдию поехать со мной в Москву, а она ни за что не соглашается. Сходите в Воскресенскую церковь, ребята. Там такой чудесный батюшка служит. — Катерина взглянула на Ангела и вдруг переменила тон: — Что такое, девочка? Ты плачешь?..

— Нет, конечно! — возмутилась поэтесса, у которой от слёз двоилось и плыло в глазах.

Катерина достала из кармана шубки пакетик с салфетками и сунула ей в руку. Та схватила, но пока разворачивала, капля всё-таки упала на негнущуюся кожу куртки.

— Давайте вместе сходим, — предложил Илья. — Раз уж вам там понравилось.

— У меня дела, — сказала Катерина. — Неотложные и неприятные. Ничего не поделаешь.

Из-за угла вырулил Николай Иванович и стал приближаться, печатая шаг.

— Мне иногда кажется, что он за мной следит, — пробормотала Катерина и опять сунула нос в мех. — Я должна идти. Не огорчайся, — она погладила Ангела по руке. — Не огорчайся, девочка, правда. Если из-за всякой ерунды страдать, вся жизнь уйдёт на страдания. А времени... мало.

— Я не огорчаюсь, — глядя в асфальт, выговорила Ангел.

— Приходи ко мне пить чай. У меня есть лимон и коньяк.

— Мне ничего не нужно.

Спасибо вам, — сказал Илья.

Катерина быстро ушла, за ней проследовал Николай Иванович, приложив в виде приветствия руку к своему английскому кепи.

— Следит, — сам себе сказал Илья. — Вполне возможно, что так и есть.

В гостинице было так тепло, что он всей кожей — даже под волосами — моментально почувствовал, как замёрз. Ангел тут же ушла. Илья первым делом сообщил администраторше, что у него из номера пропала директорская папка, на что та твёрдо сказала, что этого не может быть.

— Тем не менее она пропала.

— Да вы небось сами переложили и забыли.

— Я даже в руки её не брал.

Тут она заволновалась.

— У нас не воруют, — сказала она, и губы у неё дрогнули. — Ну что вы! У нас каждый человек на виду. Работу потерять ничего не стоит, и где потом искать? Никто же не возьмёт. Давайте вместе поищем, я к вам поднимусь.

В номере люкс «Николай Романов» она долго и тщательно обшаривала все углы. Илья, сидя верхом на полосатом стуле, смотрел в окно и думал. Совсем упав духом, администраторша принялась куда-то звонить, и вскоре появился толстый охранник в форме и тоже стал искать папку, а потом прибежала вчерашняя горничная. Она была в пальто, накинутом поверх спортивного костюма, и от неё пахло жареным луком. Должно быть, готовила обед, когда позвонила начальница, и она примчалась в чём была.

— Я не брала, не брала, — повторяла она в ужасе. — Вы меня знаете, Валентина Васильевна.

— А ключи? Ключи от номеров давала кому-нибудь?!

— Никогда, у нас же запрещено, у нас строго! Ничего я никому не давала.

— А вещь-то пропала! Нужно Олег Палычу звонить. Ну что за беда, господи!.. Ещё слухи пойдут, что у нас воруют!

— Я не воровка, я не брала ничего.

Илья всё смотрел в окно. Потом повернулся и спросил:

— Парк огорожен забором?

Все трое уставились на него. Охранник осуждающе, администраторша растерянно, а горничная в страхе.

— Что вы говорите? Парк?

— С той стороны можно зайти в гостиницу? Через кухню?

— Господи, да при чём тут кухня?!

— Можно, — пробасил охранник. — Только у нас там человек посажен для безопасности. И на кухне до ночи народ работает. Посторонний не зайдёт.

— Так, хорошо, — сказал профессор Субботин и поднялся. — Всем спасибо. С папкой я сам разберусь.

— Да как же?!

— Я разберусь сам, — повторил Илья Сергеевич. — И директору звонить не нужно. Я позвоню потом.

Горничная тяжело дышала и сглатывала — шумно.

— Я знаю, что вы не брали никакую папку, — сказал ей Илья. — Не волнуйтесь.

Выпроводив их, он немного погрел на батарее руки, которые никак не согревались, походил по номеру, потом посидел в кресле.

...Никакого проблеска, никакого стройного решения.

В детстве, в школе, а потом в институте он очень любил алгебру и математический анализ. Ему было лет тринадцать, когда вдруг прояснилось в голове, и он отлично запомнил этот момент. Он решал уравнения и сокращал хвостатые дроби, и неожиданно стало ясно, что правильный ответ вовсе не на последней странице задачника, а вот он, прямо перед глазами. Если в какой-то момент уравнение переставало его слушаться, а числитель и знаменатель дроби теряли красоту, это означало, что он перепутал знаки или степени или потерял букву. В результате непременно должно получиться нечто законченное, совершенное. И если не получается, нужно всё начинать сначала. Он помнил свой восторг, когда сложные уравнения на листе бумаги начинали упрощаться, сжиматься, выстраиваться, принимать совсем другой вид. Просто глядя на финальную формулу, он мог точно сказать, правильно решена задача или неправильно, и ему не нужно было заглядывать на последнюю страницу учебника!..

В предложенной ему задаче ни сократить, ни упростить ничего не удавалось. По всей видимости, он то и дело путал знаки и терял степени! Чем больше он думал, тем уродливей выглядело уравнение, а так не бывает. Ответ должен быть прежде всего элегантным.

Илья пристроил на батарею кеды — кедульки, как выразилась недавно перешедшая в неформалы поэтесса Ангел — и натянул сапоги. В середине России в середине октября ходить в кедах нельзя, а в сапогах можно. На худой конец, в меховых мокасинах, как у полоумного Матвея!..

Илья постучал к Матвею, но безрезультатно. На лестнице его сапоги производили страшный грохот. За высокими дверьми конференц-зала горел свет, Илья зачем-то подёргал ручку, но зал был заперт.

В холле Николай Иванович читал газету, положив ногу на ногу. Возле него на столике стоял поднос, а на подносе чайник и чашка.

— Матвей Александрович ушёл? Или у себя? — спросил Илья у администраторши, которая шмыгала носом и отводила глаза.

Та сказала, что ушёл сразу после завтрака и не возвращался.

— Должно быть, на берегу, — добавила она. — Он любит возле воды сидеть. Так вы в полицию точно не хотите обратиться? По вопросу кражи?

— Не хочу, — сказал Илья и вышел на улицу.

Он обежал особняк, покачался немного на качелях, дождался, когда Клавдия выйдет курить, и сообщил ей, что она совершенный Поль Бокюз.

Клавдия хохотала и стреляла глазами. На фильтре папиросы оставался кровавый след от её помады, жёлтые кудри подпрыгивали, и все выпирающие из фартука красоты сотрясались от тяжеловесного Клавдииного кокетства.

Повариха очень ему нравилась! Совсем не так, как поэтесса, но нравилась!

— Клавочка, вы в лес не собираетесь?

— А чё такое? Со мной наладился?

— Да, — признался Илья. — Возьмите меня с собой!

— Так давай, — окончательно развеселилась Клавдия. — Только я рано хожу, затемно ещё! Ждать не буду. Мне на работу надо.

— А когда, когда?

— Когда хошь! Хошь завтра?

— Хочу.

— Так заходи часиков... в пять. Не, в пять рановатенько, не развиднеется. В полшестого. Мой дом от плотинки крайний, с зелёной крышей такой. Сбегаем и к восьми вернёмся. Девчонки как раз тесто заведут, а тут уж и я подскочу. Иль ты шутишь?

— Ничего я не шучу.

— А корзина-то у тебя хоть есть, грибник? И ножик?

— Ничего у меня, Клавочка, нету!

— Оно и видно, что с Москвы! Ладно, всё возьму. А не придёшь, я без тебя уйду.

— Приду, приду, Клавочка! Я теперь без вас жить не могу! И не я один! Катерина рассказала, что она вас в Москву звала.

— Это которая генеральша-то? Точно, было дело! Езжай, говорит, со мной, у меня работа лёгкая, станешь нам готовить, а у нас народу всего ничего, дочь да сын. Чудные вы все, глядеть смешно! Куда это я поеду в чужой дом! На троих сготовишь, а потом чего? На диване лежать, телевизор смотреть! Ох, чудные!

— А почему генеральша?

— Да это я так ляпнула, — Клавдия вдруг вздохнула. — Уж больно важная дама! И вся такая прибранная всегда, как картинка. С мужем, говорит, Клавочка, я развожуся. Молодую, говорит, нашёл себе. А я ей: да такого не может быть, где глаза-то у него? На заду?! Это какая молодая с такой красотой сравнится? От мужики, все кобели-кобелюки! А ты? Женатый?

— Холостой.

— Плохо! — отрезала Клавдия. — Мужик, он чего? Он должен бабу любить, детей растить, дело делать! А холостой просто так небо коптит. А бабы небось по тебе сохнут. Какой век наш? Год-другой-третий, и уж старуха! Вон генеральша-то вся в соку, а муж, гляди, бросил, другую нашёл! Главное дело, с молодой ещё сколько лет прожить надо перед тем, как она в разум войдёт! А потом и она остареет, да ведь и не знает никто, какой она к старости-то окажется! Может, урод. А своя родная жена и красавица, и баба неплохая, с достоинством. И детям оно надо? Хоть они маленькие, хоть большие, а всё равно мамку с папкой любят. А тут папка другую-новую на порог, вот, дети, вам новая мамка. Ну, чего глядишь на меня? Не нравится, что говорю?

— Не нравится, — сказал Илья Сергеевич. — Мои родители всю жизнь ссорились. И сейчас ссорятся. Я их, Клавочка, из-за этого видеть не могу. Лучше б развелись давно!

Она поглядела на него, кажется, с сочувствием и закурила ещё одну папиросу.

— Я не женюсь никогда, потому что повторения не хочу, — зачем-то продолжал Илья. — Я не понимаю, зачем! Зачем два разумных и неплохих человека испортили жизнь друг другу и ещё третьему — мне.

— Ах ты, мальчишечка, — выговорила Клавдия и большой красной рукой неожиданно погладила его по голове. Он отшатнулся. — Да погоди ты, не прыгай. Осуждать-то проще простого. Ты вот как погляди: может, им так веселей живётся, мамке с папкой? Может, они не со зла, а от чувств? Оно, конечно, родители первым делом должны об детях думать, чтоб, самое главное, детям угодить, а всё остальное побоку.

— Вы шутите, — сказал Илья. — Вы же шутите?

— Да чего тут шутейного, парень?! Ну, ругались они, твои-то, и по сей день всё ругаются! Ты уж вон какой вымахал здоровенный, а они всё друг с дружкой отношения выясняют, а ты, выходит, ни при чём, вот и обижаешься на них. Так ты попробуй понять их маленечко.

Может, им, наоборот, повезло — весело жизнь прожили, ни дня не скучали, всё базарили! А?..

— Какая-то вывихнутая философия, — сказал Илья Сергеевич злобно. — Нонсенс просто!

Клавдия захохотала и опять погладила его по голове.

— Так, гляди, в полшестого! Грибов наберём, я жарёху организую или, может, похлёбку. Осенние грибы душистые — страсть.

Она затушила окурок, поддёрнула необъятные чёрные брюки и двинула на свою кухню.

— А вот когда жениться будешь, — сказала она издалека и взбила жёлтые кудри, — тогда и приезжай за мной. Я с тобой в Москву поеду, вот те крест! И стол соберу, всю жизнь помнить будешь!..

— Спасибо, — пробормотал Илья Сергеевич.

Он подождал, когда за ней закроется дверь и в кухне начнётся ураган — он обратил внимание: как только Клавдия возвращалась, там начинались шум, грохот, хохот и как будто салютационная стрельба, — сел на качели и стал раскачиваться.

...Не имеет никакого смысла обдумывать слова деревенской поварихи! Да и что такого она сказала?! Но он растерялся перед ней и теперь не мог собраться, хотя по профессорской привычке приказывал себе сосредоточиться.

Качели поскрипывали — уить, уить.

...Катерина разводится с мужем. И что из этого следует? Ничего. Ей кажется, что Николай Иванович за ней следит. Может быть, следит, а может, и нет. Пропавшая папка, появившаяся картина. Приехавший Артобалевский, знаменитый продюсер. Он чуть не сбил Илью машиной, но довольно мило извинился.

...Кто из них имеет отношение к убийству Лилии Петровны? За что её убили?

Уить, уить. Уить, уить.

Что-то он то и дело теряет — степени, буквы, знаки! Или всё подряд?.. И как ему теперь разбираться, если директор пропал и досье, которое он передал, пропало тоже! Разумеется, можно и нужно ему позвонить, но Илья решил, что звонить ни за что не будет. Ему казалось, что позвонить — значит попросить о помощи, а он, Илья Субботин, ни в чьей помощи не нуждается.

Он поднялся с качелей и пошёл по детской площадке. Песок мягко и приятно осыпался под подошвами его сапог. Заросшая жёлтой травой дорога уходила в лес. Здесь было тихо и просторно, пахло грибами и опавшими листьями. Тоненькие берёзки стояли, не шелохнувшись, все в золоте, как будто в новеньких, жарко горящих монетах. Илья подобрал длинную холодную осиновую палку и время от времени ворошил ею листья — ему нравилась палка!..

Лес кончился неожиданно. Деревья расступились, и открылся неширокий пляж, а за ним круглое озеро. На той стороне синели ёлки, отражались в спокойной неподвижной воде.

Возле самой воды, на бревне, нахохлившись и спрятав руки в рукава тёплой куртки, сидел Матвей. Видно было, что сидит он уже давно. Илья подошёл и встал у него за спиной. Матвей не шевельнулся и не оглянулся.

Они смотрели довольно долго. Слышно было, как вода нежно и осторожно плещется в песок и в кустах возится птаха. Дунул ветер — тоже как будто осторожно, чтобы не спугнуть тишину, — листья посыпались в тёмную воду и поплыли.

— Когда я был маленьким, — сказал Матвей, — у нас с мамой была любимая история. Мама её придумала, и мы по очереди рассказывали друг другу про старую обезьяну и старого шкипера. Шкипер живёт с обезьяной на берегу моря. По вечерам ветер воет в трубе. Шкипер в ковровом кресле курит трубку и читает толстую книгу, а обезьяна копошится рядом. У неё такой ворсистый вытертый плед, у обезьяны. И глиняная пиала с орехами и сладкими финиками.

Илья чуть-чуть пошевелился и посмотрел Матвею в спину.

— Если на море штиль, они выходят посидеть на перевёрнутой лодке. Кругом на шестах развешены рыболовные снасти и пахнет смолой. Они сидят вдвоём и вспоминают тёплые страны, скрип мачт, крики чаек, ход своей бригантины вдоль изумрудных берегов, луч солнца в прозрачной воде. Им есть что вспомнить, понимаете?

— Понимаю.

— Я часто думаю, — продолжал Матвей, помолчав. — Как они там, без меня?

Илья не хотел, но всё же спросил:

— Кто?

— Шкипер и обезьяна. Я давно их не видел, а раньше видел отлично, — он мельком оглянулся на Илью. — Как вас. Вот я и думаю, где она, моя обезьяна? Выходит ли посидеть на перевёрнутой лодке? Цел ли её матросский костюмчик? У неё был такой костюмчик — тельняшка и берет с красным помпоном! А вдруг шкипер умер и она осталась совсем одна? Кто даёт ей финики? Она же из тёплых стран и любит только финики.

Илья помолчал, а потом сказал:

— Да. История. — И попросил: — Подвиньтесь.

Матвей неловко подвинулся, Илья сел рядом.

— А почему вы давно её не видели, вашу обезьяну?

— Мама умерла, — объяснил Матвей. — И некому стало рассказывать про обезьяну. И вот я думаю — её тоже больше нет? Или она где-то есть и я просто её не вижу?

— Может, имеет смысл поехать на море? — спросил Илья просто так.

— Ну что вы, — Матвей улыбнулся. — При чём тут это?

Он поёжился, видно, сильно замёрз.

— Я часто сюда прихожу, — продолжал он. — Сижу и жду. Иногда мне кажется, как будто что-то возвращается. Вот как сегодня. Сегодня мне показалось, что я почти увидел обезьяну. А иногда ничего не вижу. Понимаете?

— Нет.

Матвей покивал, принимая его непонимание.

— А Лилия Петровна понимала вас? — наугад спросил Илья.

— Ну что вы. Она обо мне заботилась. Но мы никогда ни о чём таком не говорили.

— Она была приятным человеком?

— По-своему, — ответил Матвей. — Ей нравилось всё устраивать на свой лад, только и всего. Когда её... не стало, иллюзия гармонии разрушилась окончательно.

Илья вздохнул и палкой нарисовал на песке круг — как будто солнце, и стал пририсовывать линии — как будто лучи.

— Какая иллюзия? — наконец спросил он скорее сам себя, чем Матвея. — Какой гармонии?..

— В том-то и дело, что не было никакой гармонии, только иллюзия. Но она очень старалась помочь, очень!..

— Кому? Вам?

— И мне в том числе.

— Кто её убил? — спросил Илья, дорисовав на песке линии. — Вы знаете?

Матвей отрицательно покачал головой.

— А та картина? Которую велел повесить директор? Откуда она у него?

У Матвея перекосилось лицо.

— Я не знаю. Она была у Лилии Петровны.

— А ей картину отдали вы?

Матвей кивнул.

— Где вы её взяли?

— Я и сам не знаю, — произнёс Матвей с силой. — Сейчас уже точно не знаю!.. Я пытался понять, но ничего не получается.

— Секундочку, — перебил его Илья Субботин. — Вы что? Чем-то больны?

— Конечно, — сказал Матвей.

— Остроумно, — прокомментировал профессор. — Это удобно. Сказался больным, и можно ничего не помнить, не видеть и ни за что не отвечать. Это удобно.

— За что же я могу отвечать? — тихо спросил Матвей.

За их спинами послышались голоса, грянувшие в тишинс почти неприличной какофонией. Илья оглянулся, а Матвей нет.

Со стороны парка бежали Ванечка и Лилечка — каждый при этом смотрел в свой телефон.

— Привет! — прокричала Лилечка, не отрываясь от экрана. — Как здесь красиво, правда?

— Колокольня закрыта на обед, — сообщил Ванечка, глядя в аппарат. — Мы хотели там сфоткаться.

— Здесь тоже ничего! Ты палку взял?

— Взял, взял!

Ванечка приладил телефон на палку, они обнялись с Лилечкой и одинаково уставились в камеру. Лилечка выгнулась, повернулась несколько вбок, откинула волосы и согнула в колене ножку.

Илья и Матвей смотрели.

— Возьми меня на руки.

— А палку? Так не выйдет.

— Ты попробуй.

— Не выйдет, я тебе говорю.

— А мы дяденьку попросим. Дяденька, сфоткайте нас!

— Вы ко мне обращаетесь? — уточнил Илья. Матвей молчал.

— К вам или... к тому. Можете?

Илья поднялся. Ванечка отцепил от палки телефон и сунул его Субботину. Телефон был горячий.

— Нет, вы его переверните. Да, да. Нажимайте и не отпускайте, чтобы залпом!.. Ну? Ванечка, бери меня!..

Ванечка поднатужился и взгромоздил Лилечку на руки. Она тряхнула головой и раскинула руки. Илья снимал «залпом».

— Ок, ок, сенкс!..

Ванечка куда-то поволок Лилечку, уронил очки, и от них отлетела дужка. Он приткнул подругу на песок и стал прилаживать пластмассовую штуковину. Лилечка фотографировала себя.

— Ну вот, — сказал Ванечка, чуть не плача. — Отвалилась! Совсем отвалилась.

— В Москве отдашь в мастерскую. Они порепеят.

— Что значит это слово? — заинтересовался Матвей.

— Я думаю, repair, чинить, то есть репеять, — объяснил догадливый Илья Сергеевич.

— В Москве, — передразнил Ванечка. — Понятно дело! А сейчас? Я без очков не фоткаюсь и не выкладываю!..

— У тебя в номере ещё десять пар.

— И что? Мне теперь ждать, когда мы до номера доберёмся?!

— Возьмите мои, — предложил Матвей и сдёрнул с носа очки. — Наверное, в них не очень удобно смотреть, там диоптрии и цилиндры. Но сфотографироваться можно.

— О, гут! Спасибо!

Ванечка нацепил очки Матвея, сделал несколько селфи с Лилечкой и без, помотал головой и потёр глаза.

— Ничего не видно, — сказал он весело. — Как же вы ходите?

— Мне видно.

— Вы бы их заменили, — посоветовал Ванечка совершенно искренне. Илья наблюдал всю сцену с интересом. — Зачем мучиться? Да ещё тяжеленные!

— Я привык.

— Лиль, пойдём возьмём очки.

— Вы видели? — спросила Лилечка, конкретно ни к кому не обращаясь и что-то молниеносно набирая на телефоне. — Артобалевский приехал! Я утром думала, думала, на кого чел похож, а потом сообразила. Только он куда-то делся, а я хотела с ним сэлфи сделать и в инстаграмм выложить. Я бы уже сто лайков набрала. На обед пойдём, я его подкараулю. Такая редкая редкость — Артобалевский!

— Вы с ним знакомы? — спросил Илья, и Лилечка отрицательно покачала головой.

— В Нью-Йорке видела, в клубе. Но там к нему не подойдёшь, всё время рядом кто-то крутится! Ванечка, помнишь, мы с тобой его видели? Ещё всякие звёзды были, Вуди Аллен, Тимати.

— Помню, — согласился Ванечка.

— Вдруг я ему понравлюсь и он пригласит меня сниматься в кино?

— Вы актриса? — тут же спросил Илья Сергеевич. Лилечка стрельнула в него глазами и опять уставилась в телефон.

— Н-нет, но мне кажется, это необязательно. Самое главное — красота, а я красивая. Ванечка, я красивая?

— Ты самая красивая девочка в мире! И я на тебе женюсь!

— Вот ещё, — засмеялась Лиля. — Я же пока окончательно не решила! Если меня позовут в кино, я буду сниматься, стану звездой и замуж не выйду ни-ког-да!

— Всё равно я тебя уговорю!

Лилечка прыгнула на него, он подхватил её и закружил. Они кружились, хохотали, почти упали в песок, но телефонов из рук не выпускали.

Когда они скрылись за деревьями, какофония утихла и вернулась тишина, Илья промолвил задумчиво:

— А вы говорите, шкипер и обезьяна...

Матвей посмотрел на него с надеждой, как будто тот сказал что-то очень ободряющее, верное, но продолжать Илья не стал.

— Эта девушка на самом деле красивая? — спросил Матвей. — Нет, вы не подумайте!.. Я просто не разбираюсь. Вот с вами вчера была красивая девушка. Вы говорили, что наша, из ресторана. Но в ресторане бывает другая. Похожая, но не она.

— Она, — возразил Илья Сергеевич. — Пожалуй, я понимаю, отчего вам так кажется. Просто она бывает в разном настроении. В ресторане, как правило, — в плохом.

— Да, да, — согласился Матвей с энтузиазмом. — А эта девушка совсем не красива. Она... как бы это... она изображает красоту. Но это совсем не одно и то же. Я был в Сикстинской капелле, там есть Рафаэль, а есть полотна, которые изображают, что их писал Рафаэль. Вы знаете, различия огромны.

— Вы разбираетесь в живописи?

Матвей сник.

— Трудно сказать. Наверное, нет.

Илья, прищурившись, посмотрел на блестевшую ртутным блеском воду.

— Я должен зайти в магазин Зои Семёновны. Хотите со мной?

Матвей разволновался:

— Вы опять станете спрашивать её про убийство? Она же ничего не может знать, она ни при чём!

— Матвей Александрович, — сказал Илья. — Если я не буду спрашивать, мы никогда не узнаем, кто на самом деле убил вашу хорошую знакомую Лилию Петровну. Она помогала вам и опекала вас, что бы то ни значило. И кто-то её убил. Разве не важно узнать, кто это сделал?

— А почему важно?

— Позвольте?

— Какое имеет значение, кто убил? Уже ничего не удастся изменить, — объяснил Матвей. — Это так, и не может быть иначе.

— А если тот, кого посадили за убийство, не виноват?

— А если тот, кого могут посадить, виноват ещё меньше?

Илья Сергеевич поддал носком сапога песок.

— Когда вы так говорите, можно на самом деле заподозрить, что вы душевнобольной.

— Как я замёрз, — содрогнулся Матвей. — Давайте берегом пройдём. Потом в горку придётся подниматься, но зато красиво.

И они побрели по берегу, думая каждый о своём. В полном и каком-то унылом молчании они дошли до магазина «Народный промысел». Дверь была нараспашку и подпёрта половинкой кирпича. В листьях чесалась чёрная собачонка. Завидев Матвея, она вскочила, подбежала и ткнулась ему в ноги.

Матвей присел.

— Привет, — сказал он. — Как ты живёшь?..

Мелкими и очень белыми зубами собачонка нежно прикусила его пальцы. У Матвея были красивые руки — узкие, с тонкими запястьями и длинными пальцами.

— Моя знакомая, — сказал про собачонку Матвей. — Не знаю, что делать. Зимой её лисы могут съесть. Здесь кругом лисы. А в Москве ей не понравится жить.

— Не понравится, — согласился Илья и подумал про Хэма, который терпеть не мог её Москвы, зато очень любил дачу.

— Вы в шахматы играете? — спросил Матвей. — Есть одна задача, никак не могу решить.

Не отвечая, Илья поднялся на две ступени, открыл вторую дверь, звякнувшую колокольцем, и зашёл в небольшое, тесно заставленное помещение.

Жёлтый свет заливал два небольших прилавка и витрину с выложенными одним краем салфетками, воротничками, накидками. На стенах висели чеканки и расписные кухонные доски. Также были представлены деревянные вешалки и плашки с выжженными надписями «Пар всему голова», «Мир этому дому», «У кого хороший аппетит, того Бог за всё простит», «Хочешь быть сыт, садись подле хозяйки» и прочее.

Хозяйки, подле которой следовало садиться, не было видно.

— Зоя Семёновна, — позвал Илья, — можно к вам?!

Никто не отозвался, хотя кошёлка, постоянная спутница Зои, стояла на стуле. Илья заглянул в кошёлку.

Сверху лежала плотная связка бананов, под ней целое кольцо краковской колбасы, свежий, ещё дышащий кирпич белого хлеба, а под ним... Илья не поверил своим глазам, вытащил буханку и посмотрел ещё раз. На дне кошёлки была увесистая бутылка виски.

В отдалении хлопнула дверь, и над головой зазвучали шаги.

— Кто тут?

Илья сунул хлеб на место, поправил кошёлку и уткнулся в витрину.

— Зоя Семёновна, здравствуйте!

Она быстро спускалась со второго этажа и на середине лестницы остановилась.

— Добрый день, — сказала она настороженно. — Всё же решили зайти?

— Я должен что-нибудь у вас купить, — заявил Илья. — Что у вас есть интересного?

— Смотря чем вы интересуетесь, — Зоя сбежала с лестницы и прошла за прилавок, прихватив свою кошёлку. — Скатерти есть, постельное бельё. Лён есть, из Костромы вожу.

— Нет, мне что-нибудь непременно из Сокольничьего.

Тут профессор Субботин вдруг так удивился, что осёкся и замолчал.

— Из Сокольничьего, — повторила за ним Зоя. — У меня в основном всё наше.

Она полезла на полку, достала нечто большое и стала раскладывать на прилавке.

— Что это вы так на меня смотрите? — она перестала раскладывать и оглядела себя с некоторым беспокойством.

— Я... не ожидал, — признался Илья. — Правда не ожидал. Я думал, куртка, платок, очки...

Зоя Семёновна рассмеялась невесёлым смехом:

— Я не старуха, — сказала она. — Тридцать восемь лет позавчера исполнилось.

Волосы, собранные не в пучок, а в хвост, оказались гладкими и блестящими. Уродские очёчки куда-то подевались. Вместо кисельного цвета куртки на ней были белая футболка и чёрная кофта крупной вязки с деревянными пуговицами.

...Карнавальные маски, бутафорские носы и волосы из соломы. Ещё одна маска приподнялась, но непонятно было — выглянувшее из-под неё лицо настоящее или тоже маска, только более искусно сделанная?..

— Это скатерть. Вышивала я, и одна бабушка мне помогала, Алевтина Степановна. Кружева я плела, а вот это она. Я так не умею.

Поверх скатерти Зоя Семёновна выложила что-то воздушное и вспененное, как сливки.

Илья потрогал сливки.

— Что это такое?

— Манишка. Такая женская штучка. Можно на платье или на кофту. — Зоя приложила к себе. — Видите, сразу как празднично получается. — И вдруг насторожилась: — А кто с вами? Там кто-то разговаривает.

— Это Матвей говорит с собакой, — объяснил Илья. — Хочет забрать её в Москву, но считает, что ей там будет неудобно.

Зоя Семёновна дрогнула и пригладила и без того гладкие волосы.

— А что ж это он не заходит? Холодно на улице!

Она выбежала из-за прилавка и распахнула дверь:

— Матвей Александрович! Заходите! Что вы там?

Илья оглянулся, но ничего особенного не увидел. Зоя пропустила Матвея внутрь и прикрыла дверь.

— Вам нравится? — сразу спросил Матвей у Ильи. — Я всегда тут всё рассматриваю. Очень красиво! Вы видели теремок?

— Я покажу.

Зоя Семёновна взволокла на прилавок что-то тяжёлое, прикрытое сверху льняным покрывальцем. Под покрывальцем оказался домик на широкой деревянной подставке. Домик был абсолютно настоящий, сработанный тонко и умело. Окошки с медными запорами, дверца с крохотной ручкой, снег на крыше казался только выпавшим.

Илья и Матвей голова к голове рассматривали домик.

— Внизу, видишь, печка, — говорил Матвей, задрав на лоб очки, глаза у него блестели. — Ну вон, вон, посмотри. Там настоящие изразцы. И лампа зелёная. Это не просто так делалось. Здесь был дом подрядчика Крапивина, фотографии сохранились. Так вот это в точности его дом.

Илья рассматривал печку и лампу, водил носом по искусно выточенным брёвнам домика. От него приятно пахло столярным клеем и стружкой.

— Лестница! — воскликнул он с восторгом. — Чугунная! Я видел такую в чайной!

— Это литьё, — поддержал Матвей. — То есть здесь не литьё, она из фанеры сделана, но похожа, да?

— Очень, — от души сказал Илья.

Зоя Семёновна, превратившаяся из унылой старухи в молодую красавицу, рассматривала домик с другой стороны и тоже с восторгом. Время от времени они встречались глазами — через домик.

— И сани, видишь? Ёлку привезли. Лошадь уже выпрягли, а ёлку ещё не вносили.

— А ёлка из чего?

— Всё деревянное.

— Не может быть.

— Потрогай, — предложил Матвей.

В этот момент он был совершенно не похож на полоумного. Он был даже весел и улыбался легко, не через силу.

— А вы домик продаёте, Зоя Семёновна?

— Что вы, — перепугалась та. — Это просто игрушка, она не продаётся.

— Это не игрушка, — поправил Илья Сергеевич, — это произведение искусства.

— Искусство ни при чём, конечно, — сказал Матвей и надел очки. — Но смотреть приятно.

— А можно мне заказать такой домик?

Зоя вздохнула и покачала головой.

— Нет, никак. Человек, который их делал... в общем, он их больше не делает.

— Когда я был маленький, я мечтал, чтобы у меня был паровоз, — признался Илья Сергеевич. — Не из немецкой железной дороги, а модель настоящего паровоза, с тендером, с трубой и рычагом. Но домик тоже хорош. Особенно печка и лестница.

— И санки, — подсказал Матвей. Илья посмотрел на него.

— Вот ещё жилетка есть, — сказала Зоя Семёновна и показала на манекен. Илья оглянулся. На манекене действительно была какая-то жилетка.

— Я тоже сама её шила, овчина тут натуральная. И тепло в ней, особенно если сверху на куртку надеть.

Она ещё что-то говорила и показывала, но было совершенно ясно, что энтузиазм пропадает втуне и после домика мужчины смотреть кружева и жилетки не станут.

— Я куплю вот эту штуку, — сказал Илья и одним пальцем приподнял кружевную манишку. — И скатерть тоже.

Зоя Семёновна просияла:

— Вашей жене понравится.

— У меня нет жены. Зато у меня есть стол, на который можно положить скатерть.

— Посмотрите, вся вышивка ручная. То есть на машинке, конечно, но своими руками.

Илья посмотрел на вышивку.

— А на втором этаже у вас что? Тоже магазин?

— Мастерская, — быстро сказала Зоя. — Там света много, удобно работать.

— Можно посмотреть?

— Там нечего смотреть. И беспорядок! Лоскуты всякие, кусочки, выкройки. Швейная машинка, конечно. Манишка дорогая, вы правда возьмёте?

Илья сказал, что возьмёт, хотя наличных денег у него было немного.

— А Лилия Петровна? — спросил он, решившись. — Что у вас покупала? Подождите, — остановил он Зою Семёновну, которая подалась от него назад и коротко и быстро задышала. — Я не из праздного любопытства. Я хочу установить истину, понимаете? За что её убили?

— Ни за что! — выпалила Зоя. — Её убил пьяный придурок. Если б ему подвернулся другой, он бы другого убил.

— Нонсенс, — произнёс Илья. — Так не бывает.

— Если бы я знала, что так получится, — заговорила Зоя, и глаза у неё налились слезами. — Я бы ни за что не ушла! Никогда! Я бы двери все заперла на три замка! А я ушла! Это я во всём виновата. Больше никто.

— Зоя, — пробормотал Матвей. — Тихо, тихо.

— Она заказывала ковёр. У нас женщина есть, она ткёт! Лилия Петровна хотела пасхальный ковёр, непременно как полагается. На Пасху после уборки принято было стелить особый ковёр. У меня дома есть такой, маленький, а она хотела непременно большой, трёхметровый. — Зоя яростно вытерла глаза. — А я ей говорю: сколько же мастерица будет его ткать? Десять лет? Может, говорю, вам поменьше подойдёт? Я покажу! А ковёр-то у меня дома! И побежала! А когда прибежала...

Наклонившись через прилавок, Матвей двумя руками взял её за плечи и легонько встряхнул. И посмотрел в лицо:

— Зоя, Зоя.

— Сколько вы бегали? — спросил Илья.

— Что? Не знаю, минут семь или десять. Здесь рядом, только через плотинку перебежать!

— Кого вы встретили по дороге, Зоя? Вспоминайте!..

— Никого я не встретила! Я же не знала, что её убьют, не знала!.. Я бы ни за что её одну не оставила...

— Кого-то из гостей? Из своих? Вы же наверняка видели людей, Зоя!

— Девушку видела, — выкрикнула Зоя Семёновна злобно, — эту, с дикой причёской! И с ней какой-то тип незнакомый, я его раньше не встречала. И потом не видела! Они в беседке сидели, которая под липами!

— У пруда? — уточнил Илья. У него отчего-то взмокли ладони.

— Да, да. Старика видела! Катерина навстречу прошла сначала, а за ней Николай Иванович, ещё мне поклонился.

— Так, хорошо. Ещё кого?

— Никого я больше не видела. Да не смотрела я по сторонам, я бегом бежала!

— Секундочку. Вы вышли через чёрный ход?

Зоя запнулась, как будто вспоминая.

— Кажется, да. Через чёрный, точно.

— Возле магазина лавочка. Вы не обратили внимания, там никто не сидел?

Она вдруг уставилась на него, и он подумал, что у неё тоже красивые глаза.

— Сейчас... Нет, как же... Я не подумала... Кто-то был, но я не знаю...

— Вы не разглядели или не узнали?

Зоя вышла из-за прилавка, опустилась на стул и стиснула на коленях руки.

— Человек там был. Я ещё подумала, пьянчужка какой-то заснул.

— Почему вы решили, что он спит? Он лежал?

— Нет, нет, сидел, но как-то так... — Она попыталась изобразить, как именно на скамейке сидел человек. — И одет был... грязно.

— А бывшего мужа Виктора вы не видели, — сказал Илья утвердительно.

Зоя вскочила.

— Нет! — выкрикнула она Илье в лицо. — Не видела!.. Я не знала, что он может убить! Если бы я знала!..

— Зоя, — опять забормотал Матвей. — Ты ни в чём не виновата, не виновата.

— Я виновата, — страстно выпалила она. — Я точно знаю. Я только не знаю, что мне делать!

— Поговорите со мной, — предложил профессор Субботин. — И мы вместе найдём решение.

— Нет.

— Всё же подумайте, — сказал он таким тоном, каким говорил студентам — приходите в следующий раз.

И они помолчали. Зоя время от времени длинно и тяжело вздыхала. Матвей переминался с ноги на ногу, поскрипывали половицы.

— Я пока до конца не понял, кого вы защищаете, — продолжил Илья. — Но я пойму, это вопрос времени. И призываю вас подумать. Имеет ли это смысл?

Зоя сжала губы и опустила глаза.

— Вы завернёте мои покупки?

Не поднимая глаз, она прошла за прилавок и зашуршала бумагой.

— Я завтра опять зайду, — сообщил Илья Сергеевич, принимая свёрток. — Померяю жилетку. У меня все вещи не по сезону — и кеды, и куртка. Пришлось даже сапоги купить.

— У меня каждый день открыто, — сообщила Зоя уныло.

— Лилия Петровна предупреждала вас о своём приезде? Вы заранее знали, что она собирается в Сокольничье?

Тут Зоя Семёновна улыбнулась и опять сделалась красавицей.

— Ну что вы, — сказала она. — Конечно, нет. Меня-то ей зачем предупреждать?

— Чтобы вы были на месте, если ей захочется ковров или кружев.

— Я всегда на месте. Если что, подбегу через две минуты.

— А вас? — Илья повернулся к Матвею. — Предупреждала?

Матвей покивал.

— И в тот раз тоже?

Зоя Семёновна вновь пришла в смятение:

— Почему вы спрашиваете?!

— В тот раз, кажется, нет, — пробормотал Матвей. — Но я не помню точно.

— Остроумно, — оценил Илья Сергеевич, поклонился Зое и вышел на улицу.

Небеса сияли такой голубизной, какая бывает только поздней и ясной осенью. В отдалении прозвенел школьный звонок — старый приятель, — мимо прогрохотала бочка с молоком. Где-то поблизости наверняка работает мохноногая лошадь, везёт свою тележку.

Скрипнула дверь, и появился Матвей.

— Зачем всё время пугать? — спросил он. — Так нельзя.

— А как можно?

— Я не знаю, — сказал Матвей. — Но это плохо. Страх — самое ужасное в жизни. Нет ничего хуже.

— Ты боишься?

Матвей кивнул.

— Чего?

Матвей ссутулил плечи и пошёл, загребая мокасинами разноцветные листья. Обернулся и сказал негромко:

— Я не смогу объяснить. Никому и никогда.

Илья вернулся в гостиницу — администраторша встретила его тревожным взглядом. Он спросил, в каком номере живёт поэтесса. Её комната была в другом крыле. На площадке узкой лестницы с двумя полукруглыми окнами висела картина из вестибюля — кувшин с цветами.

Илья постучал.

Долго не открывали, потом дверь распахнулась.

— Проваливай, — велела Ангел.

— Почитай мне свои стихи, — попросил Илья, протискиваясь мимо неё.

— Обойдёшься.

В её комнате тоже были старинная мебель, тяжёлые портьеры и настоящий паркет. Что за волшебник директор Олег Павлович!.. Окна выходили на колокольню, пруд и площадь. Илья отодвинул занавеску и посмотрел. Между облетевшими липами светилась белая беседка с ажурными решётками.

— С кем ты сидела в беседке, когда Зоя Семёновна закричала и все побежали на крик?

Ангел у него за плечом тяжело и гневно задышала.

— Секундочку, — остановил её Илья. — Если хочешь врать, ври так, чтоб я не смог проверить. Или говори правду.

— Кто ты такой, чтобы меня допрашивать?!

— Мне нужно установить истину, — сказал он и рукой в перчатке взял её за подбородок. — Посмотри на меня.

Она вывернулась.

— Не смей меня трогать!..

С правой стороны, у виска, голова у неё была расчёсана в кровь, ранки казались совсем свежими.

— Ты драла себя за волосы?

— Не прикасайся ко мне! И вообще пошёл вон!

Рукава чёрной толстовки с рожами и буквами были закатаны, и руки от локтей до запястий были ровного голубого цвета, тоже кое-где поцарапанные. Должно быть, Ангел смывала свои «татуировки», а они не поддавались.

— Я купил тебе подарок. — Илья положил свёрток на стол и стал разворачивать бумагу. — Я не очень понял, что это за штука, но мне понравилась.

— Мне не нужны никакие подарки.

Но всё же она заглядывала ему под руки, и это тронуло его, как будто выглянул любопытный, доверчивый ребёнок.

— Это скатерть, — пояснил он. — Но она не тебе, а мне. А вот это тебе.

Он выудил горку примятых кружев.

— Те, что на скатерти, вязала Зоя Семённа, а эту какая-то бабуля. То есть не вязала, а плела. Кружева плетут. По-моему, в это нужно продевать голову и носить на шее.

— Я не стану ничего носить на шее! — Она потрогала невесомое пышное кружево. — Отдай это своей жене!

— Я не женат.

— Не важно. Отдай тётке, с которой ты живёшь. И которая воспитывает твоих детей. Она будет счастлива.

Профессор Субботин длинно выдохнул.

— Детей, детей, — повторил он. — Каких детей?..

— Я не знаю, каких. Твоих.

Он уселся в кресло и вытянул ноги в сапогах, сработанных дядей Васей Галочкиным. И в разные стороны покрутил подошвами.

— Сегодня уже лучше, — сказал он про сапоги. — Должно быть, когда разносятся, будет совсем хорошо.

— Я за тебя рада.

— Меня зовут Илья Сергеевич Субботин, — начал профессор так, как обычно начинал первую лекцию для третьекурсников. — Я преподаю физику. Защитился я три года назад и почти сразу получил профессорскую ставку. Мой курс — я читаю физику твёрдого тела — начинается со второго семестра, и сейчас я относительно свободен. Я не служу в следственном комитете и не ношу погон. Я занимаюсь исследованиями — и в области физики, и в области преступлений. Какой бы тебе привести пример?

И он секунду подумал. Ангел смотрела на него во все глаза.

— Я могу доказать, что тяжёлые и лёгкие тела падают с одинаковой скоростью. Хочешь? Допустим, что тяжёлые тела падают быстрее лёгких, что кажется абсолютно логичным. Тогда соединим жёсткой сцепкой лёгкое и тяжёлое тело. Дай мне бумагу, я нарисую. — Она подала ему со стола листок и карандаш. Он принялся быстро рисовать на коленке. — Тогда можно предположить, что такая сцепка будет падать медленней, чем одно тяжёлое тело, потому что лёгкое тело в сцепке будет тормозить тяжёлое, как ребёнок тормозит взрослого, который ведёт его за руку. Но масса сцепки больше, чем масса одного тяжёлого тела, из-за того, что к нему добавлено лёгкое. Здесь логика рвётся. Можно сделать совсем сумасшедшее предположение, что лёгкое тело падает быстрее тяжёлого, тогда, рассматривая сцепку тяжёлого и лёгкого тел, мы найдём, что лёгкое будет ускорять тяжёлое, и сцепка будет падать быстрее одного тяжёлого тела, а это противоречит сделанному предположению, что лёгкие тела падают быстрее тяжёлых. Примерно так рассуждал Галилей, когда установил гениальный факт одинаковой скорости падения в пустоте тяжёлых и лёгких тел. Можно объяснить всё это с помощью школьных формул, но так гораздо забавнее.

И показал ей корявый рисунок. Она посмотрела.

— У меня нет и никогда не было жены и, соответственно, детей. У меня есть собака-корги, его зовут Хэм. Сейчас за ним присматривает Галя, моя домработница. Ещё у меня есть родители, которые всё время ссорятся. Мы почти не можем друг друга выносить. Из сказанного тебе что-то непонятно или вызывает сомнения?

Она опять уставилась на него.

— Подумай, — предложил профессор и отвернулся к окну.

Прошло некоторое время.

— То есть ты не врал?..

— Нет.

— И сегодня тебе звонила домработница?

Он вдруг всё понял.

...Никогда в жизни, ни за что на свете *он сам не догадался бы*, что привело её в такое отчаяние. Оказывается, всего-то — Галин звонок, о котором он и думать забыл и вообще не обратил на него внимания. Сумасшедшая поэтесса всё истолковала по-своему и шиворот-навыворот!.. Впрочем, она истолковала так не потому, что сумасшедшая, а потому, что девочка. У них всё наоборот, всегда.

Почему всё так сложно, если на самом деле очень просто?! Кто так придумал и зачем?.. Чтобы людям было нескучно друг с другом? Чтобы жизнь не прошла зря? Тогда получается, права повариха Клавдия, а профессор Субботин не прав?

— Мне сегодня звонила домработница, — подтвердил он. — Дважды два четыре. Трава зелёная. Небо голубое. Кстати, ты знаешь, почему небо голубое, а не чёрное?.. Ведь воздух прозрачный, а выше атмосферы космос, чернота?

— Я не знаю, — пролепетала она растерянно, — я об этом не думала.

— Что мы видим в принципе? Мы видим отражение света от любого предмета или поверхности. Поверхность состоит из молекул. Молекулы воздуха, когда нет аэрозоля, то есть облаков, отражают свет в коротковолновой части спектра, то есть в основном синий или фиолетовый. Аэрозоль, то есть дисперсные капли воды, отражает белый. А крупные капли — серый, почти чёрный, поэтому грозовые тучи видятся нам такими тёмными. Это ясно?

— Почти, — сказала Ангел. — Почти ясно.

— Твоя очередь, — предложил Илья. — Теперь ты рассказываешь. Только правду.

Она запустила пальцы с острыми розовыми ногтями под свои дреды и стала ожесточённо чесаться.

— Нет, — сказала она и на минуту перестала чесаться. — Я не могу тебе ничего рассказать.

— Никто ничего не может мне рассказать, — посетовал Илья. — Матвей не может. Зоя Семёновна не может. И ты тоже не можешь.

Ангел побродила по комнате, время от времени снова принимаясь раздирать кожу под стянутыми волосами.

— Я, должно быть, от них с ума сойду, — вдруг пожаловалась она. — Так болит и чешется, жить невозможно.

— Может, нужно как-то... расплести.

— Да никак их не расплести! — закричала Ангел. — Там всё специально сделано так, чтоб они не расплелись! И нитками завязано, и какой-то паклей!..

— Остроумно.

— Не могу же я наголо побриться!

— А что? — спросил Илья Сергеевич. — Я думаю, будет пикантно.

И они замолчали.

Ангел подцепила со стола кружевную пенку, покрутила в руках и как-то набекрень пристроила себе на шею.

— И как это носить? — спросила она сердито. — Куда это девать?

Илья встал и поправил — она отводила глаза, косилась в сторону.

— По-моему, вот так.

За плечи он повернул её к зеркалу.

У неё оказалась длинная и прекрасная шея. Щёки оказались матовыми, а скулы выпуклыми, и подбородок — как будто его вылепил скульптор.

Впрочем, Илья Субботин видел всё это и раньше — он всегда умел увидеть именно картину, а не раму.

Они смотрели друг на друга в зеркале, его руки лежали у неё на плечах, и она дышала тихо-тихо.

Илья провёл ладонями по её плечам и рукам до синих исцарапанных запястий и отпустил.

— Матвей чего-то боится, — сказал он. — Но я не знаю, чего. Он не говорит. Зоя Семёновна кого-то защищает, но я не знаю, кого. Она не говорит. Ванечка всё время врёт, я не знаю, зачем.

— Он не говорит?

— Я не спрашивал, — ответил Илья с досадой.

Досада происходила оттого, что пришлось отпустить её, а ему очень хотелось продолжения — страстных объятий, жарких поцелуев, интимного шёпота.

...Илья Сергеевич не знал за собой склонности к такого рода чудовищным банальностям, они не лезли ни в какие ворота.

— Сколько тебе лет? — спросил он, думая о банальностях.

— Двадцать четыре.

— Негусто, — оценил Илья. — Может, пойдём чай пить? Или сначала поднимемся на колокольню? Оттуда открывается прекрасный вид на окрестности. Так говорят знатоки местной экзотики. Или купим в «Торговле Гороховых» огурцов?.. — Он помолчал и продолжил: — Зоя, когда выскочила из лавки, оставив там Лилию Петровну, видела Николая Ивановича и Катерину. Он шёл за ней. Видела в беседке тебя с неизвестным типом. Ещё видела алкоголика на лавочке. Он то ли спал, то ли просто сидел. Она его не узнала, но это совершенно точно был не её бывший муж Виктор. Любой из перечисленных мог зайти в магазин и задушить женщину.

— Я никого не душила.

— Возможно. Непонятно, где был Матвей, и спрашивать его об этом бессмысленно, он скажет, что забыл. Сегодня на берегу я пытался расспросить его про картину, которую привёз директор. Но ничего не понял. Матвей мог сам её написать. Он мог её где-то купить. Он мог её у кого-то украсть! Но с этой картиной связано нечто очень важное. Пожалуй, так: если я узнаю историю картины, я узнаю историю убийства.

— Я... потом расскажу тебе о себе. Не сейчас. Ладно?

Он посмотрел на неё.

...Она может вовсе ничего не рассказывать. Это совершенно не важно. Этого он тоже за собой не знал — уверенности в полузнакомом человеке, как в себе самом. Он сказал ей вчера или когда это было, что факты её не интересуют, она всё сочинит сама — и оправдает его. Сейчас он сознавал, что его тоже мало интересуют факты. Она может рассказать о себе правду или вновь наврать, какая разница? Она может обриться наголо или распустить косы, надеть бальное платье или куртку-стог, это не имеет значения. Имеет значение, что она рядом и ему хочется разговаривать с ней, смотреть на неё, трогать её, узнавая, какая она на ощупь. Он предполагал, что прекрасная, и от этого предположения ему становилось не по себе.

Все его романы начинались непременно со скуки и занудства, которые потом неумолимо прогрессировали — росли в геометрической прогрессии, уточнил про себя профессор Субботин, — и никогда с желания подойти как можно ближе, рассмотреть, дотронуться, удивиться.

Значит, это никакой не роман? А что тогда?..

— Откуда в нашем Доме творчества взялся продюсер Артобалевский? К кому он приехал? Почему его не было вчера весь день? Он загнал меня в лужу утром, и куда после этого делся?

— При чём тут Артобалевский? — спросила Ангел. — Он совсем из другой жизни человек.

— Вот именно. Ему полагается сейчас быть на Неделе моды в Милане. Сопровождать свою новую подружку, актрису Эмилию Блонд.

— Нет такой актрисы!

— Вполне возможно, что уже есть. Например, Лилечка собирается сделать с ним селфи, а потом предложить себя в его фильм, как раз в качестве актрисы. Вполне вероятно, она возьмёт псевдоним Эмилия Блонд.

И он вспомнил, как Матвей говорил, что Лилечка некрасивая девушка. Что она только изображает из себя красивую. А девушка, которую Матвей видел с Ильёй Сергеевичем, красива по-настоящему. Он как-то странно видит, этот полоумный Матвей!..

— Завтра в полшестого утра я иду с Клавдией по грибы, — проинформировал Илья.

— Ты точно чокнутый профессор, — вдруг с удовольствием и облегчением сказала Ангел и громко захохотала, показывая белые крупные зубы. — Как это я так оплошала?..

Она вдруг прыгнула на него — он немного пошатнулся, потому что она была довольно тяжёлой, высокой, плотной, — обняла за шею и смачно поцеловала в щёку.

У неё были очень горячие руки.

Он погладил их сверху вниз и снизу вверх и по очереди посмотрел на запястья.

— Ты их тёрла алюминиевой мочалкой? Для чугунных сковородок и походных котелков?

Ангел тоже посмотрела.

— А? Да эта хрень никак не смывается, стойкая! Хотя в салоне мне сказали, что она вообще вечная, а она не вечная, мазалась всё время!

— Со временем сойдёт, — утешил её Илья.

Дальше никак нельзя было стоять обнявшись, и обоим сделалось неловко. Она отошла и стала деловито обуваться.

— Куда мы пойдём? — пыхтя, спросила она. — За огурцами или на колокольню? Почему-то мне хочется есть, хотя я после завтрака ещё и бутерброд съела! Как ты думаешь, это оттого, что холодно? А папка из твоей комнаты? Не нашлась?

Они спустились по узкой лесенке, миновали коридор — Ангел шла впереди, Илья за ней, — как вдруг наотмашь распахнулась дверь конференц-зала. Она распахнулась и гулко стукнула Илью Сергеевича в лоб. Он отшатнулся, зацепился сапогом за гнутый стул и со всего размаха сел на пол.

Из зала выскочил знаменитый продюсер Артобалевский. Лицо у него было перекошено.

— Всё будет, как я сказал! — гаркнул он в проём и ногой захлопнул дверь. Особняк вздрогнул от грохота. Артобалевский выматерился — у него были бешеные глаза, и пот блестел на выбритом черепе — и тут только увидел сидящего на полу Илью Сергеевича и Ангела с прижатыми ко рту ладонями.

— Ты чего расселся?! — Артобалевский упёр руки в колени и нагнулся. — Ты подслушивал, что ли?! Сукин ты сын, я тебя в порошок сотру!

Илья Сергеевич облокотился о стул. Ему было нехорошо. Дверь как-то неудачно пришлась на вчерашнюю шишку, которую ему поставил Матвей.

— Сам ты сукин сын! — закричала Ангел. — Смотреть надо, куда прёшь!

— Тише, — попросил Илья.

Зазвучали голоса, и в холле появились ещё какие-то люди.

— ...Что здесь происходит?

— ...Почему такой шум?

— ...Может, охранника позвать?

Артобалевский присел перед Ильёй на корточки.

— Слушай, это чего, я тебя так... долбанул?!

— Ну, конечно, — проскрежетал Илья. На него со всех сторон смотрели люди. — Отойди, я встану.

— Дверью?! — переспросил Артобалевский в изумлении. — Ах, мать честная!

И он от души захохотал.

Николай Иванович приблизился и спросил, не нужна ли Илье Сергеевичу помощь. Администраторша всплёскивала руками. Матвей постоял-постоял и ушёл.

Артобалевский подал Илье руку и рывком поднял его с пола.

— Прямо не клеится у нас с тобой, — посетовал он и опять захохотал. — То машиной я тебя, то дверью!..

— Очень смешно, — процедила Ангел.

— Да я не нарочно!..

Илья выбрался на улицу, сел на скамейку и потрогал голову. Артобалевский пристроился рядом и заглянул ему в лицо.

— Да не может быть, чтобы так сильно!

Илья Сергеевич промолчал.

Артобалевский достал из кармана джинсов мятую пачку сигарет и зажигалку, блеснувшую на солнце золотом, прикурил и ткнул пачкой Илье в бок.

— Не курю.

— Это правильно, — тут же сказал Артобалевский. Откинулся на спинку и с удовольствием затянулся.

Он был в одной рубашке, такой белоснежной, что на неё больно было смотреть, и сидел вольготно, свободно, как на сочинском пляже в мае, а не на скамейке в Ярославской области в середине октября.

— А у меня тоже всё поперёк, — вдруг пожаловался он и прищурился на пруд. — Хорошо бы кто дверью съездил, честное слово! Может, легче станет?

— Не станет, — отозвался Илья.

Артобалевский вытянул джинсовые ноги и скрестил их в щиколотках. Держался он превосходно.

— Пойдём выпьем? За дружбу и окончание недоразумений. Нет, пусть сюда принесут. Или лучше вон, в беседку! Ты как?

— Можно и выпить, — согласился Илья Сергеевич.

Артобалевский достал телефон и нажал кнопку.

— Значит, так, — приказал он. — Нам в беседку, которая у пруда, виски. «Макаллан» восемнадцатилетний, двести граммов. Лёд. Ну, закусить чего-нибудь. Ветчины, там, сырокопчёной, дыньку. Холодно, мою куртку принесите, она в номере на вешалке. И шевелитесь, нам ждать некогда. Сейчас всё будет, — сказал он Илье.

Из эркера, толкнув задницей дверь, показалась Ангел. В руках у неё был стакан в подстаканнике. Из стакана шёл пар.

— Чай с лимоном, попей, — она сунула стакан Илье Сергеевичу и посмотрела на Артобалевкого с негодованием.

— Ты виски тоже будешь, девочка? — спросил великий продюсер деловито и опять схватился за телефон. — Тогда двести мало, надо триста. Пошли, пошли, ребят!..

Он поднялся и зашагал к беседке. Илья и Ангел смотрели в его сверкающую рубашечной белизной спину.

— Мы чего, выпивать с ним будем? — спросила Ангел тихонько. — С какой такой радости?

— Может, от горя, — вздохнул Илья. — Я пока не понимаю.

В беседку всё принесли моментально, как будто продюсер взмахнул волшебной палочкой. Шустрый официант в чёрном переднике смахнул со стола и скамеек опавшие листья, расстелил салфетки и выставил выпивку и закуску.

— Ну чего, ребят, — Артобалевский продел руки в рукава короткой куртки, подбитой каким-то тёмным мехом. — За дружбу и взаимопонимание!

Он разлил по стаканам виски — много! — сразу выпил и налил ещё. Илья помедлил и тоже глотнул изрядно, и Ангел пригубила.

— Девочка, ты что так на меня смотришь? — спросил Артобалевский, вкусно жуя кусок буженины. — Не нравлюсь я тебе?

— Мне ваши фильмы нравятся, — буркнула Ангел.

— Это какие же?

— Да почти все. Нет, плебейские я не смотрю, конечно, а фестивальные всегда.

Почему-то великий продюсер поморщился, как будто получил не комплимент, а оскорбление.

— Ну, значит, за кино! Искусство, как известно, принадлежит народу.

На этот раз Илья успел с ним чокнуться.

Артобалевский вылил в себя виски и по очереди посмотрел на собутыльников.

— А вы чего здесь? Отдыхаете? На самом деле, я думал, будет хуже, деревня какая-то! А оказалось, ничего.

— Ничего, — согласился Илья.

— А ты чем занимаешься?

— Физикой.

— Слушай, — вдруг вдохновился Артобалевский, — это здорово, наверное. Ну, заниматься чем-то, что имеет смысл. Везёт тебе.

— Мне нравится, — согласился Илья.

Виски делал своё дело. Ему стало тепло, в голове перестало трещать и рваться, и захотелось есть.

— За смысл!

— Подожди, — остановил его Илья. — Я так не умею. Я под стол упаду.

— Я бы и рад под стол, — признался Артобалевский, — да не получается.

— А что, ваша работа не имеет смысла? — прицепилась Ангел.

Артобалевский пожал плечами:

— Ну, по-разному. В основном не имеет.

— Как?!

— В основном моя работа сводится к добыче денег. Люди гибнут за металл! Добыча денег ради денег — полная и окончательная бессмыслица. Должно быть что-то дополнительное, а оно редко бывает. Что ты смотришь, девочка? Ну, уже можно накатить или дальше ждём?

— Можно, — согласился Илья, и они опять выпили.

— Ты ешь, — посоветовал Артобалевский, — тогда не упадёшь.

— Нет, как же так, — взволнованно заговорила Ангел. — Вы такие фильмы продюсируете!

— Ну, какие, какие?

— Глубокие... — она подумала немного. — Страшные. Про сволочей, про уродов. Про смерть. Про подлость.

— Девочка, — сказал Артобалевский и прищурился на солнце. У него были очень тёмные и густые ресницы, зато на голове никаких волос, солнце насмешливо перекатывалось по бритой макушке. — Тебе про уродов интересно, потому что у тебя всё хорошо, да? Ты смотришь на них и думаешь, как здорово, что я живу не так. Где-то есть уроды, а я-то среди нормальных людей, слава богу. А ты поди про этих нормальных сними, да так, чтобы все смотрели! У меня, например, не получается. То есть редко получается.

— Подождите. То есть вы снимаете... зачем?

Артобалевский положил на тоненький ломтик дыни полоску сырокопчёной ветчины, откусил и объяснил:

— Так ради денег, девочка. За дерьмо всегда хорошо платят, оно всегда в ходу. Ради званий всяких, наград. Вон недавно ещё одну получил! Дипломы девать некуда, в сортире вешаю. Ты не понимаешь, да? Как бы тебе это... Смотри, пришёл ко мне друг Серёга, он сейчас в какой-то богатой иностранной компании большой шишкой служит. Ну, и навязла у него в зубах эта компания иностранная, все эти тренинги, брифинги, тайминги, планинги! И говорит: давай, Петь, я тебе сценарий напишу, мы за него все награды соберём. Я ему отвечаю: как сценарий, ты же не умеешь! А он мне: да чего там уметь, я на журналистике отучился, тут главное, чтоб чем хуже, тем лучше, чтоб зрителей рвало и чтоб непременно все хорошие люди кровью харкали, а потом их в землю закопали, а плохие чтобы над ними измывались.

Ангел смотрела на него не отрываясь. Илья глотнул ещё виски и заел дыней.

— И приносит мне Серёга через месяц готовый сценарий. Ну, этот, который сейчас ветвь в Каннах взял. Мы его ставим, придумываем заход, что написал молодой сценарист-концептуалист, а не старый хрен Серёга. Всё.

— То есть это тоже неправда? — спросила Ангел дрожащим голосом. — И вы на самом деле так не думаете? И нет никакой философии?

Артобалевский помотал бритой головой:

— Нету, — сказал он и развёл руками. — Есть наше с Серёгой элементарное желание денег заработать. Званий опять же поднабрать. Мы заработали, слава нам.

— А зрители?!

— Девочка, ну при чём тут зрители? Я могу обмануть любого зрителя. Себя не обманешь, а зрителя-то чего особенного? Хочешь, я тебе сейчас сценарий придумаю? — Он с удовольствием сжевал ещё кусок мяса. — Например, в детском доме издеваются над беззащитными подростками. Их бьют, насилуют и калечат. Подростки, в свою очередь, бьют и калечат, допустим, бездомных собак. Потом на их глазах собак расстреливают мерзавцы-санитары, и дети — они же не до конца погибшие — плачут и понимают, как были не правы. Да, в середине непременно история любви. Он её таскает за волосы, она его любит. Он прячет какую-нибудь собаку, потому что добрый в душе, она находит её и режет на куски ножом. Ну, ещё продажные чиновники из районо и поп-приспособленец. В таких картинах без попа нельзя. Готово дело. В постпродакшене запилим крутой трейлер, всем нагоним, что фильм о жестокости современного мира, о чёрствости и просыпающейся человечности. Можно завтра снимать. Ещё одну премию дадут.

Он навалил в свой стакан льда, добавил виски и сказал Илье:

— Хорошая девочка, правильная. Людям верит. Давай за неё.

И они чокнулись.

— А вот мы ещё мультики делаем, — вдруг сказал Артобалевский. — Не видела? Вот это правда хорошо! И придумано — блеск, и нарисовано отлично! Там совсем для другого люди работают и придумывают другое! Я тебе подарю диски, у меня в машине есть. Или в Интернете посмотри. Там Бабка Ёжка — любовь моя. Вот честное слово. И смешно! Каждый раз ржу, как придурок, когда смотрю. И чего там с этой Бабкой только не происходит! Хотя она молодая, это её зовут так — Бабка Ёжка. Хорошо сидим, ребята! А ты в физике кто? Никто или учёный?

— Профессор я, — сообщил Илья Сергеевич. — Исследованиями занимаюсь.

— Вот это правильно, прямо правильно!.. Я бы тоже физикой занимался или медициной. Жаль, мозгов нет. Давай за мозги, Илья.

Они выпили за мозги.

— Какая-то дура ко мне привязалась, — пожаловался Артобалевский. — С пришитыми сиськами. Селфи ей надо. А мне не надо! Мне надо, чтоб никто не знал, что я здесь. Я её и послал. А она, главное, не отстаёт.

— Лилечка, — сказал Илья. — Она собиралась у тебя в кино сниматься.

— Да что ты говоришь, — нисколько не удивился Артобалевский. — Впрочем, они все творческие, хотят в кино сниматься или на сцене громко петь. Вон, в фильме, который сейчас вышел, у меня три звездищи снимались. У одной то и дело что-нибудь болит — то спина, то голова, то душа. Вторая всё время в гормональном дисбалансе. У неё сначала предменструальный синдром, потом критические дни, а потом постменструальный период. А третья ничего, пашет. Но снимать-то режиссёру всех трёх нужно, а не одну, которая пашет, вот он мне и названивает!.. Кино — это производство, а никакая не философия, девочка. Когда Данелия снимал, тогда философия была, а сейчас!..

И продюсер махнул рукой.

— Почему никто не должен знать, что ты здесь? — оживился Илья.

— Да я специально в глухомань такую ехал, чтоб никто тут меня не видел и не слышал. А не затем, чтоб селфи делать!..

— Да жалко тебе, что ли, сфотографироваться!

Артобалевский с удовольствием закурил, закинул локти на перильца беседки и сказал проникновенно:

— Да мне не жалко ни фига, только она в Интернет выложит, и пропадай моя черешня!..

— Вы здесь тоже прячетесь? — поинтересовалась Ангел тихонько.

— А кто ещё прячется, девочка?

Она пожала плечами.

Великий продюсер Артобалевский засвистел, поднялся, стал коленями на скамейку и животом навалился на перила.

Илья Сергеевич немного выпил. У него слегка пошумливало в голове — приятно, — и хотелось умных и добрых разговоров, долгих прогулок, приятных людей вокруг и ещё виски.

— Красиво, да? На колокольню бы залезть, небось оттуда вид!.. — Артобалевский оглянулся. — Вы лазали?

— Нет ещё.

— Завтра полезем, — отдал приказ Артобалевский. — Сегодня точно нет, а завтра в самый раз.

Налетел ветер, с деревьев посыпались листья. Они всё летели и летели, и казалось, что началась метель. Такая странная золотая метель.

— Как ты думаешь, — спросил Артобалевский, не оборачиваясь, — почему жизнь так паршиво устроена? Твоя наука знает ответ на этот вопрос?

— Я, например, знаю, почему небо голубое, — сообщила Ангел.

Илья Сергеевич тоже встал коленями на скамейку, облокотился на перила и уставился на пруд, по которому плыли листья.

— Смотря что ты имеешь в виду, — сказал он и сбоку посмотрел на Артобалевского. — Наука многие странности объясняет. Странности и паршивости.

— Нет, но вот почему никогда не бывает — хорошо? Почему если одно хорошо, то всё остальное непременно плохо? Почему нужно то и дело какие-то решения принимать, чего-то кому-то объяснять, со всеми считаться? Почему нельзя просто жить?

Профессор Субботин подумал, что виски действует не только на него одного, но и на продюсера тоже. А поначалу казалось, что его ничем не взять!

— Просто жить очень сложно, — непонятно объяснил Илья.

Артобалевский помычал, соглашаясь, и профессор продолжал:

— Можно никого к себе не подпускать, тогда будет легче. Или обзавестись союзником.

— Одним? — перебил Артобалевский.

— Таким, чтоб на все времена.

— Таких союзников не бывает, брат.

Они помолчали, глядя каждый в свою сторону.

Ангел у них за спиной глотнула виски, поморщилась и запила остывшим чаем. Она знала, что виски полагается любить, что в нём нужно разбираться, его положено смаковать и ценить, чувствовать нежный вкус шоколада и сухофруктов, яблочного пирога и мёда, а также ваниль, но у неё всё никак не получалось. И она пообещала себе, что непременно научится, чтоб такие, как Артобалевский, не считали её отсталой дурой, а считали бывалой светской львицей.

Виски, хоть ей и не нравился, но действовал и на неё тоже.

— Вон девочка твоя наверняка думает, что любовь вечна, а ты-то куда?

Илья удивился — он вообще имел в виду не любовь и не думал о ней. Выходит, Артобалевский думал?..

— Что-то нехорошо мне, — серьёзно сказал Артобалевский. — Или я чего-то не понимаю, или всё наперекосяк пошло. Как будто... руль бросил.

— За рулём нужно быть осторожней, — напомнил Илья. — А ты по сторонам не смотришь.

— Да ладно, я же извинился!

— Куда ты в тот день делся? Я тебя высматривал, а ты как сквозь землю провалился.

— По башке хотел дать? — развеселился Артобалевский. — Да никуда я не делся. В Ярославль поехал.

— Зачем?

— За надом! Покататься решил. У меня там фильм снимается. Все фильмы снимаются в основном в Ярославле или в Твери. Ещё в Минске! Я сюда приехал, чувствую, что-то мне нехорошо. Вот совсем нехорошо! И так всё время, прикинь? Я и поехал их инспектировать. А потом сюда опять вернулся. Зато покатался. Напиться бы так, чтоб три дня спать. А лучше год! Представляешь?! Сейчас заснуть, а через год проснуться. Вот это дело!

Илья Сергеевич ни за что бы не согласился проснуться через год. Эдак самое интересное можно проспать. Самое странное и неожиданное, чего раньше никогда не было в его жизни. Он проснётся, и окажется, что всё это было год назад — село Сокольничье, осень, небо, листья, девушка с очень светлыми глазами, вот эта самая беседка и странные разговоры.

— Не хочу через год, — сам себе сказал Илья.

— Ты счастливый человек, — подытожил Артобалевский. — Ну чего, допиваем и по коням? Сколько там осталось?

Он залпом допил виски, распорядился по телефону, чтобы всё убрали, велел записать на счёт, очень определённым голосом сказал, что завтра непременно идём на колокольню, и твёрдым шагом пошёл к гостинице.

Илья и Ангел смотрели ему вслед.

— Непонятный мужик, — сказала наконец Ангел. — Как ты думаешь, про кино он врал?

— Мне так не показалось.

— И что он здесь делает? У него же явно какие-то дела! Он из конференц-зала выскочил и орал, что всё будет, как ему нужно, и никак иначе. То есть переговоры, что ли, вёл?

— Переговоры зашли в тупик, — объявил Илья Сергеевич.

— С кем у него здесь могут быть переговоры?

— Давай походим, — предложил Илья. — А то я сейчас засну и проснусь через год.

— Ты что, напился?

Не отвечая, Илья застегнул куртку, подал ей руку, чтоб она не оступилась на засыпанной листьями трухлявой ступеньке, и они пошли вокруг пруда к плотинке. Ангел загребала листья суровыми чёрными ботинками, и листья разлетались в разные стороны. Илья думал, понимая, что сейчас лучше как раз не думать. Сейчас вместо мыслей в голове восемнадцатилетний Макаллан.

— Восемнадцать лет назад, — сказал он, чтобы не думать виски Макалланом, — тебе было сколько? Семь? Шесть?

Она покосилась на него и взвихрила очередную кучу листьев.

— С кем ты сидела в беседке в прошлый раз?

— В какой... прошлый раз?

— В этот раз ты сидела с нами. А в прошлый? Когда убили Лилию Петровну? Зоя тебя видела. Ты с кем-то сидела в беседке.

Она молча шла и поддавала листья.

— Ты здесь прячешься. У тебя что-то случилось, ты поменяла внешность, накупила барахла в магазине «Ночные волки», решила говорить только правду и приехала сюда. Ты даже не носишь с собой телефон, чтобы не отвечать на звонки. От кого ты прячешься?

— Ни от кого! От себя.

Она запустила пальцы в свои дреды и стала с остервенением чесаться.

— Ну, он со мной работает, — сказала она наконец. — То есть работал. Вернее, он работает, а я уволилась.

Илья посмотрел на неё. У неё был очень несчастный вид.

— Он всё время мне врал. Вот всё то время, что мы были вместе. А я верила, дура!.. Идиотка. — На глазах у неё показались слёзы, и она смахнула их кулаком. —

Он за мной ухаживал, я ему нравилась. Ну, я же точно знаю, что нравилась!.. Мы всегда были вместе, и на работе, и... так просто. И я ни о чём не догадывалась!

— У него в Пензе жена и дети?

— Откуда ты знаешь?!

— Я предположил.

— На самом деле, не в Пензе, а в Челябинске. Он мне предложение сделал!.. Самое настоящее. А потом вдруг приехала его жена, разыскала меня, и... в общем, вышло безобразие. Он мне после этого сказал, что я вся ненастоящая и он со мной тоже был ненастоящий. Из-за того, что я фальшивая, на него затмение нашло.

— Остроумно.

— Он заявил, что в Москве все фальшивые.

— Разумеется.

— И всё, что было, всё неправда и фальшь, понимаешь? Он утверждал, что я играла, а он мне подыгрывал. Просто делал то, что мне хотелось. Не ему самому, а мне.

Профессор Субботин вздохнул:

— А ему на самом деле хотелось жить в Челябинске с женой и детьми, а не ухаживать за девушкой из столицы? А ты его заставила? Я просто хочу уточнить формулировки.

— Ну да, да. Не в прямом смысле заставила, а вынудила, потому что я от него чего-то ждала, и он был вынужден... соответствовать. А на самом деле он даже не знает, какая я. Ну, хорошая или плохая, умная или глупая, красивая или урод. За моим фасадом ничего нельзя разглядеть, он так сказал.

— И ты радикально перестроила фасад.

— Я в книжке по психологии прочитала, что после таких потрясений нужно изменить всё — одежду, причёску, а лучше всего — переехать.

— То есть ты читаешь не только книги по истории русского крестьянства?

Она вдруг взяла его за руку, покачала туда-сюда и отпустила.

— Ты шутишь, и мне как-то проще рассказывать, — призналась она. — Ну вот. Я приехала сюда и стала думать. А потом он приехал.

— Откуда он узнал, что ты здесь?

Она вздохнула.

— Я думаю, он не просто так приехал, а потому что его папа заставил. Мой папа. Он стал говорить, что был не прав, что я самая замечательная девушка в мире, что он просто не может быть со мной, потому что у него жена. Всякое такое. А раньше он совсем другое говорил!..

— А он предложил тебе остаться друзьями? Должен был предложить.

Она опять стала чесаться. Илья Сергеевич вынул её руку из дредов, засунул себе в карман и прихватил там. После восемнадцатилетнего Макаллана это было легко.

— У тебя будет лишай.

— Он сказал, что я прежняя нравилась ему гораздо больше и теперь он понял, что та я как раз была настоящей. А я ему велела, чтоб он переставал врать. А он сказал, что согласен с моим отцом, мне нужно возвращаться в Москву и на работу.

— Твой отец имеет на него влияние?

— Папа — главный редактор журнала, где мы работаем. Работали. Я-то уволилась. То есть одно сплошное враньё! Он даже сюда приехал не потому, что чувствовал себя виноватым, а потому что отец заставил, а ему деваться некуда.

— Отчего же некуда? В Челябинск.

— Я просила папу не принимать никаких радикальных мер, понимаешь? Не увольнять его, не выяснять отношений, и он обещал! Я сказала, что мне нужно время, чтобы подумать, и они согласились.

— Кто они?

— Мои родители.

— Бедные родители, — посочувствовал Илья Сергеевич. — Я бы этому типу шею свернул, и все дела.

— Зачем?! Зачем это?! Он меня не любил и не понимал, но это же не его вина!.. За что ему мстить?!

— Например, за враньё, — сказал Илья. — Он ведь и жене врал, и тебе, и отцу твоему. Нехорошо это. Стыдно.

— В тот день он приехал, мы с ним поговорили в беседке. Он очень просил вернуться в Москву, чуть не плакал. Я сказала, что пока не вернусь. Потом Зоя Семёновна закричала, и на крик все побежали. И я тоже побежала. Возле её магазина уже какие-то люди собрались, и Николай Иванович мне сообщил, что человека задушили. Я внутрь не пошла.

— А когда вернулась, в беседке его уже не было?

Ангел покачала головой.

— Он на самом деле торопился. На часы то и дело смотрел. До Москвы далеко, а дни сейчас короткие.

— Какой милый человек, — пробормотал Илья Сергеевич. — Заботится о безопасности на дорогах. Вон Артобалевский, совершенно не заботится.

— Когда ты приехал и стал так свысока разговаривать, я подумала, что ты точно такой же. Лучше всех всё знаешь, а на самом деле врёшь. И я решила тебе доказать, что со мной так нельзя!

— Матвей считает, что ты красивая девушка. Он говорит, что совершенно не разбирается в девушках, но ты красивая.

Ангел как будто споткнулась. Илья её поддержал.

— Что он ещё сказал?

— Ему нравится домик, который выставлен у Зои в магазине. Он сделан из дерева, и внутри печь с изразцами и лесенка. Матвей от этого домика просто в восторге. Когда я его о чём-то спрашиваю, он отвечает, но так, что я ничего не могу понять.

— Я же тебе говорила, он очень подозрительный тип.

— Он очень странный тип, — возразил Илья. — Но это ничего не означает. Ты тоже странный тип.

Держась за руки, они пошли вдоль бурой осенней речки и шли довольно долго. Трава хлестала Илью по голенищам жёлтых сапог, сработанных дядей Васей Галочкиным, оставляла мокрые семечки. Чтобы ни о чём не думать, Илья принялся рассказывать об олимпиаде по физике для школьников и о том, что его попросили придумать несколько олимпиадных задач. Он придумал три, а с четвёртой дело не идёт. Задача получается слишком сложной, а решение неоднозначным.

Ангел внимательно слушала.

Потом он спохватился и сказал, что она должна была его остановить, а она ответила, что ей очень интересно. Он кивнул — ну, конечно, а она спросила, что, по его мнению, хранят в бревенчатых домиках, понатыканных вдоль всего берега.

— В них ничего не хранят, — объяснил Илья. — В них моются. Это бани.

Ангел очень удивилась.

Потом они долго шли обратно и на плотинке дружно повернули направо, а не налево, к гостинице. Им очень не хотелось расставаться, но страшно было придумать нечто отличное от прогулки, что позволило бы им не расставаться!..

Так они бродили до сумерек, сильно замёрзли и устали, и нужно было решаться, но Илья так ни на что и не решился. Ему очень мешали восемнадцатилетний Макаллан, который по идее должен был не мешать, а способствовать, и история про челябинского кавалера.

По непонятной причине кавалер сильно его задел, и об этом тоже хотелось подумать.

На первом этаже они расстались, и каждый пошёл к своей лестнице.

Ангел так устала от переживаний и волнений, что еле передвигала ноги. Немного досадно было, что Илья не проводил её до двери и не попросил почитать стихов, но она велела себе не расстраиваться — он завязал ей шнурок и купил кружевную манишку, а это так много! Шнурки ей завязывал только папа, когда она была маленькой, а кружевных манишек не дарил никто и никогда, потому что это невозможно. Наверное, проще получить в подарок бриллиантовое ожерелье или арабского скакуна, а не кружева, купленные в деревенской лавке, — и не потому, что она попросила, а потому что ему понравились кружева!..

В номере было тепло, и она долго грелась у батареи, прежде чем стянула с себя куртку-стог. Телефон позвонил, и она рассеянно сказала: «Да», пристраивая перед зеркалом манишку на толстовку с буквами и рожами и любуясь на эту красоту.

— Агния, — проникновенно сказал в трубке тот, кто отравил ей последний год и всю жизнь. — Я тебя прошу, поговори со мной. Ну что мы как дети!

Она уронила манишку и нагнулась, чтобы поднять.

— Приезжай в Москву. Я тебя прошу. Как человека прошу!.. Ты не понимаешь, что ли?! Если ты завтра-послезавтра не вернёшься, меня твой отец живьём съест!

— Он тебя не съест, — пробормотала Ангел.

— Ты не знаешь! Ну, блин, я только жизнь наладил, квартиру приличную снял, а тут такая... петрушка!

Ангел подумала, что петрушка — это она.

— Я же не виноват, что в тебя влюбился!

— И я не виновата. Я не знала, что у тебя семья.

— Ну ладно! Ты что, думала, я почти до тридцатника бобылём дожил?

Ангел поняла, что теперь она назначена виноватой в том, что он ей врал. Раньше она была виновата в том, что фальшива, а теперь в том, что дура.

— Я приеду, — пообещала она. — И папе позвоню, не волнуйся. Он тебя не выгонит, и ты сможешь дальше жить в приличной квартире.

Он оскорбился.

— Куда мне до тебя, — произнёс он каменным голосом, — ты на Спиридоновке родилась. Папа начальник, дедушка маршал!..

Ангел подумала, что в дедушкином звании она тоже, по всей видимости, виновата.

— Тебе-то наплевать. Ты со мной поразвлекалась, и ладно! А мне теперь что делать?! Начальство волком смотрит, ребята не разговаривают, все, блин, боятся! Я как прокажённый сижу.

— Ты не волнуйся, — повторила Ангел.

— Ну что мне сделать, что?! Ну, черт с тобой, давай я на тебе женюсь! Ирка, дети, наплевать на всех! Тебе же так удобней! Ты думаешь только о себе!.. Вы все такие, вам лишь бы сожрать, вцепиться! А у меня душа кровоточит!..

— И начальство волком смотрит, — подсказала Ангел.

Всё же день с профессором Субботиным не прошёл даром. Как будто не день, а год! Артобалевский говорил, что хочет год проспать, а Илья говорил — ни за что. Совсем недавно она тоже мечтала проспать год или десять, чтобы забылись и стали прошлым безобразные сцены, унизительные разговоры, горе и страх. А теперь ей хотелось, чтобы время шло как можно медленнее и чтобы в него уложилось многое, самое важное, и чтобы каждая минута запомнилась надолго, навсегда.

— Ты издеваешься надо мной! — закричали в трубке. — А я ни в чём не виноват! Я нормальный человек, и у меня нормальные потребности! А я как перед расстрелом! Из-за какой-то, блин, ненормальной и её, блин, фантазий!..

Ангел нажала кнопку и аккуратно положила телефон на край стола.

Он немедленно зазвонил снова и надрывался очень долго. Почему-то она не сообразила выключить звук и решила, что самым правильным будет уйти и подождать за дверью, пока он не перестанет звонить.

Она вышла, аккуратно притворила за собой дверь — телефон всё звонил, — и тут у неё невыносимо зачесалась голова. Она запустила обе руки под перекрученные жёсткие косицы и принялась остервенело драть кожу. Под ногтями стало мокро, но чесотка, от которой на лоб вылезали глаза, не унималась.

Она зарычала, продолжая рвать волосы ногтями. Телефон за дверью звонил.

— Тихо, тихо, ты что?! С ума сошла?! — и кто-то взял её за руки.

Ангел замотала головой и стала вырываться, ей казалось, что, если она остановится хоть на секунду, кожа на голове лопнет и кровь по лбу потечёт в глаза.

— Перестань, перестань, разве можно? Пойдём со мной, я тебе помогу.

Она всё вырывалась и чесалась.

Оглянувшись по сторонам, Катерина втолкнула её в свою комнату. На девочке лица не было, и в странных, очень светлых глазах как будто прыгали зрачки.

— Подожди, остановись!

Катерина, как была, в шубе, проворно полезла в холодильник, насыпала в салфетку льда, завязала и приложила к расцарапанной голове.

— Держи вот так, слышишь? Держи, не отпускай, а то всё рассыплешь.

Ангел прижала салфетку к голове и закрыла глаза.

— Садись сюда и вот так води. Сейчас успокоится.

Она сбросила шубу, накапала в стакан каких-то вонючих капель и заставила Ангела выпить, сама тоже выпила.

— Легче?

Ангел кивнула.

— Давно они у тебя?

Ангел не поняла.

— Дреды, — пояснила Катерина. — Давно сделала?

— Недели две.

— Боюсь, не распутаем, — огорчилась Катерина. — Но я посмотрю. Сиди, не вставай.

От ледяной влажной ткани, а ещё от того, что здесь не слышно было проклятого телефона, Ангелу сделалось хорошо и легко. Сгорбившись, она сидела на стуле и глубоко и медленно дышала.

— Повернись вот так, — Катерина зашла ей за спину и стала возиться с её волосами.

Тут Ангел окончательно пришла в себя, перепугалась и засуетилась.

— Что вы делаете?

— Пытаюсь их расплести, но надежды мало, сразу говорю. Нужно было давно, сейчас уже всё свалялось. Не шевелись, ты мне мешаешь.

— Не нужно! Не нужно ничего!

Катерина, перегнувшись, заглянула ей в лицо.

— Как же? — спросила она. — У тебя там такое раздражение, воспаление почти. Если мер не принять, начнётся какая-нибудь ерунда вроде экземы.

— Я лучше в парикмахерскую потом схожу!

— Потом поздно будет, девочка.

Ангел подумала, что Пётр Артобалевский сегодня то и дело обращался к ней «девочка», и это было даже приятно.

— Да и потом, — продолжала Катерина, возясь с её головой. — У нас с тобой, можно сказать, свой салон, прямо здесь. Я работала парикмахером. Сто лет назад.

— Вы-ы?! — изумилась Ангел.

— А что тут такого? Между прочим, я была первоклассным мастером. Ко мне на две недели вперёд записывались.

Это было неудобно — вообще всё было неудобно! — но Ангел неловко повернулась и посмотрела ей в лицо. Та улыбалась.

— Вы не похожи на мастера, — пробурчала Ангел. Десять дней абсолютной честности не прошли даром. — Вы похожи на богатую бездельницу.

И перепугалась. Не всякая честность хороша, вот что стало ей абсолютно ясно за десять дней честности. Лошади никогда не врут, но люди всё же должны жить по-человечески, а не по-лошадиному.

— Ты хочешь меня обидеть, — уточнила Катерина, — или просто так сказала?

Ангел вся покраснела. Шея пошла пятнами, и лоб взмок.

— Извините меня, — сказала она.

Катерина ничего не ответила. Ангел слегка передвинула на голове салфетку со льдом и опять закрыла глаза.

— Мы все много работали, — стала рассказывать Катерина. — Просто с утра до ночи. Нужно было как-то выживать. В девяносто третьем году мне было двадцать два года. Муж институт заканчивал, и надо было что-то есть. Ну, в прямом смысле слова! И ничего нельзя было купить. А когда что-то появлялось, например, кооперативная колбаса, её тоже нельзя было купить, потому что не было денег.

— Я знаю, мне мама рассказывала, — пробормотала Ангел.

Звякнули ножницы, затылку стало немного свободней. Ангел повела головой.

— Я стараюсь, но ты не вертись, это долго. Господи, зачем ты волосы испортила? Хорошие волосы были!

— Мне нужно.

— Нет, не нужно, — возразила Катерина. — Никогда нельзя наспех принимать необратимые решения. Так мой муж говорит. Волосы — ерунда, конечно, отрастут. Но прежде чем решаться на радикальные меры, всегда надо долго думать.

— Я думала.

— У тебя вся голова расчёсана, девочка. Как ты столько выдержала, непонятно.

И они замолчали. Катерина возилась с волосами, это было очень приятно.

— А работала я в салоне на Большой Полянке, — продолжала мастерица. — Там знаменитый салон был! К нам разные известные люди приезжали стричься. Я на них смотрела, как на пришельцев с другой планеты. Один композитор на «Мерседесе» приезжал. Это, знаешь, как если бы сейчас на вертолёте прилетал! И женщины такие красивые, некоторые у Славы Зайцева одевались. И ещё я помню, как от них пахло. Духов тоже было не купить, понимаешь, девочка?

— Мне мама рассказывала, — глупо повторила Ангел.

— А однажды я обиделась на знаменитого писателя. Правда-правда!.. Я прочитала в газете интервью. Он там про Россию рассуждал, про судьбы народа. А потом сказал, что ему самому на самом деле ничего не нужно — вполне достаточно яичницы с ветчиной, грибной похлёбки, телячьей отбивной, красного вина и хорошего сыру. — Катерина тихонько рассмеялась. — Как я оскорбилась, девочка, до сих пор помню!.. Я потом часто о нём думала. Мне казалось, что если у каждого человека будет отбивная, сыр и вино, на земле наступит райская жизнь.

— А может, и наступит, — протянула Ангел задумчиво. — Если только у каждого, по-честному.

— У нас наступила, — отозвалась Катерина. — Мы так старались зарабатывать, и постепенно стало получаться. Я помню какой-то Новый год, до этого всё время голодно было, а тут вдруг заработок подвернулся, и у него, и у меня. И он повёз меня в универмаг на Алексеевской и там так шикарно купил ёлочных игрушек на какие-то бешеные деньги. И стол мы собрали!.. С бужениной, копчёной колбасой. Шампанского купили целый ящик. Такое счастье!

Ангел подумала, что ей никогда не приходило в голову измерять счастье бужениной и шампанским.

Катерина замолчала, только звякали ножницы.

— И что дальше? — спросила Ангел, не дождавшись продолжения. — Вы поняли, что деньги зло?

— Мы не сразу научились с ними жить, — проговорила Катерина задумчиво. — Мы думали, если научиться зарабатывать, дальше всё пойдёт легко. А потом оказалось, что сколько ни зарабатывай, денег никогда не хватает. Нужно больше и больше. И никогда не получается заработать столько, чтоб хватало на всех. Чтобы все были счастливы — дети, родители, родственники.

— Мы сегодня разговаривали с Артобалевским, вы его видели? Он знаменитый продюсер. И он сказал, что добывать деньги ради добычи денег — бессмыслица. Как-то так сказал.

— Но мы не сразу это поняли! — подхватила Катерина. — И много времени ушло, прежде чем мы сообразили, что нужно не только зарабатывать, но и жить.

— Что значит — жить?

— Не дёргайся, девочка. Жить — значит, например, разговаривать. По утрам кофе пить. На дачу поехать не для того, чтобы там строительство контролировать, а в гамаке покачаться. В театр сходить не потому, что там премьера и будут нужные люди, а потому что комедию дают. Нам всё время было не до того. Дети должны учиться в лучших школах. Родители должны лечиться в лучших клиниках. Отдыхать нужно на самых дорогих курортах. Посещать нужно только самые модные места.

— Не посещали бы, — пробормотала Ангел.

— Нельзя, — возразила Катерина. — Мы должны быть как все, или нас не поймут.

— А вам не всё равно, поймут вас или нет?

— Теперь, пожалуй, всё равно. А раньше казалось, что это самое главное. Сфотографировали меня для журнала в наряде из последней миланской коллекции или пропустили? И если пропустили, значит, что-то не так, значит, я где-то допустила ошибку. А как я скрывала, что я бывшая парикмахерша, девочка! Должно быть, только разведчики умеют так путать следы, как я! Никто не должен был догадаться, что я бывшая прислуга. Непременно нужно, чтобы дедушка был из дворян, желательно из иностранных, но из русских тоже допустимо. В крайнем случае, из учёных или полководцев.

Ангел опять вспомнила своего деда и решила, что непременно сегодня же позвонит и скажет, как его любит, несмотря на то, что он маршал.

— Если бы узнали, что я из простых, нас бы живьём сожрали.

— Кто?! — воскликнула Ангел пылко. — Вы рассказываете, как будто про Англию времён королевы Виктории! О ком вы говорите? Какие у нас тут дворяне, герцоги, графы?.. Это же всё враньё!

— Ну, конечно, враньё, — согласилась Катерина. — Но его так много, и оно такое убедительное, что волей-неволей начинаешь верить. Не сразу, конечно, со временем. Поначалу понятно, что это просто игра, а потом оказывается, что в неё играет всё твоё окружение и играет всерьёз, со страстью.

— Да чёрт с ними со всеми, — Ангел опять неловко повернулась, чтобы посмотреть на Катерину. —

Если вам не нравится играть в такую игру, бросьте и не играйте.

— Сейчас уже поздно, девочка, — сказала Катерина. — Мой муж со мной разводится, а его новая подруга очень предприимчивая особа. Она всё разузнала и скормила меня жёлтой прессе. Интернет взорвался. Всем теперь известно, что моя благородная биография — миф.

— Ну и что? — не поняла Ангел.

— Ничего особенного. Теперь я могу уехать жить в итальянскую деревню или навсегда остаться в Сокольничьем. Все знакомые со мной раззнакомились, а друзья раздружились.

— Так не бывает.

Катерина засмеялась.

— Ты хочешь мне объяснить, как бывает, а как не бывает?

— Нет, но это неправильно! Получается, что всё зря! Так получается?!

— Не кричи, девочка.

— Я не кричу. Вы разводитесь, у вас больше нет друзей, знакомых тоже нет, а что есть? Деньги?

— Деньги есть, — согласилась Катерина. — Они у нас правда на двоих, и я не знаю, сколько мне оставит предприимчивая подруга моего мужа. Мы их никогда не делили. Нам и в голову это не приходило!..

— А ваш муж тоже сволочь? — осведомилась Ангел мрачно. — Как и ваши знакомые?

— Мой муж прекрасный человек, — заявила Катерина твёрдо. — Самое главное, порядочный и талантливый! И на самом деле неплохой продюсер.

— Ваш муж тоже продюсер?! Как Артобалевский?!

— Продюсер Артобалевский и есть мой муж, девочка. Сейчас уже почти бывший.

Тут Ангел развернулась к ней так стремительно, что Катерина выронила ножницы.

— Ваш муж Пётр Артобалевский?!

— Ну, конечно. Мы приехали сюда, чтобы без посторонних глаз обсудить условия развода. Я несколько дней назад, а он позавчера. И не дёргайся так, я могу тебя поранить.

— А поговорить с ним вы пробовали?

— Пробовала, девочка. То есть несколько лет он всё пытался поговорить со мной, но мне было не до него. Я была очень занята. Мне нужно было успеть на все показы, приёмы, к редакторам всех глянцевых журналов, на дни рождения всех адвокатов и пластических хирургов и на презентации всех новых коллекций. А он всё хотел в Углич со мной поехать! — Вдруг из глаз Катерины полились слёзы, и первый раз в жизни Ангел с ужасом поняла, что означает выражение «слёзы градом». Они на самом деле сыпались, как большие тёплые градины, падали на руки и на пол, и казалось, если они продолжат падать, очень скоро из них получится лужа.

Целая лужа слёз.

— И я не поехала с ним в Углич. У него там фильм снимался. Я пообещала, что приеду, но, конечно, никуда не поехала! Как я могу поехать в какой-то там Углич!.. Это не по правилам. По правилам нужно ехать худеть в специальную клинику в Итальянских Альпах, а не в провинцию, где у мужа работа!.. А теперь уже поздно.

— Не плачьте, — бормотала Ангел в растерянности. — Вдруг ещё можно... вы бы с ним поговорили... вдруг это так... вдруг он вас опять в Углич позовёт...

— Что ты говоришь, глупая девочка, — всхлипнула Катерина. — Что ты говоришь...

Наступив на ножницы, она ушла в ванную и долго не возвращалась.

Ангел ждала. Щёки у неё горели, как от температуры, и время от времени она вытирала их мокрой салфеткой, в которой совсем растаял лёд.

Через некоторое время Катерина вышла и улыбнулась ей.

— Что ты так расстроилась, девочка?

— Артобалевский тоже всё время называл меня девочкой, — мрачно сообщила Ангел. — Даже имя не спросил.

— У нас такая привычка, — объяснила Катерина. — То есть не у нас. У него и у меня. Что делать с этими привычками?..

— Зачем вы его отпустили?

— Как я могла его не отпустить? Да ещё после такого скандала в прессе! Ему теперь придётся много лет объясняться! Он же знал, что я не принцесса, а парикмахерша! А делал вид, что не знает.

— Да чёрт с ней, с прессой!

— Ты не понимаешь.

— Не понимаю, — подтвердила Ангел. — Скажите ему, что вы его любите.

И тут же подумала, сколько раз *она сама* повторяла, что любит, и ничего, кроме позора, из этого не вышло.

— Зачем я всё это рассказываю? — сама у себя спросила Катерина. — Впрочем, сейчас уже не важно. Главное, чтобы журналисты не узнали, где мы, и не налетели. Ты же не станешь выкладывать в Интернет наши фотографии?

— За кого вы меня принимаете?

— Садись, нам нужно продолжать, иначе мы за ночь не управимся.

Некоторое время они молчали, только звякали ножницы.

— Что вы теперь станете делать? — спросила Ангел в конце концов. — Вы же не можете опять поступить в парикмахерскую? У него кино, новая подруга и старые друзья, а у вас что?

— Я стараюсь об этом не думать. Мне нужно пережить... развод.

— А я думала, что меня оскорбили, — призналась Ангел. — Оказывается, ничего подобного.

— У тебя всё впереди, — поддержала Катерина. — Наверняка ты мне сейчас не поверишь, но так оно и есть.

— Поговорите с ним! Наверняка это как-то можно устроить. Если он на самом деле порядочный!

— Он меня видеть не может, — сказала Катерина. — И разговаривать не станет. Ему не до меня. У него новая жизнь.

— Так не бывает! Новая жизнь у... у младенца! Потому что не было никакой старой! А вы! Сколько лет вы вместе?

— Двадцать пять.

— Ну вот! Эти двадцать пять лет надо куда-то деть! О них же нельзя забыть. Или сделать вид, что их не было!

— Да, — согласилась Катерина. — Забыть трудно. Спасибо, что поговорила со мной, только давай о чём-нибудь другом. Я и так всё время плачу и ненавижу себя.

— Я не знаю, как вам помочь, — призналась Ангел.

— Ты-то уж точно не можешь нам помочь, девочка! — засмеялась Катерина. — Наверное, всё же придётся снимать машинкой. Я немного ослабила, но до конца их не расплету.

В этот момент Ангелу было совершенно всё равно. Она не думала ни о какой машинке. И сказала, что наплевать, пусть будет машинка.

— Но тебе пойдёт, — уверила Катерина. — У тебя подходящее лицо, и глаза очень выразительные. А потом волосы отрастут.

Катерина принесла расчёску, включила приборчик и стала равномерно состригать перекрученные волосы.

Машинка приятно жужжала. Дреды беззвучно и как-то обессиленно валились на пол. Ангел закрыла глаза.

Через некоторое время наступило такое неимоверное облегчение, что она боялась шевелиться, чтобы его не спугнуть.

— Вот и всё, — сказала Катерина. — Но теперь придётся некоторое время носить платья, иначе все будут принимать тебя за мальчишку.

— Не будут, — пробормотала Ангел, не открывая глаз. — У меня грудь пятого размера. И попа!..

Катерина засмеялась.

— Ты хорошая девочка! — И убрала машинку в футляр. — Добрая, а это такая редкость. Представляешь, я всё время вожу с собой эту штуку, потому что она постоянно нужна моему мужу. Что делать с этими привычками?..

Ангел открыла глаза и рассеянно потрогала голову обеими руками. Голова была странного, непривычного размера и кололась. Тут только она сообразила, что осталась без волос — совсем, вообще! Она ахнула, вскочила и ринулась к зеркалу.

Из чёрной толстовки с рожами и буквами торчала шея, а к шее был приделан бледнолицый череп. Больше ничего не было. Ангел опять потрогала голову и ещё раз посмотрела.

— Какой ужас, — тихо сказала она.

— Не ужас, — возразила Катерина. — Нужно немного привыкнуть. Тебе правда идёт, я не обманываю. Зато стало видно лицо и глаза. У тебя глаза красивые, цвет такой необычный. И мы немного распутали. Я же не наголо побрила!..

Ангел молчала и рассматривала в зеркале череп.

— Хотя, может быть, имело смысл наголо, — продолжала Катерина. — Есть у парикмахеров такое поверье — если наголо побриться, волосы начинают лучше расти.

— Ну и рожа, — сказала Ангел.

— С другой стороны, наголо нельзя, у тебя там всё расчёсано. И раздражение!.. Пойдём со мной.

— Куда? — не поняла Ангел.

— В ванную. Нужно голову помыть.

— Что вы, я сама потом вымою!

— Нет, не потом, а сейчас. Я сама помою. Во-первых, я умею это делать, а во-вторых, у меня полно всяких средств для волос.

— У меня нет волос, — мрачно сообщила Ангел.

Катерина засмеялась и подтолкнула её к ванной.

— Иди-иди!.. Ты привыкнешь, и тебе понравится! Вот увидишь. Я знаю. Будешь приезжать ко мне стричься. Я же должна чем-то заниматься!..

В своём номере Ангел содрала наконец-то опостылевшую толстовку — за ворот насыпались мелкие волосы, и там невыносимо кололось, — зашвырнула её в угол. Туда же полетели брюки с многочисленными карманами и чугунные башмаки. Она нацепила короткое трикотажное платьице, заменявшее ей ночную рубашку, и взялась за телефон.

Истерическую надпись о том, что ей восемь раз подряд звонил один и тот же абонент, она удалила, и нажала кнопку вызова.

— Дед, — начала она, когда ответили. — Привет. Я просто так звоню. Сказать, что я тебя люблю.

— Замечательная новость, — произнёс её дед саркастическим тоном.

Ангел представила, как он опускается в кресло и сигнализирует бабушке, а та подбегает на цыпочках и наставляет ухо, и облегчение, которое отражается на их лицах, представила тоже. После «безобразий», которые так изменили её жизнь, она ни разу им не звонила. Разумеется, они были осведомлены о том, что у внучки беда. В их семье все и всегда знали о делах друг друга.

— Дед, я побрилась наголо.

— Это так нужно?

— У меня какое-то раздражение началось, пришлось побриться. Но ты не волнуйся, всё пройдёт. И бабушке передай, чтоб не волновалась.

— Хочешь, мы за тобой приедем? — предложил дед как ни в чём не бывало. — Бабушка посмотрела в Интернете это твоё Сокольничье, и ей очень понравилось.

— Не надо, дед, спасибо, — отказалась Ангел, и у неё отчего-то защипало в глазах. — Я скоро сама приеду. Только ещё немного отдохну.

— Отдыхать необходимо, совершенно верно. Бабушка спрашивает, что ты там ешь. Она вечно боится, что мы голодаем.

— Мы не голодаем! — закричала Ангел. — Тут потрясающая повариха Клавдия. Она так готовит! И вообще здесь хорошо, дед. Озеро, речка Ухтомка. Лошадь пасётся. Завтра мы на колокольню полезем. Оттуда вид!..

— Мы — это кто? — осведомился дед. — У тебя там компания?

— Да, — сказала Ангел. — Целая компания. И они замечательные люди. Некоторые из них.

— Ты особенно не увлекайся.

— Дед, я не увлекаюсь. — Она легла на спину и стала рассматривать потолок. — Просто мне в последнее время казалось, что вокруг одни дебилы. А здесь нет никаких дебилов.

— Видишь ли, — сказал дед, — всё очень просто. Жизнь бывает исключительно такой, какую ты себе создаёшь. Можно окружить себя дебилами и считать, что в мире существуют только они. А можно — приличными людьми, и тогда считать по-другому.

— А как с первого взгляда отличить одних от других?

— С первого никак. — Дед, кажется, усмехнулся. — Потребуется некоторое время. И разум!.. Но у тебя, мне кажется, разум есть, а сейчас есть и время. Позвони, если тебе захочется, чтобы мы приехали. Бабушка шлёт привет. И вообще размахивает на мой счёт руками. Она считает, что я давно должен передать ей трубку.

Ангел поговорила с бабушкой, потом выключила телефон, подошла к зеркалу и стала себя рассматривать.

За те полчаса, что прошли с момента радикального избавления от волос, ничего не изменилось. Всё было ужасно.

— Ну и ладно, — сама себе сказала она и погасила свет. — Всё равно до завтра они не отрастут, значит, наплевать. Или куплю парик.

Она вновь завалилась на диван, натянула на голые ноги плед и стала думать об Илье.

Она думала, что если бы они прожили вместе двадцать пять лет и ей бы стукнуло пятьдесят, и у них были бы взрослые дети, старые собаки и общие дела, он бы ни за что её не бросил. Он же приличный человек!..

Приличный человек Илья Субботин проснулся в кромешной темноте от того, что над ним гремел военный оркестр. Он гремел уже давно, и во сне Илья надеялся, что оркестранты вот-вот промаршируют мимо и скроются за поворотом, но музыка продолжала греметь.

Он открыл глаза, полежал, прислушиваясь к бравурным пассажам, и тут только сообразил, что играет не оркестр, а будильник, и время пять часов утра.

Он идёт с Клавдией в лес за грибами.

Промахиваясь со сна и сваливая с тумбочки какие-то предметы, он нашарил телефон и выключил наконец оголтелый марш. Сразу стало тихо. Так тихо, как может быть только и исключительно в Ярославской губернии в середине октября и как никогда не бывает в Москве и на даче.

На даче слышно, как идёт поезд, летит полуночный самолёт, как вздыхает и похрапывает Хэм на своей подстилке. Илья знал, что Хэм непременно устроит ему выволочку, когда он вернётся. Пёс терпеть не мог, когда хозяин уезжал без него, и по приезде некоторое время делал вид, что никакого хозяина и нет — в кабинет не приходил, в ноги не заваливался, ждал под дверью Галю и бурно радовался её приходу, и даже отвергал сыр, до которого был большой охотник.

Думая о Хэме, Илья повернулся на живот и сунул обе руки под подушку.

...Интересно, понравится ему Ангел? Они с Хэмом разожгут в гостиной камин, усядутся на диван и попросят её почитать свои стихи. Она примется возмущаться, а они с Хэмом станут ею любоваться. Она смешная, когда возмущается.

...В его доме никогда не было никаких девиц. И он был уверен, что и не будет!.. Он даже гостей не выносил — никто не смел вторгаться в его дом и что-то такое делать там на своё усмотрение: есть, пить, бродить по участку, трогать его собаку, сидеть на его диване! Этот мир принадлежит только ему.

...Интересно, а Хэм понравится Ангелу? Может, она не любит собак!.. Или её волнует всякая ерунда, вроде собачьей шерсти на брюках и пальто. Нет, это чепуха, нонсенс. Шерсть на пальто её огорчать не может.

И так прекрасно было думать о них обоих и чувствовать полный покой внутри плотной, безопасной, успокоительной тишины, что он начал засыпать, и заснул бы, и всё проспал, но вдруг подскочил и сел.

...Он должен установить истину. Он здесь вовсе не из-за девушки, которая ему понравилась. Он здесь потому, что ему предстоит установить истину, а он занят чем угодно, только не расследованием!..

Илья быстро оделся — джинсы, футболка, свитер, сапоги дяди Васи Галочкина — и спустился по лестнице, стараясь не слишком шуметь. За конторкой никого не было, и дверь на замке. Он отпер дверь и вышел на улицу.

Было очень холодно и тихо. Вдоль всей улицы горели жёлтые фонари, колокольня была подсвечена, и казалось, что она ненастоящая, а декорация к спектаклю. В отдалении брехнула собака, и опять всё смолкло.

Илья сунул руки глубоко в карманы и быстро пошёл к плотинке. Какой дом? Клавдия сказала — с зелёной крышей? От холода он шмыгал носом, и страшно было подумать, что придётся идти в лес — вот прямо сейчас!.. Очень хотелось повернуть назад, завалиться в постель и спать, спать, а потом выйти к завтраку и увидеть Ангела.

...Он здесь совсем не затем, чтобы встречаться с девушкой и гулять по полдня. Он должен установить истину. Ему никогда не приходилось напоминать себе о деле, а теперь он то и дело напоминает!..

Сапоги стучали по брусчатке, и ему казалось, что стук их перебудит всё село. Он сошёл с дороги и пошёл по траве. Вода плеснула в озере — он посмотрел.

Никого вокруг.

Один дом на той стороне на самом деле был с зелёной крышей. Над крыльцом горел огонёк, и, кажется, окошко светилось. Клавдия не проспала!..

Он шёл по траве, стараясь не оступиться и не угодить в яму, и смотрел под ноги.

Вдруг послышался какой-то шорох, возня и скрип. Илья остановился и прислушался. Ему вдруг стало страшно.

— Давай, с богом, — послышался громкий шёпот, а за ним шаги. — Нет, погоди, я посмотрю сначала!

И опять скрип.

Между заборами и дорогой были насажены кусты, как это принято в русских деревнях, чтобы не так пыльно и из окошек видеть цветы и красоту. Сейчас они все облетели, но стояли плотно, сплошной стеной. Илья сделал шаг — ветки хлестнули по лицу — и прижался спиной к забору.

Из калитки показался тёмный силуэт.

— Иди! Никого нету!..

Появился второй, и опять послышался шёпот.

— Ты той стороной иди! А то прям на него наткнёшься! Ну, всё, с богом!..

Возня, шебуршание, второй силуэт пошёл вдоль пруда, а первый скрылся за забором.

Илья ещё посидел в кустах, но больше ничего не было слышно. Осторожно, стараясь не хрустнуть веткой и не выдать своего присутствия, он выбрался из кустов.

...Что здесь происходит?

Неясная тень удалялась от него, и нужно было дождаться, когда она вступит в световой круг от фонаря. На всякий случай Илья заглянул за забор, но там никого не было. Он чуть-чуть прошёл вперёд, держась за холодные доски, чтобы лучше видеть, — и увидел.

Бодрой походкой по дороге удалялся Николай Иванович в тёплом пальто и английском кепи.

Илья смотрел ему вслед, совершенно позабыв о том, что должен прятаться. Вот Николай Иванович дошёл до другой стороны пруда и свернул в тень под липы. Ещё раз мелькнуло его кепи, и он пропал, растворился в темноте.

Илья Сергеевич почесал замёрзший нос, вернулся к калитке, отворил, взбежал на крыльцо и постучал.

— Ты гляди, — громко заговорили из дома, — не проспал, явился!..

Дверь распахнулась.

— Ну, доброго утречка, грибник!.. — Клавдия в тёплых штанах и вязаной кофте казалась ещё более необъятной, чем обычно. Лицо у неё было весёлое, кудри взбиты. — Не дождит вроде, хорошо! А шапка где? В лес без шапки нельзя!

— Нет у меня шапки, Клавочка!

— Ну, я тебе свою дам, глянь, с бомбошкой!.. — И она кинула ему шапку с помпоном. — А корзину я тебе взяла. Вон та, поболе, моя, а эта, поплоше, твоя. Не обессудь. Ты за мной-то успеешь? А то я ходкая!..

Илья уверил повариху, что он в случае чего за ней бегом побежит. Ему очень хотелось зайти в дом, но Клавдия его не приглашала, а в крохотном коридорчике никаких следов пребывания Николая Ивановича не было.

— Мы сейчас прям по дороге двинем, пока темнять, а как развиднеется, в лес свернём.

— Мне бы на Заиконоспасскую горку подняться. Там, где с дороги поворот.

— Сдалась она тебе! Там грибы только в июне!

— Зато красиво, — туманно объяснил Илья Сергеевич. — Так говорят.

— Ох, вам всё красоту подавай, приезжим! — Клавдия навалилась плечом, запирая дверь. — Ну, шут с тобой, на обратной дороге забежим на горку.

Она потуже затянула под подбородком платок, пристроила на локоть корзину — которая «поболе», — вышла на дорогу, зыркнула по сторонам и скорым шагом двинула в сторону плотинки. Илья удивился немного — она на самом деле шла очень быстро, он не ожидал от неё такого проворства.

— Может, ещё клюковки подсоберём или бруснички. Клюква сейчас сладкая! Можжевельника веточку надо мне. Завтра баню буду топить, так после бани чаю брусничного нафурандаться — лучше нету. А ты по грибы напросился из баловства или впрямь лес любишь?

— Из баловства, — признался Илья. — Я люблю лес, но бываю даже не каждый год. Маленьким меня родители возили, а сейчас уже давно не езжу.

— Не каждый го-од, — протянула Клавдия недоверчиво. — А как же ты живёшь, остолбень? Без лесу никакой жизни-то и вовсе нету!.. Находишься, надышишься, наглядишься да сколько всего с собой принесёшь, полны руки!.. Ягоды, грибы, травки всякие! Я три дня не схожу, так как будто заболею!

— А зимой?

— Чего зимой?

— Зимой тоже ходите?

— В лес-то? Да я круглый год хожу! Зимой-то пореже, это верно. Но и то! У меня вон, в сарайке лыжи папанины, охотничьи самоделки. Двадцать вёрст отпашешь, и ничего, как новая! Я на магазинных-то походила, чуть жива вернулась. А папанины лыжи сами летят, только успевай ноги переставлять.

Они дошли до большой проезжей дороги и пошли по обочине. То ли глаза приспособились к темноте, то ли стало чуть посветлее, но Илья почти не отступался. Клавдия же летела, как тяжеловесная, но быстроходная машина!

Вскоре Илье Сергеевичу стало жарко, и он расстегнул куртку.

— Простудишься, грибник. Или чего? Разжарился?

— Почему вы одна живёте, Клавдия? Без мужа?

— Так ведь жизнь так заставила, не сама-то порешила — буду одинокой бабой век коротать! Только, видать, так и помру в одиночестве.

— Да вы всё время на людях, готовите так, что все по пять раз в день едят, весёлая, — и одна?

— Да мал ты ещё, чтоб жизнь понимать, — фыркнула Клавдия. — Я и сама её не пойму. Вроде всё было, а быльём и поросло. Как будто не баба я, а вот подруга боевая! Может, оттого, что громкая, видная, так оно и вышло. Ни в коня, ни в Красную армию. Ты-то вон тоже жениться не разбежался, а ведь наверняка девка есть, которая только тебя и ждёт. За кого ей замуж идти, если ты не возьмёшь? Так бывает, когда для тебя только одного человека Бог и создал.

Илья быстро шёл, смотрел под ноги и внимательно слушал.

— Вот и станет она с неподходящими мыкаться, да так и не намыкает ничего. Меня ещё Господь уберёг, детей нету. Хоть иногда и поревливаю, особенно как внуков чужих погляжу или на свадьбе у кого погуляю. А потом думаю — не, без отца, да случись со мной чего, сиротой на всём белом свете останется, и хорошо, что нету. А чего ж ты всё выспрашиваешь, а?..

— Мне нужно.

— Зачем тебе, Илюшенька, жизнь нашу разбирать? У тебя свои дела, а у нас тут свои.

— Я хочу знать, кто и почему задушил женщину.

— Да как же?! Кто задушил, тот в тюрьму посажен.

— Я в это не верю.

— Как?!

— Я не верю, потому что это нонсенс, — сказал профессор Субботин на ходу. — Бывший муж Зои Семёны Виктор *никогда* не заходил к ней в магазин. В тот день он выпивал на пристани, чтобы оттуда подняться, нужно много времени и сил. И самое главное — зачем? Зачем он это сделал?

— Да по пьяной лавочке и сделал! Теперь, небось, слёзы горькие проливает, только поздно уже, чего теперь проливать-то.

— Так не бывает, — возразил Илья. — Он мирный и незлобный человек, так про него говорят. Зачем он убил?

Клавдия помолчала.

— А мож, ты и правильно делаешь, — сказала она наконец. — Это ж хуже нету, когда безвинного человека в тюрьме держат. Это ж грех какой!

— Вот я и спрашиваю всех, и вас в том числе. Вы в тот день из леса возвращались и точно никого не видели?

— Да точно! Шофера видела возле сворота, он в машине сидел, это уж я тебе рассказывала. А больше кого же?.. Хотя постой! Как! Видела я какого-то, вроде как тоже пьяного.

Илья Сергеевич взял её за плечо.

— Он на лавочке возле Зоиного магазина сидел?

— Не, он мне навстречу попался. От магазина, может, шагов за сто!.. Точно, точно, как это я запамятовала, старухой совсем становлюсь!

— Какой он был?

Клавдия поглядела на Илью.

— Ну, молодой, старый? Свой, чужой? Во что одет?

— Да не разглядывала я его, Илюшенька! Мало ли у нас тут народу шарится! Как Олег Павлович Дом творчества наладил и музеи пооткрывал, так экскурсии валом валят! Стану я глядеть на всех пьяных-то!

— Почему вы решили, что он пьян?

— Да ногу за ногу заплетал, кренделя на дороге выписывал!

— Он шёл от магазина или к нему?

— Оттеда он шёл, навстречу мне, говорю же! Да мы возвращаться станем, я тебе покажу то место, где встренула его.

— Зоя видела какого-то человека на лавочке возле магазина, когда побежала к себе и оставила Лилию Петровну одну. Вы примерно в это же время тоже видели пьяного, но в ста шагах. Логично предположить, что это был один и тот же человек. Так, хорошо. А Зою вы видели?

— Не видала.

...Получается, Клавдия промаршировала мимо магазина *после того,* как Зоя оттуда выбежала, и *до того*, как та вернулась. За это время неизвестный поднялся с лавочки и прошёл эти самые сто шагов. Что это означает?..

— Эх, если бы тогда-то знать! А я ни сном ни духом.

— Где вы были, когда закричала Зоя?

— Да уж в свою калитку входила!..

— Вы побежали на крик?

— А то как же? Корзину на лавку приткнула и бегом!

— Дроби не сокращаются, — сам себе сказал Илья Сергеевич. — Ни числитель, ни знаменатель.

Клавдия взглянула на него, но ни о чём не спросила.

Они шли довольно долго, небо стало светлеть и подниматься, и розовая полоса наметилась между берёзами, тонюсенькая, неяркая.

Илья стал чаще спотыкаться, хотя уже всё было видно — устал и не привык так долго и быстро ходить.

Вскоре Клавдия свернула в лес, предупредив, что может быть топко — болото.

— Болото? — пробормотал профессор Субботин, с недоверием относившийся к болотам.

— Не провалимся, не бойсь! Не то болото, чтоб провалиться. За мной иди.

Земля под ногами как будто шевелилась и двигалась, сапоги проваливались в мох — довольно глубоко. И пахло стоячей водой, прелой листвой, грибами — осенью.

— Ты тока не забудь после посушить сапожки-то. Но не у печки или, там, у батареи, кожа ссохнется.

— Я знаю, — перебил Илья. — В них нужно насыпать овёс и подвесить за стреху на чердаке.

— Ишь ты!.. Знает!.. А то мне приноси, я высушу. В гостинице-то у нас где ты их повесишь?

Болото чавкало, ноги засасывало всё глубже. Илье время от времени приходилось вытаскивать ноги, придерживая сапоги за голенища. Клавдия ещё успевала нагибаться и большой рукой, как клешнёй, сгребать с моха крупную и холодную клюкву. Илье было не до ягоды.

Потом стало посуше, и неожиданно начались грибы. Они именно начались — в трёх метрах позади не было никаких грибов.

— Белый груздь холодов не боится, под самую зиму можно собирать. А его, если вымочить да сварить, и в пирог хорошо, и зайца потушить можно, — говорила Клавдия, аккуратно срезая грибы. — Там подале опята пойдут, а здесь самое груздёвое место.

Илья Сергеевич немного отдышался, утёр со лба пот и тоже принялся срезать грибы.

— Ты только молодые бери, крепкие. Которые блинами, те не трогай, старые уже, жёсткие. И вкус не тот, — из-за деревьев руководила Клавдия.

Корзина быстро наполнялась. У Ильи заломило спину.

— Хорош, — распорядилась Клавдия. — Всех не соберём, до другого разу оставим. Бежим за опятами!..

И они побежали. Покуда бежали — Клавдия проворно и легко, Илья оступаясь и придерживая ветки, которые хлестали по лицу и одежде, — профессор подумал, что Матвей, пожалуй, не соврал. Вряд ли он способен ходить в лес!

Илья то догонял Клавдию и почти утыкался в обширную спину, то отставал от неё, и тогда она звала его зычным голосом. В её корзинке грибы лежали как-то на редкость красиво и как будто по порядку — мелкие в одной стороне, крупные в другой. Сверху ещё были пристроены какие-то веточки, должно быть, можжевельник, и пакет с крупной красной клюквой.

— Я гляжу, ты умаялся, Илюшенька! Держись, ничего! До дому вернёмся, я тебя завтраком накормлю! Яишенку изжарю. С чёрным хлебушком, с помидоркой.

Илья Сергеевич почувствовал, что сейчас непременно умрёт с голоду, прямо здесь, посреди леса. Есть захотелось так, что подвело живот, и казалось, что в последний раз он ел три дня назад.

— А с устатку всегда так, — наблюдая за ним, лукаво сказала Клавдия. — Вот он лес-то что делает!.. Как без него люди живут?..

Он был уверен, что ходят они очень долго, что уже день прошёл, и страшно удивился, посмотрев на часы, — стрелки показывали начало восьмого.

— Вот тебе сворот, ты спрашивал! Ежели вверх полезем, на саму Заиконоспасскую горку выберемся. А ежели сюда пойдём... Ну, чего тут, Илюшенька? Ты гляди, гляди.

Он облизал сухие губы, сдёрнул с головы шапку и вытер ею исхлёстанное, мокрое лицо.

— Можно я посижу? — Он пристроился на поваленное дерево и поставил на траву корзину, от которой у него почти отвалилась рука.

— Дак некогда нам рассиживаться! Бежать надо, завтрак подавать, небось тесто подошло!..

Но, посмотрев на него, Клавдия тоже поставила корзину и уселась рядом. Дерево под её весом покачнулось и просело.

— Так ты гляди! Видишь, вон дорожка-то и пошла! По ней идти всего ничего, ну, минуток пятнадцать-двадцать. И то, если не спешить. Тута раньше проезжая дорога была, когда кирпич с завода на железную дорогу через Сокольничье возили, до войны ещё. А потом вся заросла, но люди ходят, вот она до конца и не пропадает. Шоссейку отсюда не видать, но рядом она. Там машина и стояла, и шофёр сидел.

Илья выпрямился и посмотрел поверх Клавдии в сторону «шоссейки». А потом в другую сторону, на старую дорогу.

...Почему Лилия Петровна оставила водителя и пошла через лес, зачем?.. Объяснение может быть только одно — она с кем-то встречалась на этой самой дороге и не хотела, чтобы их видели. Клавдия тоже выпроводила Николая Ивановича, чтобы его никто не увидел!.. Означает ли это, что у Лилии Петровны было романтическое свидание? Или, наоборот, деловое? Но почему в лесу? Кто этот человек и как он связан с убийством? Если убийца, почему он дождался, когда Лилия Петровна зайдёт в магазин, и не задушил её посреди леса?! Куда он делся, поговорив с Лилией Петровной? И где они расстались? На окраине Сокольничьего? Если бы расстались здесь же, у дороги, она приехала бы в село на машине, но машина осталась у поворота!

— Ну? Передохнул чуток? Бежим, уж совсем пора!..

Илья тяжело поднялся и потянул с травы тяжёлую корзину.

Клавдия бодрым шагом двинула лесом вдоль дорожки, всё ещё продолжая высматривать грибы. У Ильи рябило в глазах, и корзина оттягивала руку. Он смотрел под ноги и время от времени выискивал среди берёз и ёлок Клавдиин платок.

Что-то мелькнуло в жёлто-зелёной траве, ему показалось, мухомор. Сил не было, но он всё же подошёл и посмотрел.

Это был не мухомор.

Он наклонился и вытащил из-под веток и травы небольшую, размером с ладонь, записную книжечку в ярко-красном переплёте. Книжечка была в земле и иголках, вся отсыревшая и разъехавшаяся.

— Клавдия! — крикнул Илья, рассматривая находку. — Подождите меня!

— Ты чего, опять отдыхать наладился! Некогда нам, торопиться надо!

Илья осторожно подцепил резинку, прижимавшую обложку, и открыл книжечку.

Страницы были влажные, испачканные, чернила расплылись, и разобрать написанное было трудно.

— Чего ты тута застрял, спрашивается?! Долго я дожидаться буду! Вот вы, приезжие, ни в коня, ни в Красную армию! Чего это такое? Где ты взял? Брось, будет тебе всякий мусор собирать!

— Это не мусор, — возразил Илья Сергеевич. — Видите? И он показал первую страницу.

— И чего там такое?!

— Тут написано «В случае потери вернуть владелице Лилии Петровне Масловой» и телефон.

Клавдия ахнула и махнула на него рукой.

— Да что ты?! Выходит, ейная книжка, что ли, покойной?!

Илья аккуратно переворачивал отсыревшие страницы.

— Зачем она её бросила? — сам у себя спрашивал он. — Или кто её бросил? Или она просто уронила и не заметила?

Исписанные страницы быстро кончились. Илья поднёс книжечку к глазам и повернулся к свету. Из середины были вырваны листы, по всей видимости, довольно много, а дальше шли чистые страницы.

Илья стал оглядываться, словно надеясь найти вырванные записи, присел и стал шевелить траву и кусты.

— Чего ты ищешь-то?!

Он не ответил.

На пеньке было что-то насыпано, чёрная труха, похожая на мокрую пыль. Он потрогал её пальцами, потёр, потом понюхал.

— Ну?! Чего унюхал?

— Пепел, сажа, — сказал Илья и поднялся. — Дождями почти смыло. На пеньке, должно быть, сожгли вырванные страницы.

— А чего там на них было-то?

— Я не знаю, — ответил Илья Сергеевич и аккуратно засунул книжечку во внутренний карман. — Клава, никому ничего не рассказывайте.

— Да кому ж я!..

— Николаю Ивановичу тоже.

Клавдия вся залилась свекольным румянцем и задышала тяжело.

— Видел?

Илья Сергеевич кивнул.

— А я ничего и не стесняюся, — проговорила Клавдия задрожавшим голосом и вздёрнула подбородок. — Я женщина одинокая. Мне позволено.

— Не говорите, ладно, Клава?

— Только ты тоже... не говори. Пойдут языками плести, и так на меня всю жизнь плетут! А у него в Москве небось дети, внуки.

— Я никому ничего не стану рассказывать, — думая о записной книжке Лилии Петровны, пообещал Илья.

В Сокольничьем они расстались возле пруда — огорчённая Клавдия и сосредоточенный профессор. Он даже забыл спросить, где именно она встретила в тот день неизвестного пьяницу.

Он дошёл почти до самых лип, когда Клавдия его догнала.

— Тащи корзины на кухню-то! — приказала она и поставила у его ног свою. — Там у тебя девчонки примут! Я сапоги скину и мигом прибегу!..

Илья Сергеевич отволок обе корзины на кухню и поднялся в люкс «Николай Романов».

Там он первым делом положил записную книжечку в сейф, запер его и стал стаскивать сапоги.

...Вряд ли Лилия Петровна вдруг решила сжечь какие-то свои записи среди леса, а книжку выбросить. Значит, её забрал убийца. Выходит, он возвращался лесной дорогой и решил тут же избавиться от улики. Что-то там было записано такое, что его напугало или могло выдать, и он об этом знал. И это уж точно не мог быть бывший Зоин муж Петрович, которого милиционер Гошка задержал «на квартире» спящим!

Нужно узнать, был ли у Лилии Петровны телефон и кому она в тот день звонила. Как это сделать? Если бы загадочный директор Олег Павлович не исчез, можно было бы спросить у него. Наверняка ему известно, что именно ярославские следователи обнаружили на месте преступления. Вполне возможно и даже скорее всего в папке, которую директор передал Илье, были сведения на этот счёт. Значит, папку утащил убийца. Тогда получается — он о ней знал?

...Уравнение разбухало, разъезжалось, теряло стройность и всякое подобие логики. Как её искать, эту самую истину?

...Он сам виноват. Убедил себя, что решение на поверхности, нужно только как следует проанализировать условия задачи, и ошибся!.. Сейчас он даже представить себе не мог, где его искать, это решение. Записная книжка в лесу только добавила в несусветное уравнение очередное неизвестное, и непонятно было, как разложить его на составляющие, в какую часть отнести, с чем объединить.

Вспомнив, что ещё в лесу ему страшно хотелось есть, Илья заспешил, нацепил кеды и сбежал по лестнице. В полутёмном холле кто-то сидел спиной к окну, он пробежал было мимо, но остановился и с изумлением оглянулся.

— Да, да, это я, — зашипела Ангел с раздражением. — Я тебя специально тут караулю, чтобы ты при всех на меня глаз не пялил!..

— Что такое?!

— Это вчера Катерина меня побрила, — сказала она, стараясь, чтобы прозвучало лихо, и погладила себя по ёжику на голове. Ей было так стыдно, что даже дышать стало трудно. — Ничего, они отрастут.

Илья Сергеевич закрыл рот, взял её за плечи и повернул к окну.

Без жёстких сухих косиц, вечно мотавшихся по обе стороны бледного скуластого лица, она оказалась совсем другой, а он-то был уверен, что всегда умеет видеть полотно, а не раму!.. Щёки совсем исчезли, кожа как будто расправилась, странные светлые глаза стали больше.

— Что ты на меня уставился?! — она вырвалась и отступила. Шея у неё пошла пятнами, и ему показалось, что она сейчас заплачет. — Ну, я знаю, что урод, и что теперь, застрелиться?! И не смей ничего говорить, и жалеть меня тоже не смей, потому что...

Илья обнял её и прижал к себе — изо всех сил. Некоторое время она вырывалась, а потом затихла. Илья чувствовал, как колотится её сердце.

Не отпуская её, он шагнул в угол, к лестнице. Улыбаясь, потёрся щекой о её голову — с одной и с другой стороны.

Они стояли под лестницей и обнимались изо всех сил.

– Ужасно, да?

— Нет, что ты.

— Я же вижу!

Он поискал слова и нашёл не сразу:

— Тебе очень... подходит такая, — он с усилием вздохнул, — причёска. Так... элегантно.

— Ты опять врёшь, да?

Он покачал головой и прижал её покрепче.

— Если тебе правда нравится, ты извращенец, — пробормотала она ему в плечо.

— Видимо, так и есть.

Этот ёжик вместо волос действовал на него странно и очень сильно. Не останавливаясь, он гладил её по голове, тискал, наступал, и в конце концов она оказалась прижатой к стене под лестницей. Он ничего не замечал.

Целовались они долго, в голове у него всё заволокло туманом, но не холодным, болотным, а жарким, красным, предметы потеряли очертания, и не осталось мыслей.

— Подожди, — сказала ему в ухо Ангел. — Остановись. Так нельзя.

Но он точно знал, что можно.

Она оказалась свежей и какой-то острой на вкус, как августовская малина. И вся она была литой, стройной, выпуклой, словно нарисованной и изваянной специально для него, и это было совершенно новым. Он не подозревал ни о чём подобном!.. Ему и в голову не приходило, что есть человек, во всём ему подходящий.

Она вдруг засмеялась с изумлением.

— Ты не врёшь, — сказала она, — тебе правда нравится. И ты не изращенец!..

Илья промычал невразумительное.

У них над головами затопали ноги, и они затаились, прижавшись друг к другу.

— Нам нужно идти, — прошептала Ангел, когда шаги затихли. — Всё вкусное съедят.

— Почему Катерина тебя побрила? Как она догадалась?

— Я чесалась в коридоре, — объяснила Ангел. — И она увидела. Она немножко их расплела, а потом побрила.

— Так красиво, — восхитился Илья Сергеевич и посмотрел на неё. — Так необычно.

...Наверное, следовало сказать правду — так возбуждающе, так сексуально! — но он не мог выговорить эти глупые слова.

— Артобалевский — её муж, — сообщила Ангел. — И он с ней разводится.

— Я догадался.

— Как?!

— Катерина сказала Клавдии, что её муж решил с ней развестись. Потом приехал Артобалевский, а делать ему здесь совершенно нечего, только с кем-то встретиться. Кто-то кому-то угрожал на лестнице, я слышал. Потом Артобалевский орал, что всё будет так, как ему надо, и стукнул меня дверью. Потом мы выпивали, и он рассуждал, что жизнь устроена паршиво и одной любви на всю жизнь быть не может. А мы говорили совершенно о другом! И Катерина явно чем-то расстроена.

— Она не расстроена, — возразила Ангел. — Она не может без него жить.

— Видимо, ей придётся научиться.

— Ты не понимаешь.

Он взял в ладони её щеки, поцеловал в губы долгим поцелуем — августовская малина и свежесть! — и погладил по голове кончиками пальцев.

— Как красиво, — повторил он.

Завтракали они долго, Илья ел и никак не мог остановиться. Все давно разошлись, а он всё ел. Клавдия выглянула из кухни — она была раскрасневшаяся, в белом переднике и высоком колпаке, — посмотрела, как он ест, и сама вынесла ему ещё горку блинчиков с перетёртой сладкой брусникой.

Завидев её, он вскочил. Клавдия надавила ему на плечо и заставила сесть.

— Только смотри! — непонятно сказала она и погрозила ему толстым пальцем.

Он покивал, не в силах оторваться от еды.

— А куда ты должен смотреть-то? — уточнила Ангел, когда Клавдия скрылась.

— Вообще, — объяснил Илья Сергеевич. — Хочешь блинчик?

Они ели огненные блины, сидя плечом к плечу.

— У тебя здесь брусника, — и он пальцем провёл по её губе. — Отчего же ты не читаешь мне свои стихи?..

— Они плохие.

— Ты же поэтесса!

— Никакая я не поэтесса! Написала десять стихотворений.

— Про любовь?

Она кивнула.

— Я просто всем говорила, что пишу стихи. Надо же чем-то заниматься, а с работы я уволилась.

— Кем ты работаешь?

— Корреспондентом. Пишу на автомобильные темы, на разных соревнованиях бываю.

— Интересно?

Она подумала немного:

— Иногда бывает интересно, а иногда не очень.

— Это логично. Работа не бывает интересной всегда, чем ни занимайся.

— Тебе небось всегда интересно!..

— Мне тоже не всегда. Лекции читать скучно, хотя я хороший лектор.

— Так говорят твои студентки? — осведомилась Ангел.

Он посмотрел на неё. Как она ему нравилась, удивительно даже.

— У меня в основном студенты, — сказал он. — Я на физтехе читаю! Но студентки тоже бывают.

— Умные?

— На редкость, — признался Илья Сергеевич. — Почти как ты. Хотя ты, разумеется, самый выдающийся женский ум из встреченных мной за последнее время.

Она вдруг быстро и сильно укусила его в предплечье, просто впилась зубами. Он отдёрнул руку и на секунду прижал к себе её голову.

— Не смейся надо мной, — велела Ангел.

— Как можно!

Потом они ещё долго пили кофе, шептались, рассказывали друг другу истории. Ангел пальцем подбирала с тарелки остатки сладкой брусники, а Илья смотрел, как она подбирает.

Неожиданно распахнулась дверь, и в ресторан стремительно вошла девушка — совсем незнакомая. Не взглянув, она пролетела мимо, зашла за колонну, где стоял ещё один столик, на секунду остановилась, подумала и выскочила из зала. Процокали и затихли её каблучки.

— Ещё кто-то приехал, — сказала Ангел. Девушка была очень красивой и поэтому не понравилась ей.

— Должно быть, тоже поэтесса, — предположил Илья. — Или писательница. Ну что? На колокольню?.. Или сначала в магазин «Народный промысел»?

— Зачем тебе в магазин?

— Я должен купить жилетку из овчины. У меня вся одежда не по сезону.

«Народный промысел» Илья сначала обошёл со всех сторон — Ангел неотступно следовала за ним. В листьях сидела чёрная собачонка и зарычала, когда они прошли мимо.

— Ты ждёшь? — спросил у неё Илья. — Ну, жди, жди.

Он порассматривал деревья, словно нарисованные маслом на голубом фоне, и дом порассматривал тоже.

— Хороший домишко, — сказал он. — Я люблю старые дома.

Зои Семёновны не было за прилавком, но как только они вошли и звякнул колокольчик, она стала спускаться по лестнице.

— Зоя Семённа, — громко произнес Илья. — Доброе утро! Я привёл к вам ещё одну покупательницу!..

— Добро пожаловать, — Зоя Семёновна откинула доску и зашла за витрину. — Ой, а я вас не узнала!

— Я причёску поменяла, — буркнула Ангел, ощетинившись, и вдруг уставилась на Зою.

Илья усмехнулся. Он тоже удивился, впервые увидев Зою без куртки, пучка и очков.

— Зоя Семёновна тоже поменяла причёску, видишь? Она совсем не такая, как нам казалось раньше. Покажите нам маленький домик, Зоя, — попросил он. — Можно посмотреть?

Увидев домик, Ангел ахнула, наклонилась и стала водить носом. Илья Сергеевич над домиком встретился глазами с хозяйкой.

— Позовите Матвея, — попросил он.

Зоя перестала улыбаться. Её лицо — молодое, живое — вдруг куда-то делось, пропало. Вместо него оказалась застывшая старушечья маска.

Илья Сергеевич тоже больше не улыбался.

— Позовите, Зоя, — повторил он. — Вы достаточно морочили мне голову.

— Я не морочила!..

— Мне нужно поговорить с вами обоими.

— Смотри, там правда самая настоящая печка, — выдохнула Ангел с восторгом и потянула Илью за руку. Он не шевельнулся, и она посмотрела на него. И вдруг перепугалась: — Что случилось?

— Ничего не случилось, — ответил Илья. — Я прошу Зою позвать Матвея.

— Я здесь, — с лестницы отозвался Матвей. — Я иду уже.

Ангел, позабыв про домик и печку, смотрела с изумлением.

Матвей сбежал по лестнице, постоял в нерешительности, а потом зашёл к Зое за прилавок. Таким образом все четверо оказалась по разные линии фронта.

— Вы вместе живёте?

— Да, — подтвердил Матвей.

— Нет, — возразила Зоя.

— Как?! — удивилась Ангел.

Матвей сунул руки в передние карманы джинсов, ссутулил плечи и уставился на неё, как будто впервые увидел.

— Вы та самая девушка, — заявил он неожиданно. — Я вас узнал.

— Да мы каждый день видимся!

— Нет, нет, — он поморщился. — Я вас видел. Вы сидели с Ильёй на лавочке, а я мимо проходил. У вас очень красивое лицо.

— Спасибо, — пробормотала Ангел и взяла Илью за руку.

— Что вам нужно? — отрывисто спросила Зоя. — Зачем вы пришли?

— Мне надо знать, что на самом деле произошло с Лилией Петровной вот на этом самом месте.

— Мой бывший муж её убил. Он алкоголик! Он... не в себе!

— У вас есть подсобное помещение? — спросил Илья Сергеевич. — Где можно сесть? Наверняка есть. Давайте там поговорим.

— Мы ничего не знаем, — ответила Зоя. Губы у неё стали совсем бледные, и нос заострился. — Нам не о чем говорить. Зачем?..

— Зоя Семёновна, — начал Илья. — Я никого не обвиняю. Я профессор, а не следователь. Подумайте спокойно. Вам лучше сейчас поговорить со мной, чем потом объясняться с... компетентными органами.

— Зачем ты её пугаешь? — тихо осведомился Матвей. — Когда ты приближаешься, она начинает бояться. Я знаю.

— Меня не имеет смысла бояться.

— Вас всех имеет смысл бояться! — зло крикнула Зоя. — Всех до одного!.. Господи, за что мне это? И что теперь делать?!

Ангел сжала руку Ильи и посмотрела ему в лицо.

— Итак, где мы можем побеседовать?

Резким движением Зоя откинула крышку прилавка.

— Идите за мной.

Они прошли внутрь магазина через узкий и тёмный коридорчик и оказались в маленьком помещении, похожем на кухню. Здесь стояли деревянный стол, заваленный бумагами, жёлтый буфет с резными розовыми стёклами, а на буфете спиртовка и медный чайник, и несколько тёмных стульев с растрескавшимися сиденьями. Окно выходило прямо на ствол огромного клёна, и в комнате было полутемно.

Зоя прошла, села спиной к окну и положила ногу на ногу. Матвей остался в дверях. Ангел приткнулась как-то боком, а Илья Сергеевич некоторое время рассматривал буфет и чайник.

— В нём можно кипятить воду?

— Что? А, да, конечно. Я не люблю электрические чайники.

— Остроумно, — пробормотал Илья, рассматривая приспособление на спиртовке. — Его нужно ставить сюда? И сколько времени он греется?

— Не знаю, — отрезала Зоя. — Долго.

Он выдвинул колченогий стул и сел.

— Матвей, вы были на втором этаже, когда здесь, на первом, убили Лилию Петровну?

— Его здесь не было! — выпалила Зоя. — Думайте что хотите. И говорите что хотите!.. Вы никогда ничего не докажете! А я всем скажу, что никого тут не было. Слышите?! Никого!..

— Илья, с чего ты взял-то? — тихо спросила Ангел.

— Матвей, ты приехал в Сокольничье с Лилией Петровной?

Тот пошевелился, повёл плечами и ничего не сказал.

— Да с чего ты взял-то?! — громко спросила Ангел.

— Что вам от нас нужно?! — Зоя оттолкнула от себя бумаги, они разлетелись, посыпались на пол. — Вы что, не понимаете, что он... болен?! Вы не видите?! Зачем вы его пытаете?! Мало вам того, что Витька сидит?! Вы ещё одну душу погубить хотите?!

Она вскочила, оперлась о стол, перегнулась к Илье. Всё лицо у неё дрожало и ходило ходуном.

— Тогда так — это я её задушила! Она не хотела мне деньги платить, и я её задушила.

— Понятно, — протянул Илья Сергеевич и стал смотреть в окно.

Ангел вся похолодела и освободила руку.

— Я просто не помню, — беспомощно пролепетал Матвей. — Совсем не помню. И в этом всё дело.

— Не слушайте его, — приказала Зоя Семёновна. — Ваша взяла, радуйтесь. Давайте, звоните в прокуратуру, или куда вы должны звонить. Пусть приезжают.

— Остроумно, — заключил Илья Сергеевич и обратился к Ангелу: — Ты когда-нибудь видела чайник, который греется на спиртовке? Очень интересная штука. Можно прикинуть, какой у него КПД.

— Я не понимаю, что происходит, — сказала Ангел. — Зоя Семёновна задушила ту тётку?!

— Нет, нет, не беспокойся. Она никого не душила. И Матвей Александрович тоже никого не душил. Но Зоя Семёновна вбила себе в голову, что за время её отсутствия — а она бегала за ковром для Лилии Петровны — Матвей Александрович спустился со второго этажа, задушил почтенную даму и вернулся к себе отдыхать от содеянного. В этом нет никакой логики, и это решительно неправдоподобно, но Зоя Семёновна убедила себя в этом и сейчас, видишь, продолжает настаивать.

— То есть никто не виноват? — уточнила Ангел с облегчением.

— Из здесь присутствующих? Нет, не виноват. Зоя Семёновна защищает Матвея. А он защищает её.

Зоя обеими руками взялась за голову. Посидела так немного, а потом спрятала лицо в ладони.

— Он же был здесь, — пробормотала она невнятно. — Когда всё случилось, Матвей был здесь! Как я могла сказать?! Его бы тут же арестовали! Ему нельзя в тюрьму, никак нельзя. Он там погибнет.

— В этом как раз есть определённая логика, — согласился Илья. — Матвею в тюрьму нельзя, а вашему мужу-алкоголику — можно. Матвей там не выживет, а Виктор — выживет. Возможно, даже бросит пить. На свободу с чистой совестью!.. Можно сказать, вы совершили благотворительный акт.

— Я виновата, — согласилась Зоя. — Как я виновата! Мне этот грех до смерти не замолить. И жить с ним, и помирать с ним.

— Вы сами так решили.

— Как ещё решить-то? — устало спросила она. — Я вернулась, а Лилия Петровна с верёвкой на шее и... не дышит уже. Я к Матвею кинулась наверх, спрашиваю, что тут было?! А он молчит и смотрит. Я его трясти, водой поливать! Отвечай, говорю! Ну, он не в себе совсем. У нас день на день не приходится. То ничего, а то совсем... без памяти. — Она снова уткнулась в ладони. Говорить ей было трудно. — Я побежала вниз... Господи, помоги мне.

Илья Сергеевич вздохнул, и Ангел пошевелилась рядом.

— Вы сняли с мёртвой Лилии Петровны платок, выбежали на улицу. Дальше что?

— Вот и всё. Витька как раз мимо тащился. Поднимался от пристани. Он тамошний шалман очень уважает. Ну, конечно, на ногах не стоял. Увидел меня, заорал, что я стерва и жизнь ему испоганила. Он так всегда орёт!.. Я к нему подбежала и деньги сую, пятисотрублёвку, на, мол, только не ори! И платок этот ему в карман и запихнула. В куртку. Он и пошёл.

— Вы подождали, потом закричали, народ к вам побежал. Приехал Гошка-полицейский, вы ему сказали, что ваш бывший муж шатался возле магазина, пока Лилия Петровна была одна. К нему поехали, нашли в кармане платок и его забрали.

— Про Гошку-то вам откуда известно? — пробормотала Зоя Семёновна. — Кто вы такой?!

— Зоя ни в чём не виновата, — сказал Матвей негромко. — А я правда тот день совсем не помню. У меня бывают такие дни. Может быть, это на самом деле я... убил?..

— Нет, — заявил Илья Сергеевич твёрдо. — Не может быть.

Матвей посмотрел на него с надеждой.

— Почему ты уверен?

— Я не уверен. Я знаю.

— Я с того дня всё время думаю — вдруг я её убил? И боюсь. Как я боюсь! Нет ничего страшнее... страха. Я боюсь сойти с ума. Или я уже сошёл с ума? Ведь я мог сделать всё что угодно, я же ничего, совсем ничего не помню!..

— Ты бы со мной поговорил, — Илья опять стал смотреть в окно. — Я же тебя просил поговорить со мной!

— О чём? О том, что мне страшно?

— Слушай, — опять заговорила Зоя. На щёках у неё выступил лихорадочный румянец, и глаза загорелись, как при высокой температуре. — Слушай, парень. Ты уж скажи, пожалей ты нас, а? Матвей не убивал? Точно не убивал?

— Я нашёл в лесу возле старой дороги выброшенную записную книжку. Она принадлежит Лилии Петровне. Из неё вырваны страницы, довольно много. А рядом пенёк, такой жёлтый, не старый. А на пеньке следы пепла. Страницы вырвали и сожгли, и сделать это мог только убийца. Ваш любимый Матвей никак не мог после убийства оказаться в лесу, потому что он сидел на втором этаже и был не в себе. Всё очень просто.

Зоя и Матвей переглянулись.

Потом Зоя кинулась к Илье и стала целовать ему руки. Она кричала, слёзы лились из глаз, и всё хватала его. Он вскочил, загрохотал упавший стул. Ангел тоже вскочила, стала оттаскивать Зою и свалила с буфета медный чайник.

— Прекратите! Хватит! Матвей, забери её!..

— Зоя, остановись. Тише, тише. Нельзя так, Зоя!

— Не трогайте меня, Зоя Семёновна!

— Спаси-итель, — выла Зоя, — избави-итель!.. Я за тебя всю жизнь, всю свою жизнь молиться стану!.. Господа просить! Всю-у-у жизнь!..

Она кинулась к Матвею, обняла его и зарыдала.

Тот гладил её по спине.

— Тише, — всё приговаривал он. — Тише, тише...

Ангел полезла под стол, вытащила чайник и отдельно крышку. И осторожно поставила обратно на буфет.

Зоя рыдала довольно долго, но постепенно стала затихать, обессилела.

— Я ведь думала, вдруг он, — сказала она в конце концов. — Ну, вдруг!.. Правда в беспамятство впал.

— Мне это не очень понятно, — признался Илья. — Матвей Александрович не похож на буйнопомешанного.

— Да ведь он себя не помнит!..

— Становится агрессивен? Опасен?

— Господи помилуй, нет!

— Вот именно. — Илья помолчал немного. — Вас познакомила Лилия Петровна?

Матвей всё обнимал Зою.

— Она меня опекала, — сказал он то, что Илья уже слышал. — Я... болел. Серьёзно болел. И она меня привезла сюда. Здесь тихо.

— Лилия Петровна его ко мне привела, — вступила Зоя и посмотрела на Матвея. В глазах у неё светилось обожание, она даже жмурилась, как будто от Матвея исходило сияние. Илья Сергеевич отвернулся, ему казалось неприличным на это смотреть. — Сказала, пусти его к себе в мастерскую!.. Временно, ненадолго. И потихоньку, чтоб не знал никто, ни единая душа.

— Почему она так сказала?

— Ему покой был нужен, тишина. Он болел сильно. И место, чтобы работать!.. Жить-то он в гостинице жил, а работать негде.

— Я тогда ещё пытался работать, — подхватил Матвей. Он гладил Зою по спине. — Я же не знал, что больше ничего не увижу. Нет, иногда мне кажется, что-то возвращается, как тогда, на озере. Но редко.

— Он же художник, — продолжала Зоя. — Он очень хороший художник! Настоящий!.. В Манеже выставка была и в Лондоне, да, Матвей? Где там, в Лондоне-то?

— В национальной галерее. Какая разница? Я больше не художник.

— Почему? — тихонько спросила Ангел. — Почему вы больше не художник?

— Я не могу писать, — признался Матвей. — Мне нечего. Я ничего не вижу после болезни.

— Чем вы болели?

Он вздохнул.

— Это называется воспаление паутинной оболочки мозга. Болезненное обострение слуха, а у меня ещё и зрения. Это очень... страшно. Любой шорох, шёпот, скрип отдаётся в ушах, как грохот. Я не мог смотреть на свет и слушать простую человеческую речь. Когда вызывали лифт и он ехал, я зажимал уши подушками. Я мог только сидеть в темноте и в тишине. Лилия Петровна меня спасла. Она нашла врача, лечила меня, потом привезла сюда. И Зоя появилась. Если бы не Лилия Петровна, Зои бы не было. И меня, наверное, тоже уже не было б...

Он длинно и как-то судорожно вздохнул.

— Потом начались страхи. Но тогда я ещё мог писать. Я написал страх и отдал его Лилии Петровне. Я должен был от него избавиться, и она пообещала мне, что уничтожит работу! И вдруг она оказалась на стене в нашей гостинице! Откуда она взялась?! Я стал думать, что всё забыл, что только хотел ей отдать и не отдал, но это значит, что её забрал кто-то другой! Но кто?

— Самое страшное, — проговорила Зоя, — что мы думали... мы боялись... что Матвей мог...

— Не мог, — перебил Илья. — Значит, никто не знает, что Матвей бывает у вас?

— Лилия Петровна мне сразу болтать запретила. Слово с меня взяла. Я ей прямо вот клятву дала, что никто не узнает про Матвея. Что он у меня в мастерской работает. Да и кому мне рассказывать, зачем?.. И так разное про меня говорят, и муж у меня алкоголик, безобразник, и детей нет и не будет, и с приезжими я всё время. А куда деваться-то? Все друг у друга на виду живём, как караси в банке.

— А потом? — спросила Ангел Матвея. — Потом ваша болезнь прошла?

— Прошла, но страх остался. Я всё время боюсь. Сам не знаю чего!.. Иногда это почти невозможно вынести, — он улыбнулся смущённо. — И я перестал видеть. Я пытался писать, но не получается.

— Совсем? — уточнила Ангел.

Матвей покивал. Зоя сидела на стуле, а он стоял рядом с ней и гладил её по плечу. Пальцы у него немного вздрагивали.

— Ты вспомнил свою обезьяну и шкипера, — сказал Илья.

— Я не знаю, где она, — возразил Матвей. — И есть ли вообще.

И они замолчали. Ветер бросил в окно пригоршню разноцветных листьев. Они посыпались, на мгновение прилипая к стеклу, и в комнате ещё потемнело.

— Я был уверен, что если узнаю историю картины, то узнаю историю убийства, — сказал Илья задумчиво. — И ошибся. Я всё время допускаю ошибки.

— Ты тоже не видишь, — проговорил Матвей. — Я понимаю.

Илья под столом вытянул ноги в отсыревших резиновых кедах и в разные стороны покрутил подошвами.

Все молчали. Зоя вздыхала и время от времени тёрла лицо, Ангел исподлобья посматривала на Илью и опять переводила взгляд на свои руки.

— Я не понял одного, — задумчиво произнёс наконец профессор Субботин. — Почему никто не должен был знать, что Матвей здесь бывает? И ночует? И даже пытается работать!

— Я уже давно не пытаюсь, — возразил тот.

— Так я ж рассказала, — Зоя опять насторожилась. — Ему покой был нужен, тишина. А мне лишние глаза и уши тоже ни к чему, у меня и без того жизнь нескладная.

— Нескладная, — повторил Илья. — Да. Лилию Петровну заботила ваша репутация, Зоя?

— Да ну, — отмахнулась Зоя Семёновна. — Не обо мне она заботилась. Она за Матвея переживала сильно. Она мне тогда сказала: спасать парня надо, совсем плох.

— Совсем плох, — опять повторил Илья. — Да. — И обратился к Матвею: — У тебя в Москве жена? Или ты не помнишь?

— Я один, — пробормотал Матвей. — То есть я был один. Мама давно умерла, и больше никого не было. Только Лилия Петровна мне помогала. И Зоя вот... помогает.

— Где вы с Лилией Петровной познакомились?

Матвей поморщился, как будто Илья спрашивал о чём-то неприятном, что хорошо бы поскорее забыть.

— На выставке, кажется. Кто-то её подвёл ко мне. Или меня к ней?.. Был приём, люди, все что-то спрашивали, и мне уйти очень хотелось. Так мне хотелось уйти!.. А она засмеялась и сказала, что с приёмов в собственную честь уходить нехорошо, совестно. И что нужно быть благодарным. Люди мной интересуются, а я хочу уйти!

— Она покупала твои картины?

Матвей кивнул.

— Она знала, что ваши с Зоей отношения не были... исключительно деловыми?

— Что вы, — всполохнулась Зоя. — Никто не знал! Ни одна душа. Да и вы-то как догадались, непонятно.

— Лилия Петровна, судя по всему, была женщиной неглупой, — протянул Илья задумчиво. — И очень любила устраивать всё на свой лад.

Матвей посмотрел на него.

— Зоя Семёновна в качестве твоей квартирной хозяйки её вполне устраивала. А в качестве возлюбленной?..

Зоя покраснела. Полыхнули щёки и уши, а губы потемнели.

— Да она не знала, — пробормотала Зоя. — Никто не знает! Господи, стыд какой...

– А если бы Лилия узнала, что сделала бы? Зоя?

— Не могла она знать!

— Матвей?

— Рассердилась бы. Очень сильно.

— Почему ты так думаешь?

Матвей улыбнулся и пожал плечами.

— Просто я знаю, что она бы рассердилась.

— С кем она могла встречаться на лесной дороге? — сам у себя спросил Илья. — И почему в Сокольничьем? Почему не в Москве?

— Ей здесь нравилось, — объяснил Матвей с уверенностью. — Здесь так хорошо и спокойно.

— Да, да, — согласился Илья Сергеевич. — Ты был на колокольне? Я предлагаю подняться и посмотреть вокруг. Для расширения кругозора.

Ему хотелось высоты и простора, чтобы от холода и синевы прояснилось наконец в голове.

Зоя Семёновна сказала, что пойдёт в музей. После обеда приедут школьники из Ярославля, а в магазин всё равно почти никто не заглядывает.

Она нацепила кисельного цвета куртку, заправила под капюшон волосы, приладила на острый носик очочки и подхватила свою кошёлку. Теперь с ними была та самая Зоя Семёновна из первого дня, которая рассказывала на экскурсии про «музыкальные феномены» и знаменитые сокольничьи солёные огурцы.

Матвей не заметил никаких перемен. Должно быть, ему Зоя всегда казалась одинаковой.

«...Ряженые, — подумал Илья. — Все вокруг ряженые. Картонные носы, накладные щёки из папье-маше и соломенные волосы. Когда они снимают маски, что оказывается под ними? Человеческое лицо или ещё одна маска?..»

Зоя Семёновна заперла магазин, подёргала как следует дверь и сказала озабоченно, что пойдёт вперёд.

А то она всё время на виду и всё время с приезжими, это нехорошо.

— Ты собираешься забрать её в Москву? — спросил Илья, когда Зоя порядочно отбежала и не могла его слышать. — Или в Москве ей не понравится жить?

— Что значит забрать? — тут же влезла молчавшая до сих пор Ангел. — Может, её сначала нужно спросить! Она же человек!

— Как я могу её забрать?

— А здесь её съедят лисы. Тут кругом полно лис.

И они с Матвеем посмотрели друг на друга.

— Я не могу, — тихо молвил Матвей. — Как же ты не понимаешь? Я не знаю, что со мной. Я не помню!..

В беседке фотографировались Лилечка и Ванечка. Лилечка сидела на перилах, красиво заложив ноги и эффектно разметав волосы, Ванечка стоял коленями на столе и держал наготове селфи-палку. Он был в красивых очках и красиво небрит.

Ангел насупилась, отступила за Илью и втянула голову в плечи.

— Морнинг! — закричал Ванечка, пристально вглядываясь в приделанный к палке телефон. — У нас дискашн, лезть на вышку или нет!

— Там, может, опять закрыто, — сказала Лилечка и поменяла ноги местами.

— Пойдём быстрее, — прошипела Ангел и потянула Илью за рукав. Он ускорил шаг.

— А вы туда? На вышку?

— На колокольню.

— Лилюш, давай тоже, а? Мы же хотели сфоткаться и выложить.

Лилечка спрыгнула с перил и отряхнула безупречную джинсовую попу.

— Я решила завтра уехать, — сообщила она, глядя в телефон. — Ну, сколько можно!.. Меня не поймут, если я тут и дальше торчать буду! И так ту мач, давно нужно было валить.

— Лилечка, а деньги? — спросил Ванечка с весёлой беспечностью.

— Всё, проехали, — Лилечка махнула на него рукой, свободной от телефона. — Пусть себе заберёт, я ему так и скажу, директору этому.

— Если вам удастся его увидеть, — сказал Илья. — Мне не удаётся.

— Я ему тогда письмо напишу и по почте отправлю, — заявила Лилечка язвительно. — Сокольничье, мейл, точка, ру! Как в Средневековье.

Тут она вдруг увидела Ангела и уставилась на неё.

— Слушайте, а зачем вы так сделали? У вас что, педикулёз?! Ваня, валим прямо сейчас, тут вшивые!..

— У меня нет вшей, — возмутилась Ангел.

— А тогда зачем вы так изуродовались?

Илья Сергеевич взял Ангела за горячую руку и притянул к себе.

— По моей просьбе, — объяснил он Лилечке. — Стильно, концептуально и так возбуждает!

— А по-моему, уродство, — весело сказала Лилечка. — Селфи, да? Ванечка, ком цу мир, сфоткаемся!

— Я не хочу, — отрезала Ангел и бросилась вперёд.

— Омайгадабл, подумаешь! — закричала Лилечка. — Давайте! Лайков наберём! Чего стесняться-то? Лысой ходить не стесняешься, а фоткаться стесняешься?

— Почему они так странно говорят? — спросил Матвей, словно никаких Ванечки и Лилечки здесь не было. — Я половины слов не понимаю.

— Они сами не понимают, — успокоил его Илья, словно никаких Лилечки и Ванечки рядом не было. — Собственно, и понимать нечего, но они всё равно не понимают. Они воспроизводят звуки. Слышат и могут повторить.

Лилечка фыркнула со смеху.

— Это он про нас, Ванечка! Это вы про нас говорите, да?

— Нет-нет, — сказал Илья Сергеевич. — Я говорю про попугаев. Они умеют подражать голосам и повторять звуки.

— А-а, — успокоилась Лилечка.

Ангел вдруг захохотала, показывая крупные и очень белые зубы, и Лилечка засмеялась с ней вместе — просто так. Ей нравилось смеяться, и она знала, как делать это красиво.

В Воскресенской церкви было пусто и тихо, только шептались за прилавком со свечками и иконками две старушенции, и они смолкли, когда ввалились столичные гости.

— Сорри, — громко сказал Ванечка, глядя в телефон. — А на вышку анриал? Опять не работает?

Старушенции молча смотрели на него. Одна поправляла на голове платок.

— Ва-ань, — подала голос Лилечка, — у меня Интернет отвалился.

— Да ладно, — испугался Ванечка. — Был же!

— Чего надо-то? — перестав поправлять платок, спросила старуха.

— На колокольню подняться, — сказал Илья. — Можно?

— Отчего ж нельзя, можно. Я отомкну. Это женщины у вас или кто? Головы бы покрыть.

— Смотри, какой лик, — Матвей, задрав голову, рассматривал купол. — Восемнадцатый век, конец. Я всё пытаюсь себе представить, как они тогда писали, и не могу. Ведь лик просто так не напишешь. И писал не Рублёв, а обыкновенный приходской художник. Или не приходской! Ну просто художник, у него даже имени нет. Мы не знаем и никогда не узнаем. Но он смог так написать!

Илья тоже задрал голову и стал рассматривать лик. И Ангел с ними.

Ванечка и Лилечка искали отвалившийся Интернет.

— Значит, он видел? — спросил Матвей и посмотрел на Илью. — Видел Бога?

— Я не знаю, как это у вас бывает, — помедлив, сказал Илья. — Если чтобы писать, нужно видеть, стало быть, видел.

— Не глазами, — объяснил Матвей.

Голоса гулко отдавались от просторных и холодных стен.

— Как много золота и синевы, — восхитилась Ангел. — Красиво. А своды какие, да?

— И своды, — согласился Илья.

Старуха погремела ключами, распахнула тяжёлую переплётчатую дверь.

— Вниз пойдёте, держитесь руками, вон по стеночке перильца проложены, а то кувырнётесь. И которые женщины, плат накиньте!

— Что она говорит? — спросил Ванечка, не отрываясь от телефона.

— Донт ворри, би хеппи, она говорит, — перевёл Илья Сергеевич. — Пут платок на голову ёр гёрлфренд. Платки ин зет баскет.

Винтовая лестница, зажатая в белёных стенах, казалась до того крутой, а потолки до того низкими, что Илья Сергеевич подумал — застряну.

— Вот это да, — задохнулась Ангел.

— А звонарь каждый день забирается, и ничего.

— Два раза в день, — поправил Матвей.

— Я, наверное, не залезу.

— Ничего, как-нибудь!

Поначалу стены были глухими. Они поднимались уже довольно долго, и было непонятно, высоко уже или всё ещё нет. Ангел сказала, что пойдёт последней, потому что больше не может, ей надо время от времени отдыхать, и попробовала пропустить Илью вперёд. Он полез было, но застрял.

— Пойдём, как шли, — решил он.

Они стояли, тесно прижавшись друг к другу, — так нельзя стоять в церкви, и Илья понимал, что нельзя. Матвей старательно и трудолюбиво сопел, поднимаясь, а где-то внизу громко разговаривали Ванечка и Лилечка.

Когда начались длинные узкие окна, оказалось, что они забрались уже высоко, почти вровень с липами.

— Я боюсь высоты, — сообщил Матвей.

— Ты всего боишься, — поддержал его Илья.

Ещё некоторое время молча продолжали подъём. Ноги всё тяжелели, и ставить их на следующую ступеньку было всё труднее, а потом Ангел остановилась и, тяжело дыша, заявила, что выше не пойдёт. У неё нет сил, и ноги сейчас отвалятся.

— А звонарь? — спросил Илья. — Он каждый день так поднимается.

— По два раза, — опять уточнил Матвей, и они пошли дальше.

Ангел держалась рукой за стену.

Наконец стало казаться, что они почти одолели подъём. Потолок поднялся, воздух стал холоднее, и меньше пахло отсыревшей штукатуркой.

Ангел первая ступила на деревянный настил и тут же села, привалившись спиной к стене. Следом выбрался Илья, а за ним Матвей.

Село Сокольничье лежало со всех четырёх сторон света не очень правильной окружностью, как будто у нерадивого ученика то и дело срывался циркуль и приходилось втыкать его заново. За Сокольничьим со всех четырёх сторон света лежали леса — до горизонта, до неба! Но и там, где заканчивался горизонт, не заканчивался лес, было ясно, что и за краем земли он продолжается, длится, ширится, и небо, отражая его, принимает золотистый оттенок.

— С ума можно сойти, — сказала Ангел.

— Ты же ничего не видишь, ты на полу сидишь, а тут стена!

— А в стене прорези.

Илья Сергеевич наклонился и посмотрел — на самом деле прорезь!

— Зачем она тут нужна? Должно быть, для резонанса. — И он оглянулся на колокола. Толстые верёвки от колокольных языков спускались на деревянный настил, и казалось, что из досок растёт древо с диковинными корнями.

От высоты и холода у Ильи сильно застучали зубы. Он подтянул и без того застёгнутую «молнию» куртки и спрятал одно ухо за воротник.

— Волга там? — спросил Матвей.

Илья показал в противоположную сторону.

— Как ты думаешь, время идёт в одну сторону? — подумав, продолжал Матвей.

— В вечный двигатель, переселение душ и биополе я не верю, — сразу предупредил Илья.

— Всегда в одну? Или оно прерывается где-то? И можно попасть в любую точку? Ну, если предположить! У Вселенной же нет верха и низа.

— Ты хочешь сказать, что у времени нет прошлого и будущего? — спросил Илья, подумав.

Матвей покивал:

— Если попасть внутрь времени, понимаешь? Мы сейчас снаружи — оно течёт мимо, и понятно, что течёт в одну сторону. А если внутри?

Ангел поднялась, подошла и спрятала нос Илье в воротник.

— Для меня это слишком мудрёно, — признался профессор. — Внутри времени, снаружи времени!..

— А для меня очевидно, — сказал Матвей. — Если б я был внутри, я бы сейчас посмотрел с этой колокольни году, скажем, в тысяча семьсот восемьдесят пятом.

— Замёрзла? — спросил Илья у девушки. Она покачала головой. — С тысяча семьсот восемьдесят пятого года здесь ничего не изменилось, Матвей. Лес всё тот же, река та же.

— И небо, — подсказала Ангел.

— И небо, — согласился Илья.

Шум становился всё слышнее и ближе, надвинулась какофония, и на площадку выбрались Ванечка с Лилечкой. В телефоны они не смотрели и дышали с трудом.

Ванечка наклонился, упёрся руками в колени и закашлялся, а Лилечка сверху навалилась на него.

— Слезь, мне тяжело, — прокашлял Ванечка.

— Я не могу, — отозвалась Лилечка. — Я упаду.

Остальные молчали.

— Ну чего здесь? — распрямляясь и отстраняя Лилечку, спросил Ванечка. — Кул? Или всё зря?

Он обошёл площадку и подёргал верёвку.

— А чего он не звонит?

Илья оглянулся.

— Не трогайте, — велел он.

— Почему? — удивился Ванечка и опять подёргал. — Или чего? Не работает? В России вечно ничего не работает!..

— Не трогайте, — попросил и Матвей.

— Лилечка, колокол не работает!

— Давай я так сфоткаю. Как будто!

— Да я хотел, чтоб он играл, чтоб видео запилить! Он же как-то играет! Ну, по утрам и по вечерам тоже, мы же слышали! Как его включить?

— Нужен специальный девайс, — нашёлся профессор. — Называется звонарь. Он коннектится с колоколом, и тогда всё работает.

Ванечка посмотрел на него с недоверием.

— Ванечка, зацени, какие машинки! Маленькие, маленькие!..

— Когда самолёт взлетает, он ещё меньше кажется. Да ну, тут скучно. Давай сфоткаемся и вниз!

Матвей смотрел в сторону купеческих особняков. Далеко внизу из эркера вышел Пётр Артобалевский, плюхнулся на лавочку и закурил.

— Я вспомнил, — вдруг негромко сказал Матвей и оглянулся на Илью. — Я в тот день смотрел в окно. На скамейке сидел человек. Точно так, как вот тот мужик сидит!

Илья сделал шаг и посмотрел вниз.

— Что-то в нём было странное. Нет, не странное. Что-то неправильное.

— Какой человек? — спросила Ангел. — Когда?..

— Но я не могу сейчас понять, что...

— Лилечка, посмотри на меня! Улыбнись! И так сделай головой, чтоб волосы легли.

— Ванечка, я красивая девочка?

— Ты самая красивая девочка на свете!..

Матвей закрыл глаза. Илья ждал.

— Он сидел, на нём была грязная одежда и шапка. Такая... вязаная синяя шапка. Телогрейка и штаны, кажется, зелёные.

Матвей открыл глаза и посмотрел вниз, на Артобалевского.

— Он был в кедах, — вдруг сказал он, вспомнив. — Как тот человек внизу. А он не мог быть в кедах, понимаешь? Но был.

— Пожалуй, понимаю, — согласился Илья.

— Как вот эта девушка, — продолжал Матвей и тронул Ангела за плечо. — Она тоже неправильная. Она изображает другую.

— Согласен. Ты узнаешь его, если увидишь?

— Если подольше посмотрю, узнаю, — сказал Матвей и улыбнулся с недоверием: — Неужели я вспомнил?..

— Сфоткайте нас, — попросил Ванечка. — Нужна панорама, а с палки не берёт.

— Панорама, — повторил Илья Сергеевич.

Он «сфтокал» парочку с панорамой, в объятиях друг друга, с поднятыми большими пальцами, с высунутыми языками, а также смотрящими вдаль и вверх на колокола. Ванечка отдельно проконтролировал, вошли колокола или нет.

— Ради них и лезли, — сказал он недовольно. — Кто ж знал, что они не играют!.. Пошли, Лилечка!

Они стали спускаться, и постепенно какофония отдалилась и наконец совсем затихла.

— Как странно, что я вспомнил того человека у магазина. И тот день, когда убили Лилию Петровну, вспомнил. Не весь, но хоть что-то.

— Странно, что ты забыл, — не согласился Илья.

— Я раньше всё помнил, — будто оправдывался Матвей. — А потом стал забывать.

— Вот это и странно.

Они ещё постояли и посмотрели в разные стороны.

Артобалевский давно ушёл. Лилечка с Ванечкой перебежали площадь.

Со стороны озера поднялись какие-то птицы, сделали круг над колокольней и унеслись в сторону Волги.

— А птицы такие же? — спросил Матвей у Ильи. — Как в тысяча семьсот восемьдесят пятом?

— Я забыл купить у твоей Зои меховой жилет, — вспомнил Илья. — Очень холодно. А у меня вся одежда не по сезону.

— Ты купи, — попросил Матвей. — Это важно. У меня она денег не берёт.

— Почему не берёт?

Матвей удивился:

— Не знаю, я не спрашивал. Не берёт, и всё.

— Ты спроси.

Матвей кивнул.

Внизу они купили свечек и разошлись по приделам. Илья Сергеевич не хотел подглядывать, но всё же не утерпел. Матвей просто бродил и рассматривал иконы, как бродят в музее, задерживаясь перед теми, которые привлекли внимание. Ангел, низко опустив голову, постояла возле Богородицы. Свет от свечи обтекал её щеку и тонкое запястье. Плотная тень от ресниц дрожала, хотя она не поднимала глаз. Постояв, она медленно пошла среди золотого мерцания, дошла до Серафима Саровского и опять остановилась.

Илья улыбнулся.

Ему нравилось, что у Ангела в церкви были свои дела и она, не торопясь, их делала.

Он вышел первым и постоял, ожидая своих. Через площадь прошёл высокий человек в церковном облачении — должно быть, тот самый батюшка, которого хвалила Катерина, — и по плотинке пробежала мохноногая лошадь, прогремела по брусчатке тележка.

— Я пойду на озеро, — сказал Матвей. — Мне нужно немного подумать.

— Холодно, — Ангел сунула руки в карманы куртки-стога.

— Холодно, — согласился Матвей. — Как будто залито жидким стеклом. Так всегда бывает, когда приходят холода.

Они проводили Матвея до детской площадки. Его коричневая вельветовая куртка быстро затерялась между деревьями.

Ангел подошла к качелям и уселась.

— Как ты узнал?

— О чём? — не понял Илья.

— Как о чём?! Обо всём! О том, что Матвей живёт у Зои. И с Зоей!.. Что она его прячет! Что он видел убийцу! Что она наговорила на своего мужа!..

Илья легонько толкнул качели, и Ангел удалилась, а потом приблизилась.

Уить, уить. Уить, уить.

— Ну?

— Сформулируйте главный вопрос и задайте его правильно. На этот вопрос я постараюсь ответить.

Ангел фыркнула:

— Вопрос: как ты узнал?!

— Ну, хорошо. Про разные ботинки я уже говорил. Матвей ушёл в одних, а пришёл в других. Про бутылки тоже говорил — он был с похмелья, но в номере не пил. Зоя следит за каждым его шагом. Ей кажется, что тонко и незаметно, но на самом деле ещё как заметно!.. Кто-то бывает у неё в мастерской, так говорят односельчане. Там по вечерам горит свет. Матвей набрался как раз в день её рождения. Она сказала мне, что накануне ей исполнилось тридцать восемь лет. В её кошёлке я обнаружил невероятный для сельского экскурсовода набор продуктов: бананы, краковская колбаса и бутылка виски.

— Где ты взял её кошёлку?!

— Я её не брал. Она просто стояла на стуле, а я в неё заглянул.

Уить, уить.

— Хорошо, — согласилась Ангел. — Это ладно. Он где-то живёт, она ему вискарь покупает, допустим. Но про мужа ты как догадался?!

— Он никогда не заходил к ней в магазин. Он бестолковый, но добрый человек. У него не было белой горячки!.. Откуда взялся платок, который всё решил?! Где он его подобрал?

— Где угодно, — перебила Ангел.

— Возможно и такое, но если Лилия Петровна не потеряла его среди улицы, скорее всего, платок Петровичу подсунули. Или убийца, или тот, кто побывал на месте убийства и снял его с Лилии Петровны. Убийце, на мой взгляд, некогда было возиться с Петровичем. Ему предстояло более важное дело — избавиться от записной книжки. Видимо, в ней содержались какие-то записи, нечто такое, что определённо указывало на него. И шататься по селу сразу после убийства — более чем невероятно! Кто ещё имел теоретическую возможность оказаться на месте преступления до того, как о нём стало известно всем? Кто мог взять всё, что угодно, — платок, деньги, сумку?

Ангел вздохнула.

Ну, хорошо, Зоя. А на мужа она навела, потому что подумала на Матвея.

— Ей казалось, что это логично. В доме никого не было, только он один на втором этаже в мастерской. И он был хорошо знаком с Лилией Петровной! Если бы не записная книжка в лесу, я бы Матвея не исключил.

— Он художник, а не головорез!..

— Секундочку, — возразил Илья Сергеевич, — а может быть, он просто забыл, что головорез? И ему кажется, что он художник?..

— Мне не нравятся такие шутки.

— Я должен узнать, что такое воспаление паутинной оболочки мозга и как его лечат. И самое главное, как долго это может продолжаться!

— Хочешь, я посмотрю в Интернете?

— Спасибо, я сам посмотрю.

— А почему ты взъелся на этих, с телефонами? Звонарь, девайс!.. Они вполне безобидные насекомые.

— Тоже врут на каждом шагу, — тут он улыбнулся, вспомнив, как Ангел пылко убеждала его не врать. — И я пока не понял зачем. На первый взгляд, незачем.

— Тогда кто у нас остаётся? Николай Иванович? Зачем ему убивать Лилию Петровну?

— И надевать на дело кеды и телогрейку, — подхватил Илья задумчиво. — На него это не похоже. Он бы подготовил полноценный маскарадный костюм и продумал его до мелочей.

— А может, её всё-таки убил местный хулиган, а, Илья? — с просительной интонацией сказала Ангел, словно ей хотелось, чтобы он *разрешил*, чтоб так было. — А не наши?..

Он покачал головой — *разрешить* было не в его власти.

— А почему ты спросил, одобряла Лилия Петровна, что Зоя и Матвей... вместе или нет? Зачем им её одобрение?

— Нет, это неправильно сформулированный вопрос. Зачем ей их связь, я бы так спросил.

Ангел вытаращила на него светлые волчьи глаза.

— Ты думаешь, она всё подстроила?!

— Она любила, чтобы всё было так, как ей нужно, — напомнил Илья.

— А вдруг ей зачем-то было нужно, чтобы Матвей полюбил Зою. Может, Лилия Петровна просто хотела отдать его в хорошие руки? И его картина! Как она оказалась у директора Дома творчества? Она что, её продала?..

— Продала, продала, — повторил Илья. И перестал толкать качели.

Уить, уить, сказали они последний раз.

— Так, хорошо, — он подал ей руку и потянул с сиденья. — Я хотел дождаться Клавдию, но лучше потом. Пойдём.

— Куда?

— Мне нужно кое-что посмотреть в компьютере.

— В своём? Или опять одолжишь у Ванечки?..

— И кое-что спросить у нашей администраторши. Если она не захочет отвечать, свяжем её и отвезём в лес.

— Как?! — поразилась бедная Ангел.

Они пробежали вдоль купеческого особняка и влетели в эркер.

Администраторша рыдала за своей конторкой. Розовощёкий с войлоком на висках молодой человек в чёрной форме топтался рядом с ней, а второй, знакомый Илье Сергеевичу, тыкал толстыми непривычными пальцами в мобильный телефон.

— Украли! — прорыдала администраторша, завидев Илью и девушку. — Так я и знала! Так и знала!..

— Что украли? — не поняла Ангел.

Администраторша горсстно кивнула на пустую стену, где прежде висела картина, изображающая страх.

— А вы где были?

— Да в ресторан я отбежала на пять минут всего! У нас свадьба в субботу, так они звонили, сказали, что гостей на десять человек больше будет, мне на кухню надо было передать.

Илья Сергеевич посмотрел на старшего охранника.

— Камеры?

— Работают, чтоб им сгореть совсем, — сказал охранник с сердцем. — Только в этой точке слепая зона, как по заказу. А та, которая над дверью, показывает, что народ туда-сюда всё утро ходил. Поди разбери, кто там чего делал!..

— И Олег Палычу никак не дозвонимся, — провсхлипывала администраторша, — аппарат абонента выключен да выключен! Господи, что за беды на нас, за что нам такое горе горькое? То одно, то другое! То папка директорская, то среди бела дня картина пропала!.. Это ж надо такому быть?!

— Вы не плачьте только, тёть Валь, — пробасил мальчишка с войлочной щетиной и неловко погладил администраторшу по плечу. — Кому она нужна, картина эта!..

— Да, может, никому и не нужна, только снимет меня Олег Палыч с работы и будет прав. За халатность!..

— Матвей не приходил? — на всякий случай спросил Илья, хотя знал, что не приходил. Администраторша покачала головой. — Как его фамилия?

— Чья? — утирая нос, спросила та.

— Матвея Александровича.

— Господи, зачем вам? — Но потянулась к компьютерной мыши. — Какая-то заковыристая у него фамилия... Вот!.. Вильховский Матвей Александрович. Который раз гостит, а я всё запомнить не могу. Памяти совсем нет. Что же делать-то мне с пропажей этой?

— Дозвонитесь Олегу Павловичу, — посоветовал Илья и потянул Ангела к лестнице. — Наверняка он знает, что делать.

Ангел едва за ним успевала. Один раз споткнулась и чуть не упала, Илья её поддержал.

Они вбежали в номер люкс «Николай Романов», и Илья сразу полез в рюкзак.

— Понимаешь, — сказал он, производя раскопки. — Мне всегда кажется, что это неспортивно. Я стараюсь обойтись, и почти всегда мне это удаётся!

— Что неспортивно? — Ангел плюхнулась в полосатое кресло, не обратив на красоты «Николая Романова» никакого внимания.

— Перекладывать свою работу на Интернет, — объяснил Илья Сергеевич не слишком понятно. Он вытащил устройство, нажал кнопку и уставился в него. — Нет ничего такого, о чём бы я не мог догадаться без всякого Интернета. Нужно просто быть внимательным. Но сейчас я не обойдусь.

Планшет, зависший ещё в электричке, озарился белым светом, потом погрузился во мрак и также мрачно потребовал перезагрузки.

Илья ждал.

— Я же не знала, что это неспортивно, — сказала Ангел и пересела так, чтобы ей было видно планшет, — я бы давно всё разузнала, что тебе нужно. Ты бы сказал.

Он нашарил её руку и поцеловал в ладонь. Ей сразу стало жарко и страшно, но он ничего не заметил.

— Матвей Вильховский, — проговорил Илья, когда планшет просигнализировал, что готов к услугам. — Так, хорошо. Смотрим.

Ангел вздохнула.

— Молодой, но уже знаменитый, — читал Илья. — Персональные выставки, международное признание. Лондон, это мы знаем, нам Зоя рассказала про Лондон. Ты обратила внимание, что она сказала «выставка в Лондоне» примерно так же, как «выставка на Кассиопее»? То есть хорошо, конечно, но так далеко, что даже неинтересно. Другое дело, в Манеже! Смотрим дальше. Особая манера письма. Ни с кем не перепутаешь.

— Илья, кто мог украсть его картину?!

— Кто угодно, — не отрывая взгляда от текста, пробормотал Илья Сергеевич. — Сняли с гвоздя, и всё. Сигнализации нет. Камера эту стену не видит. Но дело не в камере. Вряд ли это подготовленная и спланированная кража.

Он продолжал читать.

— В последнее время художник не пишет, — вновь забормотал Илья. — Не даёт интервью. По слухам, уехал в Юго-Восточную Азию и живёт там отшельником. Ну конечно!.. Так, хорошо. Знаменитые поклонники таланта. Куратор Джеймс Худи. Рэпер Джей Зи. Актриса Сара Бэкон.

Ангел ощутимо пнула его в бок, заставив подвинуться, и тоже уставилась в планшет.

— Это у нашего Матвея такие поклонники?!

Илья Сергеевич продолжал:

— Из соотечественников. Космонавт Леонов Алексей Архипович. Режиссёр Захаров Марк Анатольевич. Продюсер Артобалевский Пётр Петрович.

— Где?!

Илья показал на экран.

Она прочитала раз и потом ещё раз, шевеля от усердия губами.

— Что это значит, Илья?

— Трудно сказать, — признался профессор Субботин. — Лилия Петровна Маслова в списке поклонников отсутствует. Или она не слишком знаменита для этого списка, или никто не знает, что она поклонник таланта, да ещё его благотворитель и опекун.

— А что ты хотел узнать? Тебе же что-то пришло в голову, когда мы побежали смотреть!

— Я хотел узнать, сколько стоят его работы, — произнёс Илья Сергеевич задумчиво. — Или раньше стоили. Здесь такой информации нет, и специального сайта у него нет, через Интернет он ничего не продаёт. И его фотографий мало, почти нет. Повторяются две, очень старые и невразумительные. И фотографий работ нет.

— Ты хочешь сказать, что он от кого-то скрывается?!

Илья взглянул на неё:

— Или его кто-то тщательно скрывает от мира.

— Зачем?!

— Я не могу выстроить логику, — признался профессор Субботин. — У меня слишком много всего и в числителе, и в знаменателе. И ничего не сокращается. Всё время приходится вписывать в уравнение новые члены, а я даже не знаю, с каким знаком и в каких степенях. Так задачи не решают, моя до-рогая.

— Я не умею решать задачи, — призналась Ангел. — В университете у нас на первых курсах была математика, а потом логика. И дед всё время со мной сидел и объяснял, я сама не понимала.

— А после его объяснений понимала?

Ангел кивнула.

— Это самое главное. Понимать ход мыслей. Если понимаешь, что и за чем происходит, быстро находишь решение. Примерно так: Матвей знаменитый художник. Он пишет картины, которые знают в мире. Среди его поклонников разные знаменитости, например Артобалевский. Матвей заболевает и больше не пишет. Его пытается спасти от болезни Лилия Петровна Маслова. Она привозит его в тихое и благодатное место, где он может поправиться и снова приниматься за работу. Но Матвею не делается лучше. Работать он не может. Лилия Петровна наезжает сюда и постоянно его видит, но её не тревожит, что Матвей не работает, а пребывает в состоянии, мягко говоря, странном. И пребывает уже давно.

— И что это значит? — не удержалась Ангел.

— Ничего не значит. Это просто перечисление фактов. Потом Лилию Петровну убивают. Матвей остаётся с Зоей. В Сокольничье приезжают Пётр Артобалевский и его жена. Вернее, сначала жена, а потом он сам. Они собираются разводиться, и им нужно на свободе поделить имущество. При этом Артобалевский, оказывается, коллекционер и любит работы Матвея. Самого Матвея он в лицо не знает, следовательно, они не встречались.

— Матвей бы его тоже запомнил, — сказала Ангел.

— Согласен. У него странно устроена память. Он помнит не то, что все остальные, но то, что перепутать ни с кем нельзя. В это время неожиданно появляется и потом так же неожиданно пропадает картина Матвея, которую он когда-то отдал Лилии Петровне и был уверен, что она её уничтожила.

— Всё, — сказала Ангел. — Я уже запуталась.

Илья Сергеевич пришёл в раздражение:

— Нет, не всё. Нужно думать и составные части уравнения держать в голове!..

— Они не держатся у меня в голове.

— Можно предположить, что всё, что здесь произошло и происходит, затеяно вокруг Матвея. Артобалевский не поделил с Лилией Петровной его картины. Зоя не поделила с Лилией Петровной его самого.

— Артобалевского здесь раньше никогда не было, и Лилию Петровну он задушить не мог!

— Ну, своими руками — вряд ли, — согласился Илья Сергеевич. — А чужими вполне возможно.

Он поднялся и походил по номеру люкс «Николай Романов».

— Я совершенно упустил из виду одну составляющую, — заметил он рассеянно.

— Какую?

— Деньги, — сказал Илья Сергеевич. — Но не деньги Лилии Петровны, а деньги Матвея. Их должно быть много. И может показаться, что Матвея очень просто сбить с толку, чтобы эти деньги захватить. Он ничего не заметит. Он в это время будет сидеть на озере и думать о старом шкипере и его обезьяне.

Он ещё походил немного, потом выхватил из шкафа клетчатую байковую рубаху, подбитую куцым искусственным мехом, и нацепил на себя.

Ангел отвела глаза — он казался ей очень красивым.

— Мне нужно поговорить с Артобалевским.

— Он не станет с тобой разговаривать. Он разводится, ты же знаешь.

— Посмотрим, — сказал профессор Субботин.

Удручённая администраторша сообщила, что Пётр Петрович обедает в ресторане.

— Они не одни там, — уважительно добавила она. — С молодой особой.

Илья и Ангел переглянулись.

— Утренняя звезда? — сам у себя спросил Субботин. — Выходит, она к нему приехала? Тоже хочет попроситься в актрисы?..

— Я не пойду, — заявила вмиг помрачневшая Ангел. — Не хочу. Она сейчас тоже скажет, что у меня вши. Я не хочу.

— Не выдумывай.

— Я не пойду. — И словно он мог потащить её насильно, кинулась прочь по коридору.

Илья Сергеевич проводил её глазами.

...Что именно он упустил сейчас, как тогда, когда она услышала его разговор с Галей, всё перепутала и перетолковала на свой лад? Он же сказал ей, как ему нравится её... нет, как ему нравится она сама!.. Он сказал и даже продемонстрировал, и с его точки зрения, демонстрация должна была её убедить. Почему ей важнее мнение совсем посторонних людей? Должно быть наоборот. Или она ему не поверила? Но как она могла ему не поверить, если он был так... убедителен? Он целовал её, прижимал к себе, гладил по голове, и ни в чём не могло остаться никаких сомнений. А у неё остались, и они пересиливают все его доводы — не потому, что она сумасшедшая, а потому что девочка. А у них всё наоборот. Всегда.

...Почему всегда так сложно, если на самом деле очень просто?! Кто это придумал и зачем?.. Чтобы людям было нескучно друг с другом?

Раздумывая о девочке, Илья поднялся в ресторан, где на первый взгляд не было ни единой живой души, остановился в дверях, огляделся и прислушался.

В закутке, в котором располагался всего один стол — официанты называли его «уединённый», — громко разговаривали двое, почти ссорились.

Артобалевский — его голос и интонации сложно было с кем-то перепутать, а женский голос Субботину был незнаком.

— Не сердись на меня, Петя, голубчик, — умолял женский голос. — Я правда очень без тебя скучаю. Мне плохо одной, я с ума схожу. Мне кажется, вот-вот случится ужасное.

— Что ужасного может случиться?!

— Ну, не сердись, не сердись. Мне просто противопоказано одиночество.

— У меня дела. Ты понимаешь это? У меня могут быть совершенно разные дела, ты привыкай, а?

Девушка засмеялась.

— Я привыкну, привыкну, Петя. Просто пока ещё не привыкла. Но я правда постараюсь. Ты занимайся своими делами, как будто меня нет. Вот увидишь, я не стану тебе мешать.

— Лучше бы ты в Москве мне не мешала. Чего там у нас с ремонтом?

— Ну, ремонт и ремонт. Я всё сделаю сама, ты не заботься.

— Мил, я так привык. Я всё контролирую сам.

— Отвыкай, — весело сказал женский голос. — Меня не нужно контролировать! И я буду тебе помогать. Всегда.

— Пётр Петрович, — громко позвал профессор Субботин, когда воцарилась пауза, — это Илья Сергеевич.

Артобалевский показался из закутка.

— Здорово, — сказал он издалека и пошёл к Илье. — Спасибо, что предупредил, там не слышно ни шута, есть тут кто, нет.

Он приблизился и крепко пожал Илье руку.

— Ты обедать? А девочка где?

— В номер поднялась.

— Садись с нами, хочешь?

— Неудобно, наверное.

— Да ладно, неудобно! Я же тебя сам приглашаю.

Показалась красивая девушка и с головы до ног оценила Илью Сергеевича. Тому показалось, что, оценив, она осталась чем-то слегка недовольна.

— Мил, познакомься. Илья Субботин, профессор, физик. Здесь отдыхает с девочкой. Илья, это Тамила, моя... — он запнулся на мгновение, — подруга.

— Здравствуйте, — девушка улыбнулась сердечно и протянула руку. — Тамила.

— Очень красивое имя.

— Спасибо.

— Ну чего? Водка, селёдка, холодец, солянка сборная мясная?

— Клавдия обещала сиговую уху, — поделился Илья Сергеевич.

— Что ж ты раньше не сказал?! Какого лешего я солянку стрескал?

Тамила улыбалась, держась очень прямо. Она сидела так, что её можно было сию минуту сфотографировать и разместить фотографию на обложке нью-йоркского «Вога». Вся она, от медовых, душистых, прекрасных волос до изящнейших фарфоровых щиколоток, была гармоничной и правильной. Никакой вульгарности, никаких штампов — вон Лилечка сплошь состояла из штампов и штампованных деталей!.. У подруги Артобалевского всё наоборот — исключительное, особенное, существующее в единственном экземпляре.

Илья Сергеевич немного растерялся. У него не было никакого опыта общения с подобными... драгоценностями. Как будто на миг приоткрылась дверь в особую сокровищницу и увиденное ослепило и оглушило его.

И он понимал Артобалевского!.. Жизнь действительно обошлась с ним несправедливо, предложив поменять Катерину на такое уникальное явление природы!

Артобалевский сказал, что позовёт официанта, а так его не докричишься, и ушёл. Илья Сергеевич подумал мельком, что великий продюсер на самом деле очень деятельный человек.

— Вы давно приехали? — зачем-то спросил он у Тамилы. Глаза он держал долу, чтобы не смотреть на неё неотрывно.

— Только сегодня утром, — охотно объяснила Тамила.

— Быстро доехали? — продолжал заискивать Илья Сергеевич.

— Не очень, но дорога приятная. Очень красивая.

— Особенно за Ярославлем, — поддержал Илья. Тамила как раз смотрела прямо на него — со спокойным и немного настороженным достоинством, — и он спросил очередную глупость: — Вам здесь нравится?

— Я пока нигде не была. Я приехала прежде всего, чтобы увидеть Петю.

— Это понятно, — одобрил поглупевший Илья Сергеевич.

— Ну что? — спросил Петя, протискиваясь на своё место. — Мил, чего ты хочешь? Может, клубники? У них есть, я спросил. Слушай, а повариха сказка, да? Мил, тут такая баба готовит! Втроём не обхватишь, на голове кудри и колпак такой советский. В общем, выдающаяся личность. И готовит! Я нигде так не ел, как здесь.

Тамила слушала его и улыбалась.

— Так вот, она сказала, что Илье сейчас подаст, что обещала. Чего она тебе обещала-то?

— Как раз уху и грибы. Я с ней сегодня в лес ходил, — похвастался профессор, несколько обретший почву под ногами. — Целую корзину набрал.

— Да ладно! Что ж ты меня не взял, я бы тоже сходил! Тамилка, хочешь в лес?

— Конечно, хочу, — засмеялась Тамила.

— Водки выпьем?

Илья Сергеевич вздохнул. Он знал, что этим кончится.

— Под сало или под кильку? Сало тоже сама повариха солит, оторваться невозможно. Не сало, а божественная комедия. Я ей говорю, поехали со мной в Москву, вы там всех шефов сделаете. А она говорит, езжай сам в свою Москву, мне и тут хорошо.

Прибежал официант, и стало ясно, что про водку Артобалевский спрашивал просто так, для разговору. Всё было уже заказано — и графинчик, и стопки, и тарелки с закусками и сокольничьи огурцы, отдельно.

Артобалевский разлил ледяную водку в хрустальные стопки на высоких ножках, Илья раньше никогда таких не видел.

— А кушать что будете? — сунулся официант.

Артобалевский поднял стопку:

— А вот её, мамочку, и буду кушать, — и ловко опрокинул водку в себя. Выдохнул, похрустел огурчиком и сказал официанту доверительно: — Кушать, братец, можно только водку.

Официант убежал.

— Тамил, налить тебе?

— Нет, спасибо.

— А сала? Огурец? Тут такие огурцы!

— Я потом возьму, Петь, правда.

Илья Сергеевич тяпнул водки и тоже захрустел огурцом.

Нужно будет сходить с Ангелом в «Торговлю Гороховых», прикупить огурцов и полкочана капусты, а то так скучно.

— Мы с Милой летом в Италии жили. Так люблю эту страну! Итальяшки разгильдяи, конечно, как наши, но зато еда какая! И красота кругом. В любое место посмотришь, и везде красота.

— А ты поклонник? — уточнил профессор Субботин.

— Чего? Красоты? — И Артобалевский взглянул на свою подругу. — Это точно, поклонник. У меня, знаешь, впечатление, что там все картинки специально поставлены, свет специальный выбран, особенно перед закатом. Сразу ясно, хороший режиссёр ставил. Хотя Венецию я не люблю. Вроде положено любить, а я никак. Ну, один музей мне там нравится! Всего один, представляешь?!

Проверяя своё наблюдение, Илья Сергеевич обратился к Тамиле:

— А вам нравится Италия?

Тамила сказала, что нравится, конечно, и музей в Венеции понравился.

— Хотя там современное искусство, — подхватил Артобалевский, — а я его боюсь, как чумы, этого современного искусства. Я ещё тот ходок по музеям!

— Ты же картины коллекционируешь, — сказал Илья, — современного художника Матвея Вильховского. Я в Интернете прочитал.

— Это правда, — согласился Артобалевский. — Мне жена лет пять назад подарила его работу на день рождения. И с тех пор я как бы коллекционер!.. А ты что? Тоже собираешь?

Илья Сергеевич сказал, что не собирает, но картины Вильковского видел, вернее одну.

— Я не знаю, какую ты видел, но у нас внизу в холле была похожая на его работу! Очень похожа! Я не эксперт, конечно, но всякое бывает.

— Она куда-то делась, — сообщил Илья Сергеевич. — Администраторша сказала, что украли.

— Да это я украл-то, — как ни в чём не бывало сообщил Артобалевский, и профессор перестал жевать. — И я не крал, а временно взял без спроса.

— Зачем?! — проглотив, спросил Илья.

— Хочу экспертам показать. Мало ли, может, подлинник! Его тогда сторожить надо, а он в сельской гостинице на стене висит! Да чего ты вытаращился на меня?!

Тамила засмеялась.

— Я директору позвоню, скажу, что на экспертизу забрал. Они сами в жизни экспертам не отдадут. Или отдадут непонятно кому! Ещё на самом деле украдут. А я знаю, кому отдать.

— Она такая ценная? — уточнил Илья Сергеевич.

— Ещё бы! Ну, если подлинник, конечно. Вильховский — самый лучший из молодых. И самый дорогой. Только с ним что-то приключилось, он то ли помер, то ли в сумасшедшем доме. В общем, не пишет, и картин мало. За ними все гоняются. Не только бобики вроде меня, но и настоящие знатоки тоже.

...Не помер он, подумал про художника Илья, а в сумасшедший дом скоро придётся отправить меня.

— А Лилию Петровну Маслову ты знаешь?

— Не слышал. Она художница тоже? Из молодых?

— Ты бы сказал администратору, что забрал картину, и директора предупреди. А то у них общая тре-вога.

— Это чего-то я не подумал, — согласился Артобалевский. — Я её со стены снял и в машину на заднее сиденье поставил. Мне и в голову не пришло!..

— Вам нравится художник Вильховский? — спросил Илья у Тамилы.

Она сказала, что мало знакома с его творчеством, но то, что видела у Пети, — да, неплохо.

Принесли сиговую уху — непрозрачную, как будто молочную, — официант передал от Клавдии, которая так и не показалась, что в ухе ещё берёзовые почки и ягель. Попробуйте.

Великий продюсер посмотрел, понюхал и заказал и себе кастрюльку. Уху подавали в небольшой эмалированной кастрюльке — с добавкой.

Илья Сергеевич ел, не отрываясь и не глядя по сторонам. Он понимал, что ест неприлично, но ничего не мог с собой поделать. Артобалевский ждал свою порцию и поглядывал на Илью с завистливым интересом. Ещё он разговаривал со своей необыкновенной подругой — он спрашивал, она отвечала.

После ухи принесли судака с грибной подливкой, и это был такой судак, что Илья Сергеевич, подцепив на вилку и отправив в рот кусок, не удержался и застонал.

Артобалевский велел принести ещё одну порцию судака.

— Может, я сюда жить перееду, а? Какая разница, откуда на съёмки и на фестивали ездить, отсюда или из Москвы? Ну его к лешему, офис этот, чего там сидеть-то?.. Мил, переедем?

Тамила сказала, что можно подумать, она не возражает.

Они допили водку и ещё уговорили пузатый чайник с каким-то брусничным чаем и по два куска песочного пирога с морошкой.

Илья Сергеевич попросил пирога с собой. И насыпать в кулёк немного этого самого чаю!

— Оставь людям-то, — развеселился Артобалевский.

— Так это и есть человеку!

— Девочке твоей? А что она обедать не пришла?

Илья сказал, что не знает.

— Они все теперь такие, — сообщил продюсер и посмотрел на Тамилу. — Не едят ничего. Это модно. А уха и пироги — варварство, отсталость и совок.

— Вы вегетарианка? — догадался профессор, и Тамила сказала, что да.

Из номера люкс «Николай Романов» Илья позвонил Ангелу и велел приходить. В ожидании он налил воды в чайник и включил его.

...Зоя Семёновна не любит электрические чайники и кипятит воду на спиртовке. Удивительное дело! Илья быстро посчитал КПД спиртовки и среднее время, за которое можно вскипятить литр воды.

В дверь постучали, и он тут же забыл результат.

— Я принёс тебе пирог с морошкой, — сказал он, как только Ангел вошла. — Девушку Артобалевского зовут Тамила, и она красива просто сверх всякой меры.

Ангел молча слушала.

— Она ничего не говорит первая. Она только отвечает на вопросы и сидит, как будто позирует фотографу. Я даже хотел ей сказать, что здесь никого нет, можно не позировать. Но воздержался.

— Правильно сделал.

— У неё прекрасная улыбка и настороженный взгляд. Она всё время начеку.

Ангел вздохнула и села на полосатую оттоманку.

— Боится его упустить?

— Уверен, что да. Когда я зашёл, она оправдывалась, что приехала. Он говорил, что у него дела и она должна привыкать к этому. Надо сказать, оправдывалась она очень мило. Откуда она узнала, что он здесь, как ты думаешь? Он даже с Лилечкой фотографироваться не стал, чтобы она не выложила снимок в инстаграмм!

— Мало ли, — Ангел пожала плечами. — Секретарша ей сказала.

— Вряд ли секретарша, — заметил Илья Сергеевич. — Особенно, если начальник велел никому не говорить. И она тут же сказала, и кому? Его подружке? Чтоб начальник её назавтра уволил? Да, картину Матвея украл Артобалевский. Он просто снял её со стены и поставил в машину.

— Ты шутишь, да, Илья?

— Он решил отдать картину на экспертизу. Чтобы удостоверится, что её написал великий художник, то есть наш Матвей.

Ангел взяла с тарелки кусок пирога и откусила.

— Как вкусно!

Илья спохватился.

— Я забыл про чай! Подожди, не ешь!

Она замерла с куском в зубах. Потом фыркнула и продолжила есть.

— Как это вкусно!.. Боже мой!..

Илья заварил странную смесь, которую ему принесли в кульке из кухни от Клавдии. В чайнике всплывали цветы, длинные травинки, похожие на осоку, и какая-то хвоя. Пахло лугом и земляникой.

Ангел принялась за второй кусок.

Илья уселся напротив и разлил чай.

— Лилию Петровну Маслову Артобалевский не знает и такой фамилии не слышал. Зато он уверен, что Матвей давно умер или в сумасшедшем доме.

Ангел посмотрела на него.

— Картин мало, и за ними гоняются коллекционеры.

Ангел сосредоточенно отхлебнула чаю, обожглась и зажмурилась.

— И к чему это относится? К числителю или к знаменателю?

Илья Сергеевич засмеялся.

— Да в том-то и дело, что невозможно понять! И сократить уравнение невозможно, оно только удлиняется!..

— Но ты понял, что картины Матвея дорого стоят.

— Но я не понял, есть ли деньги у него самого. И сколько. И где они? Имеет ли смысл за них биться, понимаешь?

— В нашей цивилизации имеет смысл биться за любые деньги, — сказала Ангел. — Людей больше ничего не интересует. Только деньги и слава. Слава и деньги.

— Это опять цитата из книги об истории русского крестьянства?

Она встала, отряхнула пальцы о подол платья и пошла за чайником.

Илья, позабыв про крестьянство, как недавно он позабыл про КПД спиртовки, смотрел на неё.

Она была не в привычных глазу чёрных угловатых брюках с карманами по всей длине, а в сером свободном платье почти до полу. Илья Сергеевич отвёл глаза, но не выдержал и опять уставился.

Платье было особенное — женственное, закрытое, и от закрытости соблазнительное. Вокруг шеи шли мелкие кружева, и шея, и без того скульптурная, казалась мраморной, а скулы идеальными. Синева с запястий всё же отмывалась плохо, и они были трогательные, узкие и исцарапанные.

Илья Сергеевич подошёл и взял её за запястье.

Она обернулась.

— Что?

Он притянул её к себе и обнял свободной рукой.

— Нет, не надо, — заговорила она перепуганно. — Зачем?.. Не надо, Илья.

— Подожди, не мешай мне, — попросил он.

Тыльной стороной ладони он погладил её по виску и по ёжику волос. Она закрыла глаза и потёрлась о его руку. Веки у неё были тонкие, как будто чуть голубоватые, и сильно билась жилка на виске.

— Всё равно, — выговорила она. — Не надо.

— Мне не всё равно, — возразил он.

— Ты занят, — продолжала она. — Ты всё время думаешь. И ты просто придумал себе развлечение. Меня.

— Я пришёл к неутешительному выводу, — сказал он и обеими руками взял её за голову. — Люди придуманы или для того, чтобы мучить друг друга. Или для того, чтобы друг друга развлекать. Между этими двумя явлениями ничего нет. Между ними — коллеги по работе, соседи, однокурсники. То есть ничего, равнодушие.

Она у него в руках пристально смотрела и молчала. Жилка билась всё сильнее.

Илье стало жарко и страшно. И немного щекотно — от предвкушения.

— Я хочу сказать, — он поцеловал её, оторвался от неё и продолжил, — что ты меня развлекаешь. Это так важно.

— Да?

— Да.

Они ещё некоторое время целовались.

Очень жарко было в байковой рубашке, подбитой куцым искусственным мехом!..

Она забралась под эту самую рубашку и гладила ладошками его футболку.

...Зачем она гладит футболку?.. Почему она не гладит его самого?...

Он вдруг вспомнил важное. Он давно хотел спросить и всё откладывал, потому что был уверен, что она не ответит, а сейчас точно знал, что ответит.

— Как тебя зовут?

Она усмехнулась очень женской усмешкой и открыла глаза. И посмотрела очень близко. Он немного дрогнул — так близко она была и так сильно он её хотел.

— Агния, — сказала она.

— Красиво, — сглотнув, оценил профессор Субботин.

Наконец она догадалась и стянула с него байковую рубашку.

— Ты не похож на профессора, — констатировала она, рассматривая его. — В крайнем случае ты похож на аспиранта.

— Я сначала был аспирантом, — согласился он, плохо соображая, о чём она говорит.

Длинные пальцы с розовыми ногтями забрались в рукава его футболки и погладили кожу внутри рукавов.

Илья Сергеевич представить себе не мог, что руки и плечи — это такое опасное место!.. В голове всё заволокло красным туманом. Он видел красный туман, а больше ничего не видел.

Агния прижалась к нему ногами и грудью, он перехватил её под спину и стиснул. Она откинула голову и укусила его в подбородок.

— Ну и ладно, — сама себе сказала она. — Я не хотела. Я дала себе слово. Ну и ладно.

— Слово? — переспросил он.

Он чувствовал её колени, обтянутые тонкой шерстью платья, и довольно полные бёдра со всеми выпуклостями и мечтал поскорее до всего этого добраться.

...Это не может быть роман. Все романы начинались одинаково. Никакого красного тумана, боли в затылке и желания раздирать одежды. Просто некий физиологический процесс — так положено, и положено, чтоб процесс доставлял удовольствие. Значит, попробуем это самое удовольствие извлечь. И дальше всё сводилось к извлечению.

...Нет, это не роман.

— Я дала себе слово, что год буду одна. И тут подвернулся ты.

— Всегда кто-нибудь подворачивается.

Она засмеялась и бедром провела по его джинсовым ногам.

Илья подхватил её, прижал и слегка приподнял над полом. Она была довольно тяжёлая и очень горячая.

Они упали на кровать, которая вздрогнула и застонала, и спешно и отчаянно раздевали и гладили друг друга, и он всё никак не мог оторваться от ёжика её волос и от её острого малинового вкуса. Ему было мало, мало, и все попытки насытиться лишь разжигали жажду.

Она то ли боролась с ним, то ли старалась им завладеть, делала что-то особенное, отчего красный туман у него в голове не только густел, но и раскалялся, как плазма. И можно было прикинуть температуру плазмы, но он совершенно забыл, как это делается, и забыл, зачем вообще нужна температура плазмы.

Они прижимались друг к другу в необъяснимом исступлении, набрасывались друг на друга, и невозможно было понять, что они делают — мучают или развлекают друг друга.

Он победил, конечно. В тот момент, когда и должен был победить. Она сдалась.

И в этот момент объяснилось то, что было необъяснимым, — исступление, жажда, мука.

Никакого извлечения физиологических удовольствий!.. В его победе было поровну усилий тела и души.

Она принадлежала ему, и Вселенная принадлежала ему, и раскалённая плазма, и ледяная пустота — всё принадлежало ему, и он принадлежал миру, в котором всё было по-другому, он даже никогда не мечтал о нём, потому что не знал о его существовании.

Он словно смотрел на Вселенную с другой стороны и удивлялся, что она — такая.

Воронка закручивалась и ускорялась, и, побалансировав на краю и цепляясь друг за друга, они всё же ухнули в самую её сердцевину.

И что там было, в эпицентре, Илья никогда и никому не смог бы рассказать. Даже ей, хотя она была рядом.

...Они лежали довольно долго и как-то отдельно друг от друга. Потом он взял её пальцы и подержал. Приподнялся на локте, и она посмотрела на него.

Одновременно они набросились друг на друга, словно требовалась срочная проверка, повторение. Она не сказала ни слова, и он молчал, и в их молчании тоже был особый смысл.

Когда Илья Сергеевич вспомнил, для чего в принципе вычисляется температура плазмы, оказалось, что за окнами темно.

Агния, подвинув его, выбралась из постели и стала жадно пить холодный чай.

— Дать тебе?

— Конечно.

Она принесла ему полчашки, а потом налила ещё.

Он выпил единым духом и уставился на неё.

— Что ты смотришь?

— Ты совершенное произведение, — сказал он глупость, изумляясь тому, что говорит. — Законченное. Тебя нельзя улучшить. Ты абсолютна, понимаешь?

Она покачала головой. Её необыкновенные светлые глаза казались нарисованным художником — у людей не бывает таких глаз.

Илья взял её за плечи и уложил рядом с собой.

Теперь от неё пахло лесными травами и летом.

— Я никогда не видел таких совершенных... — он поискал слово и нашёл не сразу, — творений.

— А, — протянула Агния. — Я поняла. Ты чокнутый профессор в прямом смысле слова.

Ему было важно, чтобы она поняла, что он хочет сказать. Важно, как никогда в жизни.

Он сел на колени, наклонился и взял в ладони её лицо.

— Нет, послушай меня. Ты не красивая.

— Ужас какой.

— Ты совершенная.

Она потрогала его ладони на своих щеках.

— Что с тобой? — спросила она с нежностью, как будто он был маленький мальчик, а она взрослая женщина. — Что ты хочешь сказать?

Он немного подумал, как объяснить получше.

— Ты восхитительная. Ты вся.

— Ты ничего обо мне не знаешь.

Он удивился. Уж он-то знал о ней всё!..

— Нонсенс, — сказал он, чтобы ничего больше не объяснять, и лёг рядом с ней.

...Должно быть, имело смысл сказать, что всё было чудесно и с ней он пережил лучшие мгновения жизни, но он не умел произносить такие глупости. И почему-то был уверен, что она в них не нуждается.

— Я правда дала себе слово, — сказала она и положила его ладонь себе на лицо, на глаза. — Ни в кого не влюбляться. Никому не верить. Не начинать сначала. По крайней мере год.

— Это очень глупое обещание.

— Почему?

— Потому что от тебя это никак не зависит. Ты же не можешь пообещать себе, что сегодня вечером взойдёт луна. Она или взойдёт или не взойдёт, на её собственное усмотрение. Ты тут ни при чём.

Она помолчала, потом выглянула из-под его ладони.

— Ты думаешь?

Он кивнул.

— Всё равно я не собиралась с тобой... спать.

— Спать, — повторил Илья Сергеевич. — Она не собиралась спать со мной!

— Но ты мне понравился, — призналась Агния и, кажется, покраснела.

— И ты мне понравилась, — сказал он спокойно.

Они просто болтали, и он был уверен, что болтовня не имеет никакого отношения к тому, что только что случилось с ними.

— А что это у тебя за новая теория?

— Какая? — пальцами он легко прищемил ей нос.

— О том, что люди или мучают, или развлекают друг друга.

— На самом деле автор теории — повариха Клавдия. Я рассказал, что мои родители всю жизнь ссорятся и испортили существование друг другу и мне. А она сказала: зато ни одного дня они не скучали. Всё время развлекались.

— Странная теория, — удивилась Агния, пытаясь представить, что было бы с ней, если б её родители каждый день ссорились. Наверное, пришлось бы навсегда уйти из дома и совсем пропасть.

— Я потом подумал и решил, что в этом есть смысл.

— Я тоже потом подумаю и что-нибудь решу, хорошо?

Он перестал хватать её за нос и стал гладить по голове.

— Артобалевский теперь пропадёт, — протянула она задумчиво, следуя странной ассоциативной цепочке. — Подруга его не выпустит.

— Может быть, ему и не нужно вырываться.

— Это ему сейчас не нужно. А время пройдёт?

— Я не знаю, — признался Илья Сергеевич. — Хотя, конечно, любая красота приедается, если это не... совершенное творение.

— Да ну тебя с твоими творениями!..

— Нельзя просто красоту переделать под совершенное творение.

— Говорю тебе, она ему надоест, а деваться будет некуда. — Агния вздохнула и продолжала: — Катерина даже плачет как-то так, что становится понятно, что жизнь у неё кончилась. Она была за ним замужем двадцать пять лет! Я столько на свете не прожила.

Илья Сергеевич улыбнулся в темноте.

— И оказалось, что целых двадцать пять лет прошли напрасно. Просто так! Муж её больше не любит. Дети выросли. Знакомые, когда муж её бросил, бросили Катю тоже.

— Откуда ты знаешь? Она так говорит?

Агния кивнула.

— И получается какая-то чёртова несправедливость!

— Согласен.

— И с Матвеем тоже несправедливость.

Илья сбоку посмотрел на неё. Она покивала.

— Он талантливый художник, да? Оказывается, даже знаменитый! И вдруг заболевает какой-то неведомой болезнью и не может писáть! Он никому не нужен, сидит на берегу и думает о чём-то. Он же ни на что больше не годен! Так бывает со всеми талантливыми людьми, они приспособлены только для чего-то одного.

— Согласен, — повторил Илья.

— Он сам себе больше не нужен, — объясняла Агния серьёзно. — Ему незачем жить, а недавно ещё было зачем! И это очень несправедливо.

— Он кормит собаку, — вспомнил Илья.

— Какую собаку?

— Ту, которая ждёт его возле Зоиного магазина. По вечерам она прибегает сюда, и он её кормит.

— Откуда ты знаешь?

— Я видел в окно. Можем вместе посмотреть. Который час?

Агния поднялась и подошла к окну — высокая и сильная, немного серебристая от осеннего лунного света, совершенное творение. Он стал у неё за спиной, обнял за плечи и положил подбородок на бритую тёплую макушку.

Они стояли у окна, смотрели в тёмный парк и думали вовсе нс о Матвее и собаке.

— Почему ты больше не пишешь в блокноте?

— Пока нечего.

— Жалко, — вздохнула она.

— Почему?

— Мне так нравится, как ты пишешь! Как курица лапой. И делаешь умное лицо.

— Оно у меня от природы умное, — заметил Илья Сергеевич, целуя Агнию в висок.

— Тебе вправду кажется, что я красивая?

Он хотел опять прочесть небольшую лекцию о её совершенстве, но движение снаружи привлекло его внимание. В белых языках тумана кто-то шёл, как вброд, появляясь в свете из окон и вновь пропадая в темноте.

— Там кто-то есть, — зашептала Агния. — Во-он, смотри!

— Я же тебе говорю, — тоже шёпотом ответил профессор. — Матвей кормит собаку.

Он дотянулся до щеколды — в номере люкс «Николай Романов» на окнах были щеколды, — осторожно повернул её и, сильно и неслышно дёрнув, приоткрыл окно.

В комнату ворвался холод, запах сырых листьев и дальний шум леса.

Ничего не было видно. Лес шумел, и ветер завывал в старинных печных трубах — негромко, но словно с угрозой.

— Где он? — на ухо Илье спросила Агния.

Он чувствовал её губы на своём ухе и смотрел вниз.

Ещё тень мелькнула в стороне и пропала, потом мелькнула ещё раз.

— Где ты? — негромко позвали снизу. — Иди сюда!

Ветер налетел, и лес сразу сильно и тревожно зашумел.

Произошло движение, раздался резкий звук, потом всхлип или стон.

Илья рванул на себя раму.

— Эй! — заорал он во всё горло. — Что там происходит?! Матвей!

Чёрная тень метнулась в одну сторону, потом в другую.

— Матвей!..

— Что случилось? — испуганно спросила Агния. — Я ничего не вижу.

Он схватил джинсы, кое-как втиснулся в них, нацепил рубаху и полез в окно.

— Ты что?! Второй этаж!

Но ему некогда было идти по лестнице!..

Держась руками, он вылез на полукруглый холодный парапет. Водосточная труба, которая могла ему помочь, была через два окна. Лицом к стене, нащупывая босой ногой опору, он шагнул раз, потом другой, изловчился и перехватил руками жестянку подоконника.

Агния торчала в окне — тёмный силуэт.

Илья добрался до трубы, пристроил голую ступню на ледяное металлическое кольцо, упёрся, обнял трубу, примерился, побалансировал и спрыгнул.

— Матвей, ты где?!

Ничего не было видно. Света из окон первого этажа не хватало, он едва доставал до детской площадки.

Ветер качал качели, они поскрипывали.

Уить, уить.

Илья побежал по лужайке мимо площадки в сторону леса. Ему казалось, что он бежит в озере из чернил и не двигается с места.

Он споткнулся, упал на колени и локоть, охнул, перекатился, повернулся и понял, что споткнулся о тело.

Матвсй лсжал лицом вниз, вытянув руки по швам.

Трудно дыша от боли, Илья подполз и перевернул его.

Матвей — или то, что было раньше Матвеем — медленно и нехотя, словно стараясь не пугать, перекатился на спину. Голова свалилась набок.

— Матвей? — позвал Илья.

Ему страшно было смотреть и трогать его. Пересиливая себя, он всё же наклонился и посмотрел и потрогал за руку.

Распахнулась кухонная дверь, залив жёлтым светом чёрную траву, вспыхнул над крыльцом фонарь, выскочили люди.

— Я не знаю, жив он или нет, — стоя на коленях, сказал Илья этим людям.

Кто-то вскрикнул, побежал, зажглись фонари.

— Илья, — говорили сверху, — вставай.

Вокруг кричали и двигались.

— Мужики, давайте его в машину и в больницу. Ну! Кто там?! За руки, за ноги! Взяли!.. Где здесь больница?.. Я знаю где, пустите! Нельзя трогать! Врача надо!

Запричитала какая-то женщина.

— Господи помилуй, никак и этого убили! Что ж это делается, люди?! Помогите! Нас тут всех переубивают!

Илья потянулся и потрогал голову Матвея — или того, кто раньше был Матвеем. Илья точно помнил, что у Матвея были светлые волосы, а сейчас они казались тёмными. На пальцах осталась липкая и тёплая чернота.

— Илья, не трогай его! Вставай!..

Кто-то велел женщине замолчать, и она послушно перестала голосить. Засигналила машина, два расширяющихся световых ствола как будто упали сверху на лужайку.

— Так, подняли его! За плечи и за ноги! Раз-два! Взяли!

Тело Матвея подняли, руки свесились и потащились по траве.

Хлопнули двери, заревел двигатель, свет задвигался, то приближаясь, то удаляясь, и вскоре исчез.

Илья Сергеевич медленно поднялся с колен.

— Кто его так? — спросили рядом. — И за что?

— Да был бы жив!

— Да где ж он жив, когда полголовы нету!..

— Илья, — тихо позвала рядом девушка. Её имя он позабыл. — Он умер, да?

— Я не знаю.

— У тебя руки в крови.

Он посмотрел на свои ладони, повернул так и сяк.

— Куда его повезли-то?

— Да тут в двух шагах больница.

— Что толку от этой больницы! В Ярославль нужно. А до Ярославля далеко, да ещё в потёмках!

— Ох, бедолага! На кого это он тут набежал? У нас сроду спокойно было!

Илья Сергеевич оглядел людей.

Агния в платье и беленьких гостиничных тапочках стояла, свесив руки. Губы у неё кривились, словно сами по себе. Клавдия курила толстую папиросу и качала головой. Лилечка и Ванечка испуганно смотрели по сторонам и даже не предлагали никому сделать селфи. Николай Иванович стоял по стойке смирно неподалёку от Катерины, которая закрывала меховым шарфом лицо. Администраторша трясущимися руками тыкала в кнопки телефона.

Чёрная лохматая собачонка крутилась между людьми и время от времени принималась заливисто и злобно брехать.

— Пошла вон! Замолчи! Кому говорю!

— А как его, бедолагу?

— Да как! Небось дали по голове!

— Может, он сам упал, да и ударился обо что-то!

— Что такое вы говорите!

Илья слушал людей, и голоса больно отдавались в черепе, как грохот взрывов.

...У Матвея было воспаление паутинной оболочки мозга, и он не мог слышать звуки и видеть свет. Он сидел в темноте, зажав уши подушками.

...Он где-то потерял своих — старого шкипера и его коричневую обезьяну — и не мог их найти, и не знал, где искать.

...Где сейчас сам Матвей?

— Чего тут у вас? — деловито спросил Артобалевский.

Илья оглянулся, и Катерина оглянулась тоже. Он подошёл со стороны кухни, на плечи его была накинута куртка, подбитая блестящим мехом, он курил и щурился от дыма.

— Нападение на отдыхающего, — проинформировал Николай Иванович. — Покушение на убийство.

— А?! — изумился Артобалевский. — Какое покушение?!

— Кажется, Матвей погиб, — сказала Катерина в мех. — Он с нами вместе всегда завтракает. Симпатичный такой парень.

— Да чего вы все несёте-то?! Кать? Илья?!

— Матвей Вильховский, художник, — сказал Илья. — Я у тебя за обедом о нём спрашивал. Ты собираешь его картины. Кто-то ударил его по голове.

Артобалевский длинно присвистнул.

— Совсем убили? Или нет?

— Ранение, конечно, значительное, — сообщил Николай Иванович строго. — Орудие преступления бы поискать, нужно только утра дождаться. Товарищи, полицию кто-нибудь вызвал?.. Позвоните в полицию, товарищи!

— Куда его повезли? — деловито спросил Артобалевский Субботина. — Ты чего молчишь, в кому впал? Кать, куда повезли мужика?

— В больницу, Петя. Здесь сельская больница, за плотинкой направо.

— За какой ещё плотинкой! Кто с ним поехал?

— Ох... охранник наш машину подогнал, погрузили его, да и повезли, — прорыдала администраторша, — и племянник мой с ними поехал, он у нас тоже охранником служит. Господи, помоги им!

— Кто знает, где больница? Кать?

Она кивнула, не выныривая из меха.

— Пойдём, покажешь, — велел Пётр.

Тут Илья вдруг сообразил, что ещё ничего не кончилось. Матвей может быть жив!

Или не может?..

— Я с тобой, — сказал он Артобалевскому.

— Башмаки надень и догоняй, — велел тот. — Как ты здесь босиком оказался, мать твою за ногу?!

— В окно вылез.

Артобалевский кивнул, как будто это было в порядке вещей — вылезать по ночам в окно на втором этаже.

— Кать, давай шевелись!

Всё вдруг пришло в движение, как будто Артобалевский был пароходом, поднявшим большую волну. Широким шагом он пошёл по лужайке, за ним, спотыкаясь, бежала его жена. Илья схватил Агнию за руку и потащил за собой. Через кухню они влетели на лестницу и ворвались в номер.

Словно от этого могло зависеть хоть что-то, Илья затолкал ноги в кеды. Ноги были мокрые и не лезли, от нетерпения и ярости он рычал.

— Где моя куртка?

Агния подала ему куртку.

— Запри дверь и не выходи никуда.

Она кивнула, соглашаясь.

Он выскочил в коридор, и она тут же выскочила следом за ним.

— Я с тобой.

Он не стал спорить.

— Где эта больница, ты знаешь?

— Найдём, — бросила на ходу Агния.

Возле эркера уже стояла полицейская машина и негромко переговаривались какие-то люди.

Илья приостановился.

— Зое Семёновне позвоните, экскурсоводу, — попросил он, ни к кому не обращаясь. — Прямо сейчас.

Люди смолкли и проводили его глазами.

Больница и впрямь была сразу за плотинкой. Над крылечком в две ступеньки горел жёлтый фонарь, во дворе стояла машина с распахнутыми дверями.

Илья взбежал на крыльцо, и навстречу ему из больнички словно вывалился Артобалевский.

— Ну, жив пока, — говорил он в телефон. Свет отражался от бритого черепа. — Но надежды мало. Так говорят. Да чего тут есть, ничего нет, сельская больница!

Свободной рукой он взял Илью за плечо и повернул, заставив идти рядом с собой.

— Да, добро, жду! Не ходи туда, — велел он Субботину. — Их там двое всего, я имею в виду персонал, фельдшерица и медсестра, по-моему. Им сейчас мешать никак нельзя. Им продержаться надо.

Следом вышла Катя и тихо притворила за собой дверь.

— Позвонил, Петь? — буднично спросила она.

— Позвонил. Ждать надо.

— Будем ждать, раз надо.

— Он точно жив? — подала голос Агния.

— Пока жив, девочка, — отозвалась Катя. — Но в тяжёлом состоянии. Будем надеяться.

Пинком ноги Артобалевский захлопнул дверь машины.

— А где эти гаврики, которые его привезли? Вот на этой тачке? Там, что ли, торчат? Кать, пойди выгони их!.. Нечего там торчать!

— Иди сам и выгони.

— Ничего без меня не можешь, — злобно выговорил Артобалевский. Тем не менее взбежал на крыльцо, дверь проскрипела, и через некоторое время из больницы вывалились охранники и великий продюсер за ними. Илье показалось, что Пётр держит их за шкирки.

— Все расходятся по рабочим местам и занимают оборону. Дежурным по штабу назначаешься ты, — он ткнул пальцем в младшего, с войлочными щеками. — Значит, действуешь так. Ничего ни у кого не спрашиваешь, понял, да? Звонишь директору и ясно излагаешь, что случилось. Случилось следующее — покушение на убийство отдыхающего. Отдыхающий тяжело ранен, но пока жив. Пусть директор поднимает местное МЧС. Из Москвы придёт борт, он должен где-то сесть. Нужен свет и ровная площадка. Всё понял?

Мальчишка кивнул.

— Запиши мой телефон. Нет, лучше давай свой номер, я на него позвоню, у тебя опрсдслится. Выполнишь и доложишь.

Мальчишка ещё раз кивнул. Щёки у него покраснели.

— Всё, с богом.

— Какой вертолёт ночью, Петь? — негромко спросила Катерина. — Они по ночам не лстают.

— Летают, когда надо, — огрызнулся её муж. — Военные и медицина, знаешь, не только в светлоc время на службе! А этот парень правда Вильховский?

Илья кивнул.

— То есть он не помер и не в сумасшедшем доме?

Илья улыбнулся.

— Сам сказал, что жив пока.

— Тьфу-тьфу-тьфу, — быстро сплюнул Артобалевский. — Кто мог так его угостить? И за что?

— Я тебе потом скажу.

— А ты знаешь? — не поверил Артобалевский.

— Сейчас знаю, — кивнул Илья Сергеевич. — Пока его не ударили, не знал.

— Как?! — вскрикнула Агния.

— Не кричи, девочка, — поморщился продюсер и оглянулся на двери больнички. — Лишь бы прямо сейчас не помер, а там ничего, вытянут его.

— Откуда ты знаешь? — прицепилась Катерина. — Вот всё ты на свете лучше всех знаешь!

— Да, Кать, знаю! Я, Кать, реальный человек и реальную жизнь живу! И за всё отвечаю, больше некому отвечать!.. Между прочим, ехать сюда была твоя идея! Никого нет, никто не узнает, всё тихо-спокойно! Поговорим и обсудим! — передразнил он. — Обсудили, мать твою!

— Не ехал бы, мать твою!

— Да не хотел я ехать!.. Всё твои заходы! Лучше бы в Москве сидел, честное слово! И разговаривать с тем же успехом мы могли в редакции журнала «Татлер»! А подружки твои все рядом бы стояли, в рот смотрели, фотографировали и сразу в Интернет выкладывали!

— У меня нет подружек, Петь!

Он махнул на неё рукой.

Катерина полезла в карман, достала плоскую серебряную фляжку, отвинтила крышку и хлебнула. Потом протянула мужу, он тоже хлебнул, изрядно. Внутри фляжки побулькало. Он тщательно завинтил крышку и сунул фляжку Кате в карман.

Агния быстро посмотрела на Илью.

— В общем, жалко парня, — помолчав, констатировал Артобалевский. — Хороший художник, да, Кать?

— Он гениальный художник, а не хороший.

— У тебя все гениальные.

— Петь, у меня не все гениальные! Но этот — гений, я тебе точно говорю.

По пустынной улице зазвучали шаги — человек бежал изо всех сил. Илья оглянулся. Он знал, кто это бежит.

В больничный дворик влетела Зоя, наткнулась на Артобалевского, как слепая, ринулась опять бежать, и он её перехватил.

— Тихо, тихо!..

— Пусти меня!

— Тихо, сказал!

Она билась и вырывалась. Подошла Катерина и взяла её за руки.

— Тише, Зоя. Не шумите.

— Туда нельзя. Незачем. Слышишь? Там всего два человека, и они... стараются. Им рану нужно промыть, обезболивающее дать, перевязать, кровь он теряет. — Артобалевский потряс Зою за плечи. — Дай им работу сделать. А потом будешь причитать.

Зоя вся тряслась так сильно, что прыгали на носу очки.

— Он умрёт, да?

— Дура, — спокойно сказал Артобалевский. — Чего ты каркаешь?

— Ему нельзя умирать, — выговорила Зоя, — он самый лучший человек на свете.

— Значит, не умрёт, — заключил Артобалевский, твёрдо глядя ей в глаза. — Кать, дай ей глотнуть.

— Зачем же его? — спросила Зоя. — Его-то уж точно нельзя! Без него всё пропадёт.

— Значит, не пропадёт. Глотни, глотни. Ну, разом!..

В кармане у него зазвонил телефон. Он кивнул Катерине, она подошла и вместо него взяла Зою за плечи. Он негромко разговаривал и расхаживал вдоль крыльца. Свет фонаря взблёскивал на бритой голове.

— Летят, — буднично доложил он, сунув телефон в карман. — Ждём. Ну, где этот чудило, директор-то? Садиться куда будут?

Он вдруг обнял Катерину и прижал к себе. И она обняла его, и они так немного постояли, обнявшись.

Потом Артобалевский снова легонько потряс Зою за плечи.

— Всё уже делается, — сказал он с нажимом. — И ты раньше времени волну не гони. Ему сейчас помогать надо, а не мешать. Пойди, соберись. Вещички там, всякое такое. Ты же с ним полетишь?

Кажется, Зоя немного пришла в себя. Она первый раз посмотрела осмысленно и пожала Артобалевскому руку.

— А ты, девочка, говоришь — кино про попов, — непонятно сказал Пётр Агнии. — Вот тебе и кино.

— Зоя, мне нужно попасть в комнату Матвея у вас в магазине, — попросил Илья. — Откроете мне?

— Открыто там. Я как раз в мастерской шила, когда, — лицо у неё напряглось, заходили желваки, но она справилась с собой, — когда мне позвонили. Я и побежала. Всё там открыто.

— Кать, сходи принеси мне свитер, холодно. — Жена посмотрела на него. А он на неё. — Что такое?!

Тут он сообразил и, кажется, смутился. Это было странное и невероятное зрелище — смущённый Артобалевский.

— Я сбегаю, у нас есть! — встряла Агния пылко. — Я сейчас, три минуты.

И она бросилась бежать.

Илья подумал, что тоже помчался бы за свитером для Артобалевского. За водкой, сигаретами, за чем угодно.

...Вся надежда только на этого человека. И они готовы были ему служить — как угодно. Он единственный, кто сейчас мог помочь, и он помогал!.. Остальные в эту секунду просто ждали. Боролись двое — умирающий Матвей и спасающий его Артобалевский.

...Почему так получилось? Кто так решил?..

— Старый шкипер и коричневая обезьяна, — пробормотал Субботин. — Зоя, давайте мы с вами правда соберёмся. Времени не так много.

— Кать, иди тоже. Холодно и поздно уже совсем.

— Ты, Петь, последний разум потерял. Никуда я не пойду.

— Мы сейчас, — пообещал Илья Артобалевскому. — Скоро вернёмся.

На плотинке им навстречу попались Клавдия и Николай Иванович. Она летела, как быстроходная, хоть и тяжеловесная машина, Николай Иванович едва поспевал за ней.

— Чего там? — издалека закричала Клавдия. — Жив, нет?

— Жив, — быстро сказал Илья.

— Пётр Петрович с супругой там, у пострадавшего? — осведомился Николай Иванович, слегка задыхаясь.

В стиснутой со всех сторон шкафами крохотной прихожей Илья подождал Зою. Она собиралась минуты три.

— Я готова.

Он ничего не стал ни спрашивать, ни уточнять. Готова, и отлично.

Если с Матвеем всё будет хорошо, остальное не важно. А если он не справится, ей ничего не понадобится.

— Зоя, проводите меня в магазин. Я посмотрю коечто, и вы запрёте дверь.

— Я не могу, — испугалась она. — Как же я пойду! А вдруг опоздаем! Его без меня увезут!

— Не увезут, — сказал Илья. — Его никуда не увезут без вас!..

Она упиралась и не шла, Илья Сергеевич несколько раз повторил ей, что вертолёт они уж точно услышат и в случае чего Артобалевский позвонит. В конце концов он её заставил. Она быстро пошла в сторону «Народного промысла», поминутно оглядываясь на плотинку.

В Сокольничьем никто не спал, по всему селу горели огни. Машина подлетела к ярко освещённому эркеру, возле которого толпился народ, завизжала тормозами.

— Лучше б ты меня наказал, — бормотала Зоя себе под нос. Вытертый цветной рюкзачок прыгал у неё на спине. — Его не за что! Разве можно его наказывать? Он же добрый, самый добрый, нет таких больше. Всех жалеет. Себя никогда не жалел, а всех жалеет. За что ты его? Да ещё по голове? У него такая голова светлая, и чего там только нет. А чего ещё будет! Зачем ты так с ним? Убил бы меня, да и всё. От меня толку никакого, пустоцвет, лгунья. А он?..

Илья сбоку посмотрел на неё и всё же спросил:

— Вы к кому обращаетесь?

Она замолчала.

Задняя дверь в магазинчик была распахнута настежь, свет падал на охапки листьев и неподвижные стволы деревьев. Возле двери лежала чёрная собачонка. Завидев их, она вскочила и зарычала, а потом залаяла, припадая на короткие лапы.

Илья сразу поднялся на второй этаж. Здесь тоже горел свет и было холодно. Он огляделся и перевёл дыхание.

В центре большой квадратной комнаты стоял стол, заваленный чем попало — бумагами, лоскутами, катушками ниток, лентами, обрывками кружев, карандашами и книжками. Глухо зашторенные окна выходили на две стороны. Возле одного из окон притулилась ножная швейная машинка с прикрученной лампой. С машинки свисала какая-то работа, которую, должно быть, и делала Зоя, когда ей позвонили. На древнем диване с ковровой спинкой лежали подушка и лоскутное одеяло, огромный ком, в углу сидел ещё более древний медведь неопределённого цвета. От старости все швы на медведе расползлись, изнутри точилась жёлтая труха.

Илья Сергеевич потрогал медведя.

Против воли он всё время прислушивался, надеясь расслышать вертолёт, и от этого плохо соображал.

...Лети, говорил он вертолёту, ну где же ты? Если ты прилетишь, мы сможем надеяться. Лети давай!..

...Тёмные ночные леса до самого горизонта, и за горизонтом тоже леса. Слабо освещённые нитки дорог. Широченная неприступная река, и её тоже нужно перелететь, преодолеть. Здесь почти ничего не изменилось с тысяча семьсот восемьдесят пятого года, и непонятно, постоянно время или дискретно, и можно ли оказаться внутри его!

...Лети, сказал Илья вертолёту. Мы тебя ждём. И здесь у нас время идёт в одну сторону и скоро может закончиться, иссякнуть.

Он вздохнул и спросил у Зои, которая с изумлением оглядывалась по сторонам, словно ничего не узнавала в этой комнате:

— Матвей принимал лекарства?

Она кивнула.

— Где они? Зоя!

Она показала на маленький столик.

— И в гостинице у него тоже есть. Он же здесь не всякую ночь ночевал.

— Почему он не жил тут постоянно?

— Чтоб мне хлопот поменьше, — сказала она и улыбнулась. — Да и Лилия Петровна бы не одобрила, если б узнала. Но она не знала!

— Я это уже слышал.

Илья подошёл к столику и стал перебирать белые аптечные баночки.

— Это всё его лекарства?

Она опять кивнула.

— Я их заберу, — сказал Илья. В лекарствах он ничего не понимал.

— Как же, — заволновалась Зоя, — заберёте, а ему понадобятся!

— Ему в больнице выпишут, — успокоил Илья. — Он их здесь покупал или с собой привозил?

— И сам привозил, и Лилия Петровна привозила, если он подолгу в Сокольничьем задерживался. У нас тут таких лекарств не бывает, это всё иностранные!..

— Иностранные, — повторил Илья.

— Бежать надо, — торопилась Зоя. — Опоздаем. Я тогда пешком в Москву пойду. Далеко, долго буду идти.

— Мы не опоздаем.

Он ещё раз оглядел комнату.

— Илья! — закричали снизу. — Где ты?

— Мы здесь, — отозвался он. — Наверху! Поднимайся!

По лестнице затопали ноги, и ворвалась запыхавшаяся Агния.

— Артобалевский сказал, минут пятнадцать, — выпалила она и облизала губы. И привалилась спиной к косяку. — Садиться будут на луг, который за гостиницей. Туда подогнали машины, всё осветили. И прожектор подключили, чтобы с воздуха было видно.

Илья в последний раз оглядел комнату и вдруг зацепился взглядом за что-то знакомое. В один шаг он подошёл к столу и вытащил из-под лоскутов и обрывков чёрную папку с белой наклейкой. На наклейке было красиво выведено «Господину Субботину».

Это была та самая папка, которую ему передал директор. Та самая, что пропала у него из номера. Она была пуста.

— Откуда она здесь?

Зоя уже начала спускаться по лестнице, остановилась и оглянулась. И продолжила спускаться.

— Зоя! Откуда здесь эта папка?

— Да Матвей забрал, — объяснила она с досадой, словно удивляясь, что Илья не может понять такой простой вещи. — У вас из номера и забрал. Он к вам зашёл, увидал папку, открыл, читать стал. Ну и забрал её! Сказал, много чего там про людей понаписано! Вдруг кто-нибудь прочитает, кому читать это не положено? Людям всю жизнь испортит, навсегда.

— Как он попал ко мне в номер?

— Не знаю как, зашёл, должно быть. Ну, конечно, зашёл. Вы к нему постучали, а он не открыл. Он потом к вам пошёл, у вас открыто было. Он и стал из папки читать.

— Зоя! Где бумаги, которые там были?

— Мы сожгли! — И она пошла по ступенькам. — Вон, на первом этаже, в голландке. Я растопила, Матвей все бумажки вытащил и пожёг по одной.

Илья Сергеевич швырнул папку обратно на стол, на секунду прижался лбом ко лбу Агнии и, подталкивая её перед собой, побежал вслед за Зоей.

Вертолёт работал винтами, в разные стороны летел песок. Лица секли мелкие камушки, трава и ветки. Люди жмурились, закрывались руками и шапками, сдёрнутыми с головы. Кто-то что-то кричал, но ничего не было слышно за шумом двигателей. В свете многочисленных автомобильных фар Артобалевский что-то говорил и жестикулировал — он нацепил наушники с гарнитурой, — его слушали свесившийся из кабины пилот и человек в синей эмчеэсовской форме. Дослушав, пилот захлопнул дверь. Артобалевский содрал с бритой головы наушники и сунул мужику в форме. Тот забрался в вертолёт. Артоболевский, налегая плечом на плотный поток воздуха и чуть не падая, пошёл от вертолёта в сторону.

Двигатели изменили такт, лопасти вращались всё быстрее, машина вдруг как будто присела, оторвалась от земли, качнулась вперёд, словно набычилась, и пошла, быстро и плавно набирая скорость.

Люди стояли, задрав головы.

Звук двигателей занимал всё небо и весь воздух, мигали бортовые огни, тонкие деревца гнулись, и по тёмному озеру, время от времени возникающему во всполохах вертолётных огней, пошла мелкая зыбь.

— Ну, помогай Господь, — пробормотала рядом Клавдия, когда рокот затих и огни пропали за лесом. — Что же это делается-то, а?..

И побрела прочь, тяжело переставляя обычно лёгкие толстые ноги.

Артобалевский закурил и сел на землю. Его с разных сторон обходили люди.

Подошла Катерина и села на землю рядом с ним.

— Встань, Кать, земля холодная.

— Мне, Петь, детей не рожать.

Он сунул ей свою сигарету, она затянулась и вернула ему.

— Ты такой молодец, — сказала она.

— Да ладно.

Илья Сергеевич взял за плечо Агнию, которая всё смотрела в небо. Не оглядываясь, она накрыла ладонью его руку и прислонилась к нему спиной.

— Где они садиться-то будут, Петь?

— В Склифе, где ещё.

— Документы она хоть взяла, эта Зоя?

— Откуда я знаю, Кать! Денег я ей в карман сунул. Там не так чтобы много, но перебиться хватит.

Катерина посмотрела на него, хотела что-то сказать, даже губами пошевелила, и не стала говорить.

— Илья, — позвал Артобалевский, — чувствую, должны мы водки выпить, а? Ты как?

— Давай выпьем, — согласился Илья Сергеевич. — Как ты вертолёт добыл, Пётр Петрович?

Артобалевский махнул рукой, поднялся и потянул с травы супругу.

— Если при моей работе ещё и вертолёт не добыть, тогда, выходит, кто я такой?! Пустое место и жизнь зря прошла?

— Твоя жизнь не зря прошла, — сказала Катерина твёрдо.

Очень быстро они напились — после второй стопки это стало совершенно очевидно. Женщины принялись рыдать, а мужчины брататься.

— Постой, с чего мы так надрались? — спросил Илья Сергеевич при последнем проблеске разума. Он дотянулся до бутылки и посмотрел её на свет. Там оставалось примерно две трети.

— От нервов, — сказала Катерина, всхлипывая. — Девочка, не пей больше, пить вредно.

— Я не буду, — пролепетала Агния и залилась слезами.

Артобалевский курил, сыпал пепел на белоснежную рубашку, тыкал окурки в блюдца, и никто не говорил ему ни слова и замечаний не делал.

Сегодня ему можно всё что угодно. И не важно, знает он сам об этом или нет. Главное, об этом знали все окружающие, весь мир.

Абсолютно пьяный Илья Сергеевич спросил у Артобалевского, где его русалка. Если бы он не был так неприлично пьян, ни за что бы не спросил.

— Спит, — сообщил Артобалевский, — прикинь? У неё режим, прикинь?

— Да ну-у-у, — не поверил профессор.

— Ну-у-у-у, — передразнил продюсер. — Я знаю, что говорю!.. Пьёт какие-то таблетки из водорослей, на лицо маску, через пять минут — готово! Хоть из зенитки пали, ни за что не проснётся! Вот здоровый организм, а?!

— Молодой, — поддержала его супруга.

— Она меня день и ночь караулит, — Артобалевский опрокинул ещё стопку. — А сейчас всё проспала. Вот так может быть? А вдруг мне бы тоже... по башке... кто бы тогда... со мной... стал... возиться?..

— Я стала бы, — сказала Катерина и опять зарыдала. — Петенька, не надо по башке, береги себя, пожалуйста! У нас же дети!

— Дети? — осведомился Артобалевский. — Какие дети?

— Наши, — прорыдала Катя. — Наши с тобой дети.

— А! Про наших детей я помню. Надо им позвонить. Кать, ты им сегодня звонила?

— Петь, я им каждый день звоню!

— А матери моей звонила?

— И матери звонила. Она думает, что мы отдыхать уехали.

— А мы куда уехали? — поинтересовался Артобалевский.

— Разводиться, Петь!

— А! Про развод я помню. Иди спать, Кать, я сейчас приду.

— Куда?! Куда ты придёшь?

— К нам. А куда я должен идти?

Илья Сергеевич при самом последнем проблеске сознания понял, что это плохо кончится.

— Давай я тебя провожу, — предложил он Артобалевскому. — В каком номере ты живёшь?

— Не нужно меня провожать, я сам дойду! Отлично всё будет!

Артобалевский жил в люксе под названием «Александр Третий».

— Как ты думаешь, — спросил профессор Субботин, подтаскивая продюсера к двери, — почему мой царь назван по фамилии, а твой по порядковому номеру?

— Какой царь?

— Где твой ключ?

— Чёрт его знает.

— Потерял?

— А он у меня был?

— Давай стучать, — предложил профессор, и продюсер охотно согласился.

Они стучали и шумели долго и не слишком прилично.

— Никто не открывает, — констатировал Илья Сергеевич.

— А кто там, внутри? — вопросил продюсер.

— Твоя подруга!

— А! Про подругу помню. Я пока к жене пойду. Чего мы тут с тобой торчим ночью посреди коридора?

Илья Сергеевич поволок Артобалевского в другое крыло и сдал с рук на руки Катерине.

По дороге к себе он пытался сообразить, зачем они на самом деле ломились в чужую дверь, если можно было сразу пойти к Катерине.

Илья проснулся, точно зная, что впереди у него длинный и трудный день. Он помнил наперечёт дни, когда просыпался с таким определённым знанием и ясной головой — перед защитой докторской и перед несколькими самыми ответственными выступлениями.

Он не волновался и ни в чём не сомневался. Он был собран и абсолютно уверен в себе.

Агния спала рядом, привалившись к нему тёплой попой, и он немного полежал неподвижно. Ему жалко было её будить.

— Девочка, — сказал он в конце концов, осторожно повернул голову и поцеловал её, куда пришлось, — просыпайся. Нужно вставать.

Она проснулась мгновенно и тут же хрипло спросила:

— Что случилось?

— Ничего не случилось. Утро.

— А Матвей?

Илья поцеловал её ещё раз.

— Я пока ничего не знаю. Мы сейчас всё выясним.

Она резко села, потрясла головой и потёрла руками бледное лицо. Даже после сна она была бледной.

Илья немного полюбовался на неё, как бы сожалея, что ему предстоит надолго, на целый день обо всём забыть — о том, какая она красивая, совершенное творение, о том, как она дышит, о том, какие у неё пальцы и щёки.

— Илья, за что Матвея пытались убить?

— Я тебе всё расскажу.

— За его работу? Или за деньги, о которых ты вчера говорил?

— За кеды, — непонятно сказал Илья и ещё раз поцеловал её. — За кеды и необыкновенную память.

Он встал — Агния следила за ним, в глазах у неё сквозила тревога.

Илья открыл воду в ванну — она ровно и мощно загудела — и достал свежую футболку. В его свитере вчера ушёл Артобалевский, а клетчатая рубаха на куцем меху была вся в бурых пятнах засохшей крови. Илья снял её с вешалки, куда зачем-то вчера повесил, и кинул в угол за диван.

— Хочешь, принесу толстовку? У меня их тьма, — предложила Агния.

— Твоя толстовка на меня не налезет.

Агния выбралась из кровати.

— Не льсти себе, — хмыкнула она и поцеловала его. — Они все мужские, размер три икс эль.

— Ах да, — вспомнил Илья Сергеевич, — точно. Магазин «Ночные волки»!

Пока он принимал душ и с особой тщательностью — как перед боем — брился, Агния притащила две одинаково дикие толстовки. На одной был череп, а на другой иероглифы.

— Что здесь написано? — осведомился профессор Субботин.

Агния сказала, что не имеет представления.

— Плохо, — констатировал он. — Всегда лучше знать, что на тебе написано, чтобы не попасть впросак.

И натянул иероглифы.

— Подожди, дай я ценник оторву, — Агния полезла к нему за шиворот. — Послушай, профессор, ты мне вот что скажи. — Она возилась у него за плечом. — Больше никого не убьют?

— Нет.

— И ты знаешь, кто это всё делает?

— Да.

— И знаешь зачем?

— Да.

Она ещё немного повозилась и показала ему оторванную бирку.

Илья обнял её, прижал к себе, поцеловал в бритую горячую макушку.

— Самое главное, чтобы Матвей выжил, — сказал он, и голос у него дрогнул. — Впрочем, от нас это не зависит.

Она покачала головой — нет, не зависит — и с сочувствием посмотрела ему в лицо.

— Приходи в ресторан, — распорядился Илья Сергеевич.

— Мы же вчера страшно напились, — спохватилась Агния. — В ресторане! Я совсем забыла! Артобалевский еле на ногах стоял.

— Мы не напились, — возразил Илья Сергеевич. — Это называется — компенсаторные реакции головного мозга. Мы устали, замёрзли и перенервничали. Вот и всё.

— Не знаю, как ты, — сообщила Агния с некоторой гордостью в голосе, — а я страшно напилась.

Илья сбежал по лестнице. Он решил, что сначала непременно позавтракает и только потом примется за свои многочисленные дела, но одна мысль не давала ему покоя, и он хотел прямо сейчас убедиться в своей правоте.

— Олег Павлович приехал? — спросил он администраторшу, и та закивала.

— На месте, на месте. Ждёт, просил сразу вас к нему приглашать!..

...Ну уж нет. Я приду, когда мне будет нужно, чего теперь меня приглашать!..

— Илья Сергеевич, можно вас на минуточку?

Он оглянулся.

Из маленькой гостиной выглядывал Николай Иванович — на носу очки, в руке газета. Вид у него был несколько помятый, но бодрый, клетчатый пиджак отглажен, причёска волосок к волоску.

Илья кивнул администраторше и подошёл к Николаю Ивановичу.

— Присядем?

В гостиной был круглый стол и два кресла, на столе сервирован чай.

— Присядьте, присядьте, Илья Сергеевич!

Это было сказано совсем другим тоном и как-то так, что профессор подчинился.

Николай Иванович устроился в кресле и аккуратно сложил газету.

— Не имел возможности побеседовать заранее, — начал он. — Был связан обязательствами. Сейчас я считаю обязательства исполненными и могу располагать собой.

Илья молча слушал.

Николай Иванович полез в нагрудный карман, достал малиновую книжечку с золотыми буквами и положил на стол. Золотые буквы «МВД России» казались несколько вытертыми.

— Разумеется, я на пенсии, — пояснил Николай Иванович и показал на книжечку. — Не беспокойтесь. Чайку налить вам?

— Да, спасибо.

Николай Иванович разлил по тонким чашкам крепкий янтарный чай, и они одинаково пригубили.

— Самодеятельности не одобряю, — продолжал Николай Иванович, — в особенности вашей! Взрослый человек, профессор! А в игрушки играете. Опасные, между прочим, игрушки!.. Тем не менее в свете вчерашних событий я готов ответить на любые вопросы. Готов всячески помогать!..

— Вы здесь по долгу службы? — спросил профессор и взрослый человек. — Нет, не государственной, я понимаю. У вас ведь наверняка сейчас другая служба, частная, правильно я угадал?

Николай Иванович вздохнул:

— Так точно. На пенсию вышел, занялся частным сыском. — Он ещё горше вздохнул. — Привыкнуть к новой работе не могу. Жить без работы тоже не могу. Вот и выбирай! Мелкие кражи, супружеская неверность, с кем любимая дочь встречается, подходящий ли парень — мой нынешний удел. После той работы!

— Сочувствую, — кивнул Илья Сергеевич. — Я бы не смог учить детей считать после физики твёрдого тела!! Я бы с ума сошёл.

— Схожу потихоньку, — признался Николай Иванович. — Выживаю, так сказать, из него, из ума.

— Вы наблюдали за Катериной Артобалевской, верно?

— Точно так. Специально для этого был нанят Тамарой Афиногеновой.

Тут Илья Сергеевич не понял.

— Кем, простите?

— Афиногеновой Тамарой. Она называет себя Тамила Афрон.

— А-а, — протянул Илья, не ожидавший ничего подобного. — Понятно. Я был уверен, что Катерину пасут какие-нибудь особо въедливые журналисты. В поисках сенсаций!

— Моё задание состояло не только в сборе, так сказать, оперативной информации — где бывает, с кем встречается, сколько тратит денег. Но и в предупреждении её встреч с супругом, Петром Петровичем.

— Секундочку, — перебил профессор. — Как можно со стороны установить, сколько человек тратит денег? Не взламывая банковских счетов, разумеется!

— Приблизительно, приблизительно! Состоятельные люди беспечны, Илья Сергеевич. Счета оставляют на столе, выбрасывают чеки в ближайшие урны. Ничего не стоит пройти мимо, приоткрыть папочку, посмотреть сумму. Да и чек достать тоже нетрудно.

— Так, хорошо. При чём тут супруг?

— Моя нанимательница, насколько я понимаю, очень обеспокоена предстоящим разводом Петра Петровича. Не столько его состоянием и финансовым положением, сколько самим фактом развода. Она не раз при мне сообщала своей матери по телефону, что доведёт дело до конца. Что Пётр Петрович упрям и поначалу ни за что не желал разводиться и заново жениться, но она знает некие рычаги и понимает, как воздействовать на такого сложного человека. Однако встречи Петра Петровича с супругой Катериной мою нанимательницу тревожили. Видимо, она всё же опасается, что Пётр Петрович вновь заупрямится.

— Он может, — согласился Илья.

— В мою задачу входило извещать нанимательницу всякий раз, как только супруги Артобалевские встречаются. Я немедля известил её, когда в Сокольничье неожиданно прибыл Пётр Петрович. Видимо, она посчитала положение очень опасным, — всё же продюсер прибыл не на один день, да и чужих глаз здесь почти нет, в общем, приватная обстановка, — потому и решила проконтролировать ситуацию, так сказать, лично.

— Красиво, — сказал Илья задумчиво. — И элегантно!..

— Сегодня утром я сообщил ей, что больше не могу быть полезен. По причинам личного характера.

— Это интересно. Как приняла вашу отставку Тамара Афиногенова?

— Боюсь, сейчас ей не до меня. Вы ведь всё сами знаете. Пётр Петрович вчера организовал и провёл небольшую военно-медицинскую операцию, в которой деятельное участие принимала его супруга, да и вы, профессор. Ночью он находился в комнате супруги и этим неприятно поразил Тамару. Пожалуй, утром я застал её в состоянии некоторой паники, прежде ей не свойственной.

— Пётр Петрович знает, что вас наняла его подруга следить за его женой?

— Нет, разумеется.

— Что, если я скажу ему об этом?

Николай Иванович покосился на профессора и усмехнулся.

— Это уж на ваше усмотрение, — молвил он добродушно. — На ваше, на ваше!.. Впрочем, я вас прекрасно понимаю. Поддерживаю даже. Я бы на вашем месте тоже рассказал. Как оказалось, Пётр Петрович неплохой человек, и не хотелось бы, чтобы он впоследствии сожалел о каких-то своих поступках.

— Вы именно поэтому не стали продолжать вашу слежку?

Николай Иванович извлёк из кармана носовой платок, наводящий на мысль о свежей скатерти для пикника, и потёр нос.

— Не будем вдаваться, — пробормотал он из-за своей скатерти, — не будем. Я повёл себя на редкость непрофессионально, нарушил служебную этику. Я проникся сочувствием и расположился к людям, которые всего лишь являются частью моей работы. Так что не станем, не станем...

Илья налил себе ещё чаю.

— Вы были здесь, когда убили Лилию Петровну Маслову?

— Мы здесь не первую неделю. Но предупреждаю, чтобы не было недопониманий: с ходу убийцу я не вычислил. Стар стал, выживаю из ума! Голова была занята слежкой за Катериной, да и другими вопросами.

Илья Сергеевич подумал, что эти «другие вопросы» ему известны и симпатичны, и едва удержался, чтобы не спросить Николая Ивановича о жене и внуках.

— По моим наблюдениям, вырисовывается следующая картина: убийство планировалось заранее, но не слишком толково. Видимо, по какой-то причине в последний момент преступник решил действовать спонтанно и задушил свою жертву непосредственно в магазине, куда в любой момент мог зайти кто угодно. Кроме того, заранее предположить, что хозяйка отлучится, было невозможно. Также нельзя точно рассчитать, на какое время она отлучится! Возможно, он планировал убийство, так сказать, теоретически, а практически осуществил без подготовки.

— Нет, Николай Иванович. Была подготовка. Убийца был в маскарадном костюме, ряженый. В шапке и телогрейке. Свидетели утверждают, что одет он был грязно! При этом почему-то он надел кеды. Матвей вспомнил про кеды.

— Я вам объясню про телогрейку и шапку, — сказал Николай Иванович, и в голосе его прозвучало некое превосходство. — Вот с той стороны, за прудом, почти у леса есть небольшая стройка, обратили внимание? Рабочие кладут фундамент. Как раз в те дни, когда произошло убийство, было довольно тепло, и на песок то и дело бросали телогрейки и шапки! Им жарко, они снимают и бросают! Я думаю, детали маскарада были взяты именно оттуда и туда же впоследствии их бросили. Никто не обратил внимания!

— Спасибо, Николай Иванович, — поблагодарил Илья задумчиво. — Я не знал.

— Именно поэтому я и говорю о неподготовленности убийства! Решение было принято на ходу. Это я утверждаю как профессионал.

— Что у Масловой ещё пропало, кроме платка, Николай Иванович? Вы же наверняка знаете.

— Интересовался, да, — согласился его собеседник. — Понимаете, хочется ведь настоящего дела! Видите ли, я был уверен, что установлю преступника в два счета, даже не располагая информацией в полном объёме. Я был совершенно уверен и ошибся.

— Я тоже. Я был уверен, что сразу всё пойму.

— Да вы-то при чём, — пробормотал Николай Иванович, несколько сбившись с тона. — Вы в игрушки играете, а я знаю, что делаю. Значит, у потерпевшей не оказалось мобильного телефона, а её водитель утверждает, что телефон у неё был с собой. Она оставила машину возле поворота, сказала водителю, что хочет прогуляться, и велела ждать звонка. Сообщила, что позвонит и скажет, куда подъехать.

— Я так и думал.

— И второе — не нашлось записной книжечки. При ней всегда была маленькая записная книжка. За Масловой водилась такая привычка — всё записывать на бумаге. Отжившее поколение, питекантропы, что с нас возьмёшь!..

— Книжку я нашёл, — сообщил Илья, и Николай Иванович дрогнул лицом. — Не волнуйтесь, почти случайно! Я был на том месте, где Лилия Петровна рассталась со своим водителем. Оттуда к Сокольничьему идёт прекрасная лесная дорожка, как аллея в парке! Вот на этой аллее я её и нашёл. Из неё вырваны страницы, и не одна, а несколько подряд. То есть там было что-то довольно длинное написано, не три слова, понимаете?

— Вполне, — согласился Николай Иванович. — Почему же он её прямо на месте и бросил? Считал, что не найдут? Почему в карман не положил и с собой не взял?

— Я уверен, что и телефон недалеко, допустим, в пруду, Николай Иванович! И записную книжку он выбросил в неподходящем месте, потому что боялся — это улика, да ещё какая! А он не слишком умный, этот человек. И не слишком хладнокровный. Ну, мне так кажется.

Они помолчали. Илья взглянул на часы и залпом выпил остывший чай.

И полез в карман джинсов.

— Николай Иванович, можете мне помочь?

— Всей душой постараюсь. А что нужно?

Илья поставил на стол небольшую аптечную баночку.

— Вы не знаете, что это за препарат? Его долгое время принимал Матвей. У него полно таких таблеток.

Николай Иванович полез в нагрудный карман, достал очки и приставил к носу, надевать не стал.

— Так не скажу.

— Мне нужно узнать, что это за лекарство и в каких случаях его применяют.

— Да видите ли, на банке-то что угодно можно написать, а что там на самом деле, только экспертиза может установить!

— Может быть, и не понадобится экспертиза, — сказал Илья. — Поможете?

— Ну, это совсем просто, — ответил Николай Иванович, извлёк телефон и стал привычно и профессионально фотографировать баночку со всех сторон.

— Сейчас отправим, — приговаривал он. — Мамука посмотрит и скажет. Мамука Табидзе в управлении лучший специалист по всяким препаратам и лекарствам. Я его так зову — отравитель. Кого хочешь отравит, и никогда не догадаешься, что случилось. Жил человек, да и помер, допустим, от инсульта. А ему, оказывается, капнули в коньяк пару капель того, пару капель сего...

— Да вы прирождённый злодей, Николай Иванович!

Тот пожевал губами:

— В свой адрес таких шуток не люблю, — заявил он значительно. — Терпеть не могу.

— Прошу прощения, — пробормотал Илья.

— Это всё? Больше ничего не нужно?

— Спасибо и на этом.

Илья забрал аптечную баночку, затолкал в карман и поднялся. Она ему очень мешала, и хотелось от неё избавиться.

— Но у меня нет никаких доказательств, — признался он, помедлив. — Я не занимаюсь сбором доказательств! Я устанавливаю истину, понимаете? Формирую уравнение и решаю его.

— Этим и отличается профессиональная работа от игрушек, в которые вы играете, уважаемый профессор. — Николай Иванович тоже поднялся. — Я постараюсь вам помочь, если вы мне укажете, в каком направлении действовать. Пока что я себе направление не представляю.

— Спасибо, — ещё раз сказал Илья. — Это важно. Я изложу вам все свои соображения, но попозже.

— Это когда же? Через неделю? Через две?

— Нет, нет, сегодня, но не сейчас. Тут ведь вот в чём проблема — человек в тюрьме, а он ни в чём не виноват. — Илья Сергеевич вспомнил старика из электрички и его особенные словечки и усмехнулся: — Безвинно обвиноваченный, понимаете?

Николай Иванович посмотрел на него.

— Завтракать? — спросил Илья.

— Благодарю вас, я рано позавтракал. Сейчас отправлю файл с вашим препаратом и пойду пройдусь, если вы не возражаете.

Илья Сергеевич не возражал.

В ресторане у окошка встревоженная Агния то и дело оглядывалась на дверь, перед ней стыл омлет, похожий на полную луну. Артобалевский сидел один и с мстительным видом прихлёбывал из кружки чай. Катерина спиной к нему читала скреплённые документы, их было очень много. Лилечка смотрела в телефон, Ванечка отсутствовал.

Тамары Афиногеновой в ресторане тоже не было.

— Где тебя носило? — Агния взяла его за руку, молниеносно поцеловала косточку и отпустила, стрельнув по сторонам глазами.

— Я разговаривал с Николаем Ивановичем.

— О чём?! Хочешь мой омлет, я себе ещё один закажу!

Илья принялся за омлет.

— Попроси ещё сырники, — сказал он. — Только с изюмом, а не с вареньем.

— Нам всем по очереди задают идиотские вопросы, представляете? — сообщила Лилечка, не отрываясь от телефона. — Просто вот водят одного за другим, как на допрос! Я хотела утром уехать, но никого не отпустили. Сказали, иначе в прокуратуру будут вызывать повесткой, или куда там? В Следственный комитет? А я не хочу в комитет, я хочу обратно в Нью-Йорк!

— Там, должно быть, прекрасно, — согласился Илья. — В Нью-Йорке, я имею в виду, не в комитете.

— Ванечку уже минут двадцать не отпускают! При чём тут мы?! Ну, при чём?! Вот не хотела я в Россию ехать, но мама настояла! А я теперь расхлёбывай!

Артобалевский допил чай и подошёл.

— Нету новостей, — сообщил он Илье и сунул руку. Профессор пожал. — Здравствуй, девочка. Я думаю, раз они не звонили, значит, Матвей жив пока. Если бы помер, сообщили бы сразу. Ну, договорённость такая была.

— Хорошо бы так.

Артобалевский махнул рукой, ссутулил плечи, сунул руки в передние карманы джинсов и вышел из ресторана.

— Противный мужик какой, — сказала ему вслед Лилечка. — На вид ничего, холёный, а на самом деле —

дерьмо. Так и не дал себя сфотографировать, представляете? И, главное, видит всё, как коршун! Только телефон наставишь, он уже орёт — уберите камеру, уберите камеру!..

Катерина подняла глаза и посмотрела на Лилечку. Усмехнулась и опять принялась за чтение.

— Илья, что мы будем делать дальше?

Профессор немного подумал.

— А где людей опрашивают?

— В директорском кабинете, где!.. Говорю же, Ванечку уже минут двадцать маринуют!

— В кабинете, — повторил Илья Сергеевич. — Превосходно.

Держа Агнию за руку, он зашагал по коридору. В роскошной приёмной — некая смесь люксов «Николай Романов» и «Александр Третий» — толпились люди, совсем незнакомые. Дубовая дверь в кабинет была распахнута настежь и подпёрта высокой расписной вазой.

— Здрасти, — сказал Илья всем присутствующим сразу и заглянул в кабинет, не обращая ни на кого внимания.

За богатым письменным столом сидел человек в костюме. Он поднялся, когда Илья заглянул.

— Илья Сергеевич, — сказал он и откашлялся. — Разрешите представиться, Олег Павлович. Вы меня извините, но не мог никак!.. Никак не мог увидеться раньше, хоть и собирался! А сейчас у меня видите, что происходит!

Илья посмотрел, что происходит.

За другим столом, поменьше, сидели двое — Ванечка с телефоном и человек в синей форме. Ванечка нервничал, и видно было, что он нервничает, а человек старательно писал что-то на разграфлённом листе бумаги.

— Занимательно, — Илья вошёл в кабинет, за ним осторожно вступила Агния. — Я не стану вам мешать.

Директор смотрел на него очень внимательно, Илья Сергеевич почувствовал холод в спине.

— Вы просили меня узнать, кто на самом деле задушил Лилию Петровну Маслову, — громко сказал он, и в приёмной стало тихо, человек в синей форме перестал писать и поднял голову, и Ванечка тоже уставился на Илью.

— Просил, — согласился директор и дёрнул шеей.

— Я узнал.

В кабинете пахло форменной одеждой, немного табаком и как будто яблоками. Приятно пахло, и этот запах Илье был знаком.

В дверном проёме замаячили любопытные. Агния поднесла ко рту кулачок.

— Да говорите, ну что вы?!

— Это кто такой? — спросил мужик в форме. — Это отдыхающий или кто?

— Лилию Петровну задушил Ванечка, — сказал Илья Сергеевич и показал рукой, чтобы не было никакой ошибки. — Из-за того, что она не разрешала своей дочери выйти за него замуж, а ему непременно нужно было на ней жениться. Это самая обыкновенная брачная афера.

Ванечка с ужасом смотрел на Илью.

— Да кто это такой-то?!

Директор немного дрогнул за своим столом, как за баррикадой, и сделал движение, словно собираясь выйти, но остался.

— Лилия Петровна назначила ему встречу в Сокольничьем. Она любила, чтобы всё было так, как ей нужно. Она хотела встретиться с ним на своей территории — не в Москве, не в ресторане, не в офисе. Я не знаю, зачем ей понадобилось встречаться с ним именно здесь. Может быть, ей нравилось, что она всё же заставила его делать то, что ей нужно. Она же вынудила его ехать в такую даль, потом ждать её в лесочке! Искать это место! Там она показала ему некие записи. Думаю, эти записи содержали сведения, которые он тщательно скрывал. Она сказала ему, что на брак с её дочерью он может не рассчитывать. Если он не уберётся с дороги, она покажет записи дочери. Он решил немедленно избавиться и от Лилии Петровны, и от её книжки. Он подобрал на куче песка телогрейку и шапку, напялил, дошёл за ней до магазина «Народный промысел», подождал на лавочке, когда выйдет хозяйка, задушил Лилию Петровну, забрал телефон и записную книжку и вышел. Телефон он, скорее всего, утопил в пруду. Записную книжку бросил в лесу, страницы с записями сжёг на пеньке. Вот и всё.

Илья перевёл дыхание.

— Матвея Вильховского он тоже пытался убить. Матвей видел его из окна, когда Ванечка сидел перед магазином. О том, что в доме, то есть в «Народном промысле», кто-то есть, наш герой не знал, а там был Матвей, и он неожиданно его вспомнил.

— Это всё ерунда, — возмутился Ванечка. — Это неправда!

— Это правда! — возразил Илья Сергеевич с досадой. — Не очень остроумно придумано, но вы глупый человек.

Бабахнула дверь, зацокали каблуки, и в кабинет заглянула Лилечка.

— Сколько это будет продолжаться?! — начала она с ходу. — Ванечка, нам нужно ехать! Отпустите его!.. Что вы к нему привязались?

Тут Ванечка совершил гигантский кенгуриный прыжок, толкнул стул с сидящим мужиком в синей форме —

стул опрокинулся, — боднул в живот кого-то, стоящего в дверях.

— А-а-а! — завизжала Лилечка.

По ходу он ударил её, она спиной налетела на стеклянный шкаф с кубками и дипломами, посыпалось битое стекло.

— Стой, куда!

— Держите его! Не выпускайте!..

— За ним, давай, давай!..

— Нонсенс, — заключил профессор Субботин.

— А я вас повсюду ищу!

— Заходите, Николай Иванович!..

Тот с достоинством вплыл в кабинет, пожал руку директору и сказал Илье:

— На минуточку можно вас? Это по поводу нашей утренней беседы.

— Можно при всех.

Николай Иванович удивился, дрогнул плечами и стал стягивать пальто.

— Самодеятельность, — протянул он, стянув один рукав. — Вопиющая!

Стянул другой и аккуратно пристроил пальто на спинку кресла.

— Рад приветствовать вас на боевом посту, Олег Павлович.

— Спасибо, Николай Иванович.

Вернулась Агния, которая бегала за Катериной. Сзади тащился Артобалевский, злой, как пёс.

— Ты зачем девочку прислал? — накинулся он на Илью Сергеевича. — Делать тебе нечего, заседания парткома устраивать!

— Я хотел тебе сказать, что знаю, кто пытался убить Матвея. А вот... Олег Павлович пожелал, чтобы я сделал публичное заявление.

— Иди ты, — сразу поверил Артобалевский, оживился и сел верхом на стул.

Приподнялся и потряс руку директора, который подъехал к нему мелким бесом, приговаривая, какая великая честь Дому творчества оказана, как важно, когда такие люди посещают глубинку, как хорошо, что Пётр Петрович выбрался к ним, и как велика его, директора, признательность.

— Хорошо, хорошо, спасибо, — пробормотал Артобалевский, слегка отстраняя директора. — Илья, чего ты хотел сообщить-то?

— Ванечка ударил Матвея по голове.

— Тот шкет телефонный?! За каким лешим?

— Матвей его узнал. Он убил Лилию Петровну, мать Лилечки, а Матвей это видел.

— Ох, ёлки-палки. Выходит, шкет маньяк, что ли?

— Петь, замолчи, — велела Катерина. — Но как же так? Он же собирался жениться на Лилечке, он сам всё время это повторял. И убил... её мать?

— Мать не допустила бы никакой свадьбы, — пояснил Илья. — Я думаю, что Ванечка действовал не один. Вероятней всего, в благословенном Нью-Йорке есть какая-то шайка, которая выискивает богатых дочек и подсовывает им смазливых кавалеров. Играется свадьба, и при известной ловкости можно сорвать неплохой куш.

— Почему вам это в голову пришло? — спросил директор. — На вид прелестная пара, интересы совершенно одинаковые! Говорят одинаково! С чего вы решили, что Ванечка — аферист?

Илья Сергеевич махнул рукой.

– Он говорил, что учился в Израиле, и раскладка на планшете у него на иврите. Он мне показал и даже написал «с добрым утром». Он так сказал. Но на иврите пишут справа налево, а не слева направо! Он говорил, что страстный коллекционер раритетных машин, но когда Николай Иванович сказал про «Победу» своего отца, да ещё и про послевоенный «Опель», не задал ни одного вопроса и вообще это пропустил мимо ушей. Он обожает дорогие очки и прекрасно в них разбирается, но когда Матвей отдал ему свои, чтобы сфотографироваться, Ваня стал говорить, чтоб Матвей выбросил их и купил другие. Эти слишком тяжёлые и старые.

— А что за очки-то? — подал голос Артобалевский.

— У Матвея? «Хром Хард», дороже марки нет, даже если их из чистого золота отливать.

— «Хром Хард»? — переспросил Артобалевский. — Мать твою за ногу. Двести тысяч в среднем очочки стоят!

— Ванечка о такой марке вообще не слышал. А утверждал, что разбирается!.. И кеды! Матвей вспомнил кеды, а Ванечка всё время ходил в кедах. И вот ещё что странно: он всё повторял, что хочет жениться, чтоб была свадьба, острова, цветы и так далее. А Лилечка отказывалась. Ни разу в жизни я не сталкивался с ситуацией, когда цветы и пышную свадьбу хочет молодой человек, а не девушка. И мне с самого начала его настойчивость в этом отношении показалась подозрительной.

— Согласен, — хмыкнул Артобалевский. — Жениться вообще нельзя.

— Петь, замолчи!

— Кать, отстань!..

Илья Сергеевич повернулся и посмотрел директору в лицо:

— И потом вы сами навели меня на мысль о том, что убивать Лилию Петровну ни у кого из здешних причины не было. Помните, в электричке? Это были вы и всё мне рассказали! Что она даёт вам, ну, то есть директору, деньги, занимается благотворительностью и это дело вы не оставите. Прямо не сказали, конечно, но это и так было ясно.

Директор засмеялся.

— А хорошо было придумано, да? Я себя даже хвалил. Дедок в электричке, разговоры запросто!

— Хорошо, — согласился Илья Сергеевич. — Только дедки, как правило, не цитируют английских поэтов. Ведь тратил он деньги, добытые честно! Так вы сказали. И ехали вы, правду сказать, странно, Олег Павлович, — из Ярославля, но с полными корзинами. Вы же не могли ездить за грибами в город! И сказали, что вам выходить на следующей, а следующая за Сокольничьим остановка через сорок минут, и в селе я вас ни разу не видел.

— Кать, сходи, попроси там, чтоб кофе нам принесли. Или лучше виски?

— Петь, остановись!

Директор перепугался:

— Не нужно, не нужно никуда ходить, Катерина, что вы! Я сейчас позвоню, и всё принесут! — И нажал кнопку на телефонном коммутаторе, стоявшем на столе. Тот длинно и солидно прогудел раз, другой, третий.

— Видимо, мысль о дочери и её женихе приходила вам в голову, верно, Олег Павлович? Иначе зачем бы вы стали их сюда заманивать, придумывать деньги, которые Лилия Петровна вам оставила.

— Приходила, — признался директор.

Не дождавшись ответа коммутатора, он зашагал к двери, распахнул её и что-то негромко приказал секретарше.

— И на вызов мой отвечайте, не спите! — недовольно добавил он уже из кабинета и вновь обратился к собравшимся: — Видите ли, я не хотел никакого... шума. Никакого дополнительного или частного расследования! Но мне на самом деле важно было знать, кто убил Лилию. Кто на самом деле её убил! Не для того, — тут Олег Павлович вздохнул, — чтобы правосудие восторжествовало. Просто, чтобы понимать, кто из нашего с ней окружения способен на убийство. Она была непростым человеком, ох, непростым, но за что её убивать?! Я аккуратно навёл справки и выяснил, что есть такой профессор Субботин, которого иногда привлекают к деликатным и неоднозначным делам. И я... нашёл вас и постарался заинтересовать.

— Понятно, — пробормотал Илья Сергеевич неизвестно зачем.

— Мысль о том, что дело может быть в дочери, мне в голову приходила, это точно. Лилия Петровна то и дело намекала, что у дочки проблемы. Но... как бы это сказать... ей нравилось, когда у её Лилечки возникали проблемы. Разумеется, не сами проблемы нравились, а нравилось их решать. В этом деле она была виртуоз!.. Лилия Петровна часто повторяла, что сейчас наконец заберёт дочь из Америки и всё устроит на свой лад. Нужно только отвадить от неё некоторых американских друзей. Собственно, я всё это написал и оставил для вас! Только папка из вашего номера пропала.

— А почему папка? Почему вы сами не рассказали?

Олег Павлович потёр руки и посмотрел на Илью.

— Я придумал старика в электричке, — сказал он. — Как независимый источник информации! Я не хотел с вами беседовать до поры до времени — в моём истинном качестве, — чтобы не сбить вас с толку своими личными соображениями. Необъективными! Я ведь необъективен!.. А сведения из папки могли пойти вам на пользу.

— Матвей сжёг их. Он прочитал и сказал Зое: там много такого, что может испортить людям жизнь. Навсегда. Особенно, если попадёт в недобросовестные руки.

— Слушай, — предложил Артобалевский, который всё давно понял и заскучал. — Наверное, нужно позвонить насчёт Матвея, да? Ну, раз они не звонят! Пойду звякну, пожалуй!

Он слез со стула, перекинув длинную ногу, вышел в приёмную, откуда сразу понеслись громкие голоса и странные звуки, как будто принялись двигать мебель.

— Касательно Матвея Александровича, — вступил до сей поры молча слушавший Николай Иванович. — Вы спрашивали меня о препарате, который он принимал в больших дозах.

— Узнали что-нибудь?

— Мой коллега-эксперт ответил, да. Моментально ответил, надо сказать. Дайте-ка ещё раз взглянуть!

Илья достал аптечную баночку. Николай Иванович вынул очки и телефон. Очки на этот раз он нацепил на нос, нажал кнопку на телефоне и стал сличать фотографии и баночку, стоявшую перед ним. Затем высыпал себе на ладонь несколько продолговатых капсул.

— Ну, если в капсулах именно то, что обозначено на этикетке, значит, Матвей Александрович принимал сильнейший психотропный препарат. И в недопустимых дозах, заметьте! Данное лекарство применяется только при тяжёлых расстройствах психики, непродолжительно и в строгой дозировке. Так мне сказал мой эксперт, а я ему верю. Он в своём деле ас. — Тут Николай Иванович остро глянул на Илью и добавил: — И профессионал!..

Илья взял баночку и покрутил туда-сюда.

— Я так и предполагал, — сказал он. — Этим препаратом Матвея снабжала Лилия Петровна.

— Зачем?! — спросила Агния. — Что за глупость?! Или он псих на самом деле?!

Катерина подошла и посмотрела.

В кабинет ввалился Артобалевский, за ним секретарша внесла уставленный поднос.

— Никто не отвечает, — сообщил он. — Надо дальше ждать. Зато кофе сварили! Девочка, будешь кофе?

— Лилия Петровна покупала работы Матвея. И придерживала. Они стоят бешеных денег.

— Вильховский дорогой, это точно, — подтвердил Артобалевский, прожевывая кусок лимона и морщась.

— Очень дорогой, — поддакнула Катерина.

— Я думаю, Лилии Петровне он продавал картины дешевле или дарил. Потом он заболел — паутинная оболочка мозга воспалилась. Эта болезнь проходит в течение нескольких недель или месяцев. Но в это время Матвей не работал. Лилия Петровна опекала его, ухаживала, приезжала к нему домой. И быстро сообразила, что если Матвей больше вообще ничего не напишет — например, умрёт или сойдёт с ума, — его картины будут стоить ещё дороже.

— Боже мой, — пробормотала Катерина.

— И не просто дороже! Они будут дорожать с каждым годом!..

— Так и есть, — подтвердил Артобалевский. — И чего? Она его травила потихоньку?

Агния взяла Илью за руку.

— Убивать его, разумеется, не входило в её планы. Но контролировать его сознание ей нравилось. Она вообще, насколько я понял, любила всё контролировать! Она привезла его сюда и стала потихоньку поставлять препарат. Он послушно его принимал, ему и в голову не приходило уточнить, что это за лекарство и от чего оно помогает. Или не помогает!.. Он то ничего не помнил, то помнил то, чего не было, но не работал, и её капиталы возрастали с каждым днём. Картину, которую Пётр Петрович похитил, она оставила вам на сохранение? — спросил Илья у директора.

— Ничего я не хитил, — возмутился Артобалевский. — Говорю же, я временно взял её без спроса!..

— Ну да, — произнёс Олег Павлович задумчиво. — Сказала, что непременно заберёт, когда Матвей о ней позабудет. Сказала, что позабудет скоро!

— Зачем вы велели её повесить в вестибюле? — спросил Илья у директора.

Олег Павлович сделал глоток кофе и помолчал.

— Что-то было связано с этой картиной, — ответил он наконец. — И я это понимал. Мне хотелось как-то... накалить ситуацию, спровоцировать, что ли. Я думал, может, она наведёт вас на какую-то мысль. Вот и велел повесить.

— Навела, — признал Илья. — И Матвея тоже навела. Он вспомнил её и сказал: самое худшее, что только может быть в жизни, — это страх. Ожидание страха, изображение страха. Это самое ужасное.

Катерина подошла к Артобалевскому, который, сидя верхом на стуле, прихлёбывал кофе.

— Петь?

— А?

— Матвей не умрёт?

И прижалась щекой к его лысой макушке, в которой отражался свет окаянных точечных светильников.

Артобалевский перестал жевать и хлебать.

— Нет, — сказал он грубо. — Не умрёт.

В третьем магазине сливочного масла было сколько угодно и какого угодно, но только не вологодского, и Илья Сергеевич поехал в четвёртый. А впереди ещё рынок!.. Велено было брать мясо исключительно на рынке.

Вываливаясь из непривычно высокой машины, он угодил в лужу почти по щиколотку. Башмак залило с верхом. Илья дохромал до бордюра и зачем-то стал стучать каблуком об угол. Вода ходила внутри, и лучше, разумеется, не становилось. Он подумал, что стоило надеть сапоги, сработанные дядей Васей Галочкиным, предварительно как следует помазав их дёгтем.

Вода расплёскивалась из-под колёс, на ветровое стекло летела грязная жижа, а к вечеру ожидалось похолодание, Илье Сергеевичу страшно становилось при одной мысли о том, во что превратятся дороги, и он спешил вернуться домой до похолодания, загнать наконец машину на участок и хоть какое-то время на ней не ездить.

Он терпеть не мог поездок за рулём, водил плохо, неумело.

На рынке он пробыл минут сорок, таскаясь от прилавка к прилавку и сверяясь со списком. Список был невообразимо длинен, Илья то и дело забывал, что уже куплено, а что ещё только предстоит купить. Приобретения ему клали в разномастные пакеты, и в конце концов в каждой руке у него оказалось штук по шесть — от крохотных розовеньких, с одной головкой чеснока внутри, — до гигантских чёрных с картошкой, баклажанами и апельсинами.

Достать список и ещё раз его перечитать не было никакой возможности.

Илья решил — с него довольно. Он, правда, старался изо всех сил, но вот сейчас уже достаточно.

Он заехал на участок. От таяния снегов и глобального потепления климата, случившегося на неделе, ворота, ясное дело, отсырели и не открывались. Пришлось прыгать из машины в глубокую снеговую лужу с серым ледяным дном и нападавшими с сосен длинными иголками, налегать на мокрое дерево плечом, дёргать туда-сюда.

К тому времени, когда он зашёл на крыльцо, он был весь потный и изрядно не в себе.

...Самое главное — собака его не встречала! Нет, Хэм выбежал из кухни, заслышав хозяйские шаги, и метнулся под ноги, и завалился на спину, и изо всех сил завертел обрубком хвоста, но он не ждал хозяина под дверью, изнемогая от тоски, и это Илью Сергеевича задело.

— Хорош, — велел он улыбающемуся Хэму со всем сарказмом, на который оказался в данный момент способен.

Как был, в куртке и мокрых ботинках, он прошёл в кухню и плюхнул пакеты на пол.

— Привет, — сказала Агния, поворачиваясь от плиты. — Я жарю омлет. Что-то ты долго!

— Действительно, — пробормотал Илья Сергеевич.

Он стащил проклятые башмаки и носки, подвернул мокрые края джинсов и босиком стал на пол. За ним осталась цепочка мокрых следов.

Пакеты, никем не удерживаемые, расползлись по всему полу, и Илье стало даже любопытно, как это он умудрился всё это принести.

— Ты похож на босяка с картины какого-нибудь передвижника, — заметила Агния.

— Я промочил ноги. Где сапоги дяди Васи Галочкина?

— На чердаке, — не моргнув глазом, ответила Агния. — За стрехой, как положено. В каждом по полпуда овса.

— Овса, овса, — повторил Илья Сергеевич, раздумывая, куда девать брынзу, базилик и кедровые орехи, по прихоти судьбы оказавшиеся в одном пакете. — Какого овса?

— Положи, я сама разберу.

Он с облегчением отставил пакет с брынзой, базиликом и орехами, подошёл и поцеловал её в макушку.

— Привет, — сказал он.

— Привет, — отозвалась она. — Почему ты не поздравляешь меня с днём рождения?

— Я поздравляю, — буркнул Илья Сергеевич.

С этим её днём рождения была связана неловкость.

Агния выложила омлет на тарелку, налила ему кофе, себе тоже взяла чашку и уселась на своё любимое место — напротив окна.

Она была в пижаме в мелкий цветочек, тёплых тапках и выглядела очень оживлённой, как человек, которому предстоит большое удовольствие, и ожидание для него — тоже удовольствие.

Илья ел омлет и посматривал на неё.

Хэм валялся у неё в ногах и тоже посматривал. Она мазала паштет на тонкий ломтик белого хлеба, Хэм прекрасно знал, чем она занята, и знал, что должен не пропустить момент, когда бутерброд будет готов.

— Угораздило тебя родиться в феврале, — заявил Илья от неловкости.

— Ну и что? — отозвалась Агния бодро и сунула под стол бутерброд с паштетом. Хэм взял. — Зато завтра широкая масленица, а сегодня день рождения, так что всё складывается просто прекрасно.

— Зачем я накупил такую прорву еды? — вдруг спросил Илья, глядя на пакеты, занявшие полкухни. — Мы не осилим.

— Ты не знаешь наших скрытых возможностей.

Хэм прицелился и поставил короткие лапы на её цветочные колени. На миг мелькнула его улыбающаяся морда. Агния скормила ему ещё бутерброд.

— Он и так толстый, — заметил Илья.

— Он не толстый!

— Он разжирел, и если ты станешь его перекармливать, у него будет диабет!

— Какой ещё диабет?!

Тут она вдруг о чём-то догадалась и посмотрела на него внимательно:

— Ты что? Сердишься на меня, Илья?

— Я не сержусь.

— А что тогда?

Он встал и налил себе ещё кофе.

— У меня нет никакого подарка, — признался он, не поворачиваясь. — И денег тоже почти нет. Мне должны были дать гонорар, но задерживают. Осталась ты без сюрприза.

— Ты, Илья Сергеевич, балда какая-то, — сказала Агния, рассматривая его спину. — У нас же сегодня банкет!

И она показала на пакеты, занявшие полкухни.

— Ты с утра поехал на рынок, всё привёз, у нас стол будет шикарный! Мне больше ничего не нужно.

— Это неправда, но сделаем вид, что так и есть.

— Это правда, и никакой вид мы делать не будем.

— Деньги появятся, и я куплю тебе... что ты хочешь?

И покраснел, так что стало жарко шее под воротником свитера. Он вообще никогда не краснел и стеснялся редко, а тут!..

...Глупейший вопрос — чего она хочет! Как из кино, которое она время от времени смотрела по вечерам. Он работал в кабинете, иногда прислушивался к жизни, шедшей мимо него за открытой дверью. Слышал, как топает Хэм, как возится девочка — Агния. И глупейшие телевизионные экзерсисы тоже слышал!.. «Что тебе подарить» — это как раз оттуда, из телевизора.

...Что он может ей подарить? Шапку с помпоном? Книгу по истории русского крестьянства, том второй? Плюшевого мишку, будь он неладен? Никаких его гонораров не хватит на «Картье» и на скромную нитку жемчуга, такую, как ей преподнесли на двадцатипятилетие родители, не хватит тоже — если, к примеру, она захочет вторую!

— Налей мне тоже кофе! Мы поедем в «Виллерой», — сказала она, — и я там выберу фарфоровую штуку для цветов. Ладно?

«Виллероем» назывался немецкий магазин, где торговали разнообразной посудой и стеклом.

— Скоро весна, и мне обязательно нужно посадить крокусы, — продолжала Агния. — Чтобы выросли к Пасхе. Бабушка всегда так делает. А в «Виллерос» есть такие специальные кашпо, очень красивые. Только ты сам не покупай, ты не знаешь, какое!..

Ничего особенного она не сказала, но ему стало весело, и приступ самоедства прошёл.

Он повернулся — она моментально отдёрнула руку, и Хэм нырнул под стол как ни в чём не бывало.

Илья решил, что, пожалуй, ничего не заметит.

— А твои подруги? — спросил он, усаживаясь. — Всякие девичники, рестораны? Это всё когда будет?

Агния сделала ещё один бутерброд и откусила.

Скатерть шевельнулась — Хэм из-под стола сигнализировал, что готов получать угощение.

— Пока не знаю, — с набитым ртом ответила она. — Может, потом как-нибудь. Ты не переживай, Илья Сергеевич! Мне совершенно не скучно и не нужно никаких компаний.

Ей нравилось время от времени называть его по имени-отчеству, в этом было нечто прекрасно-старомодное.

— Это тоже неправда, — констатировал он, — но сделаем вид, что верим.

— Ну хорошо, — она дожевала и отряхнула длинные красивые пальцы. — Тогда так. Когда мне захочется гостей, шума и грохота бала, я тебе скажу, а ты не будешь возражать, ладно? Ты можешь даже на это время улететь на конференцию в Милан. Договорились?

Он смотрел на неё. Она так ему нравилась — совершенное творение!

— Я никак не могу привыкнуть к твоей машине, — заявил он. — Я из неё не выхожу, а выпадаю. Не машина, а трамвайный вагон.

— Нет, ты скажи, мы договорились насчёт бала?

— Что я не стану возражать?

Она кивнула.

— Договорились, — согласился Илья Сергеевич, не чувствуя никакого подвоха.

Она села к нему на колени, обняла за шею и поцеловала. На этот раз она имела вкус кофе, свежего хлеба, немного зубной пасты. Малина тоже была, но где-то далеко.

— Чтобы не выпадать из моей машины, — прошептала она ему в ухо, — нужно нажать специальную кнопочку. Тогда там будет выезжать порожек, когда дверь открывается. Ты дикий человек.

— Я никогда не ездил на таких машинах.

Хэм процокал когтями по полу — удалился из деликатности.

Они некоторое время целовались и обнимались, а потом она заторопилась, сказав, что ей нужно навести красоту и приниматься за именинный обед.

— Ты и так очень красивая.

— Не стану же я праздновать свой день рождения в пижаме!..

Глядя на себя в колпак плиты, который отражал нечто узкое и длинное, она взъерошила волосы.

— Хорошо, что они немного отросли, да?

Он усмехнулся.

— Мне больше нравилось, как раньше.

— Ты извращенец!..

Она убежала на второй этаж в спальню, и он слышал, как она там возится, и в этом было нечто новое и прекрасное.

Илья убрал посуду, рассеянно скормил Хэму остатки паштета, вытащил брезентовую парку и резиновые сапоги и крикнул, что пойдёт колоть лёд на подъездной дорожке, иначе завтра всё замёрзнет, и они вообще не выедут.

— Давай! — прокричала она в ответ.

Илья долго работал ломом, весь вспотел, снял куртку и кинул её в куст.

Ледяная вода понемногу уходила из глубокой колеи, и ему нравилось думать, что впереди весна и Агния собирается сажать цветы, чтобы они выросли к Пасхе.

Он всё грохотал ломом, подгребал ледышки железной лопатой и оглянулся, только когда краем глаза увидел за спиной какую-то тень.

Он вытаращил глаза, отступил, поскользнулся и с размаху сел в мокрый сугроб.

Ворота были распахнуты. На его участок вползали машины — целая кавалькада, так ему показалось с перепугу.

Возглавлял колонну гигантский «Рейндж Ровер», потом протащилась и остановилась ещё какая-то машина, а последней заехала сверкающая новенькая «Нива».

— Это ещё что такое? — пробормотал профессор Субботин.

Кое-как он выбрался из сугроба — штаны были совершенно мокрыми — и выхватил лом, чтобы защищаться от нашествия.

— Здорово, профессор! — закричали из «Рейндж Ровера». — С именинницей тебя!

Хлопали двери, из машин выходили люди — целая толпа.

Илья вытер пот со лба.

Прыгая через лужи, подскочил Артобалевский в одной рубашке, такой белоснежной, что на неё больно было смотреть, несмотря на то, что день был серый, неяркий. Он подскочил и сунул руку. Илья пожал.

— Как сам? На работах? Я тоже хочу грести лопатой!.. Сто лет ничего такого не делал! У тебя есть сапоги, а то я в штиблетах!

И показал ногу в лакированном ботинке.

— Петь, ноги промочишь!

— Кать, отстань!

— Здравствуй, сынок, — заговорила Клавдия, приближаясь. — Дай поцелую-то! А у тебя тута ничего, полюдски! Я думала, ты в башне панельной живёшь, как все московские! А ты как человек! Коля, Коля, доставай там узлы-то!

— Ты уж сама распорядись, какие брать, Клавдия Васильевна!

— Ох ты господи! А то сам не знаешь!

Клавдия смачно поцеловала обездвиженного Илью Сергеевича и зашлёпала к «Ниве». Николай Иванович открывал багажник, издалека улыбался благожелательно.

Из средней машины выскочила и понеслась, проваливаясь в мокрый снег, маленькая чёрная собачонка. Следом за ней показался Матвей.

Зоя Семёновна тащила с заднего сиденья огромный букет и какие-то свёртки.

— Ребята! — закричала Агния с крыльца. — Вы приехали?! Какое счастье!

— Слушай, Илья, ты чего такой? — спросил Артобалевский, кинул сигарету в рот, забрал у Ильи лом и стал беспорядочно тыкать им в снег. — Я все дела отменил, в Стокгольм не полетел, а ты стоишь, даже выпить не предлагаешь!

— Петь, не начинай сразу, а?

— Кать, а когда начинать-то?

Катерина подошла и поцеловала Илью Сергеевича в щёку. От неё веяло духами, шелками и древними поверьями.

— Дуся, Дуся, — кричала Зоя собачонке, — иди сюда, Дуся!.. Ко мне, ко мне!..

С крыльца скатился Хэм, погнался за Дусей, получилась свалка, лай и вопли.

— Я рад, что ты нас позвал, — сказал Матвей Илье. — Я рад. Мне нужно было с тобой увидеться.

«...Я вас не звал, — подумал Илья Сергеевич, — но ничего лучше, чем ваш приезд, невозможно придумать!..»

— Идите в дом! — надрывалась с крыльца Агния. — Что вы все там стоите?!

— Коль, там ещё банка с огурцами и грибы! Грибы-то бери!.. И вот ту завёртку давай, со стерлядкой!

Клавдия деловито поправила капроновый сияющий платок, оберегавший новую причёску, и прошлёпала к крыльцу.

— Ну, с именинами, дай Бог здоровья! Куда проходить-то? А кухня где? Ты всё собрала, чего я тебе велела?

— Собрала, Клавочка, Илья только недавно с рынка приехал!

— Ну, поглядим, поглядим, чего тут у вас на московских рынках водится!..

— С днём рождения! — провозгласил Николай Иванович, по-военному чётко печатая шаг. В обеих руках он нёс баулы, а под мышкой стерлядь в вощёной бумаге. — Как говорит моя супруга Клавдия Васильевна, дай Бог здоровья!

— Кать, смотри, как вода бежит!.. Помнишь, в детстве? Ты на весенних каникулах в лужах кораблики пускала?

— Конечно, пускала, Петь!..

— Кать, найди кору, давай сейчас пустим!

— Какую кору, Петь?

— Да любую!

Зоя передала Агнии букет, который той пришлось принять обеими руками, и помчалась ловить за поводок собачонку.

— Значит, лисы не съели? — спросил Илья Сергеевич про Дусю.

Матвей покачал головой.

— И в Москве, выходит, ничего? Освоилась?

— Мы почти всё время в Сокольничьем, — возразил Матвей. — Там работать хорошо, спокойно.

Все ввалились в дом, затопали, заговорили, задвигались. Из кухни уже пахло чем-то завлекательным, и понятно было, что впереди пир.

— Кать, водитель подарок принёс из машины?..

— Принёс!

— Так давай дарить, чего мы стоим-то!

— Да подожди, Петь, вечно ты спешишь, быстрее всех тебе надо!

— А чего ждать-то, Кать?!

— Да, — спохватился Матвей. — Подарок! Мы тоже привезли. Только это подарок тебе, Илья. Имениннице я потом напишу.

— Мне? — слабо удивился профессор.

В толпе он разыскал свою девочку — она ставила цветы в ведро, больше они никуда не лезли, — повернул её к себе и стиснул изо всех сил.

— Ты обещал не ругаться, — сказала она ему в плечо. — Только прямо сейчас не улетай на конференцию в Милан.

— Сумасшедшая.

Они обнимались, а вокруг говорили:

— Илья Сергеевич, подойди сюда-то! Илюшенька, посмотрите! Вот так всегда, одни миллионы платят, а другим всё за так достаётся!..

Отпустить Агнию Илья никак не мог. В обнимку они подошли к столу, вокруг которого толпился народ.

На столе лежала небольшая картина.

На картине было изображено море — от края до края. Оно было лазурным, зелёным, синим, чёрным!.. Над ним сияло солнце и дул крепкий ветер. Непостижимым образом ветер тоже был нарисован. И крик чаек был нарисован, и скрип баркасов у пристани. Море веселилось и играло, гоняло белоснежных барашков — целые стада. Море было огромным и праздничным, и странным образом картина вмещала его целиком!..

На берегу, на перевёрнутой лодке бок о бок сидели крепкий старик и небольшая коричневая обезьяна. Они сидели вдвоём и смотрели на море.

Илья разглядывал их и молчал.

— Вот, — сказал Матвей в конце концов. — Ты понимаешь? Они всё время были там. Но я же не знал! Я думал, их давно нет. А они были там!..

Илья молчал. И все остальные молчали тоже.

— Ничего не исчезает, — продолжал Матвей. — Сейчас я точно знаю.

У Ильи плыло и двоилось перед глазами, и это мешало смотреть.

Но он всё равно увидел, как шкипер повернулся и обезьяна положила морду ему в ладонь.

Благодарность

Благодарю Екатерину Рождественскую за образ поварихи Клавдии! Повариха позаимствована из книги Екатерины «Мои случайные страны» — с согласия автора, разумеется!

Литературно-художественное издание

ТАТЬЯНА УСТИНОВА. ПЕРВАЯ СРЕДИ ЛУЧШИХ

Устинова Татьяна Витальевна

СЕЛФИ С СУДЬБОЙ

Ответственный редактор *О. Рубис*
Младший редактор *П. Рукавишникова*
Художественный редактор *С. Груздев*
Технический редактор *О. Серкина*
Компьютерная верстка *Л. Панина*
Корректор *В. Соловьева*

В коллаже на обложке использованы фотографии:
van Varyukhin, BOONCHUAY PROMJIAM, hanchoo, Zastolskiy Victor / Shutterstock.com
Используется по лицензии от Shutterstock.com

ООО «Издательство «Э»
123308, Москва, ул. Зорге, д. 1. Тел. 8 (495) 411-68-86.
Өндіруші: «Э» АҚБ Баспасы, 123308, Мәскеу, Ресей, Зорге көшесі, 1 үй.
Тел. 8 (495) 411-68-86.
Тауар белгісі: «Э»
Қазақстан Республикасында дистрибьютор және өнім бойынша арыз-талаптарды қабылдаушының өкілі «РДЦ-Алматы» ЖШС, Алматы қ., Домбровский көш., 3«а», литер Б, офис 1.
Тел.: 8 (727) 251-59-89/90/91/92, факс: 8 (727) 251 58 12 вн. 107.
Өнімнің жарамдылық мерзімі шектелмеген.
Сертификация туралы ақпарат сайтта Өндіруші «Э»

Сведения о подтверждении соответствия издания согласно законодательству РФ о техническом регулировании можно получить на сайте Издательства «Э»

Өндірген мемлекет: Ресей
Сертификация қарастырылмаған

Подписано в печать 26.01.2017. Формат 84×108 $^{1}/_{32}$.
Гарнитура «Ньютон». Печать офсетная. Усл. печ. л. 16,8.
Тираж 80000. Заказ № 7230/17.

Отпечатано в соответствии с предоставленными материалами в ООО «ИПК Парето-Принт». 170546, Тверская область, Промышленная зона Боровлёво-1, комплекс №3 «А». www.pareto-print.ru

Оптовая торговля книгами Издательства «Э»:
142700, Московская обл., Ленинский р-н, г. Видное,
Белокаменное ш., д. 1, многоканальный тел.: 411-50-74.

По вопросам приобретения книг Издательства «Э» зарубежными оптовыми покупателями обращаться в отдел зарубежных продаж
International Sales: International wholesale customers should contact Foreign Sales Department for their orders.

По вопросам заказа книг корпоративным клиентам, в том числе в специальном оформлении, *обращаться по тел.: +7 (495) 411-68-59, доб. 2261.*

Оптовая торговля бумажно-беловыми и канцелярскими товарами для школы и офиса:
142702, Московская обл., Ленинский р-н, г. Видное-2,
Белокаменное ш., д. 1, а/я 5. Тел./факс: +7 (495) 745-28-87 (многоканальный).

Полный ассортимент книг издательства для оптовых покупателей:
В Санкт-Петербурге: ООО СЗКО, пр-т Обуховской Обороны, д. 84Е.
Тел.: (812) 365-46-03/04.

В Нижнем Новгороде: 603094, г. Нижний Новгород, ул. Карпинского, д. 29,
бизнес-парк «Грин Плаза». Тел.: (831) 216-15-91 (92/93/94).

В Ростове-на-Дону: ООО «РДЦ-Ростов», 344023, г. Ростов-на-Дону,
ул. Страны Советов, 44 А. Тел.: (863) 303-62-10.

В Самаре: ООО «РДЦ-Самара», пр-т Кирова, д. 75/1, литера «Е».
Тел.: (846) 269-66-70.

В Екатеринбурге: ООО«РДЦ-Екатеринбург», ул. Прибалтийская, д. 24а.
Тел.: +7 (343) 272-72-01/02/03/04/05/06/07/08.

В Новосибирске: ООО «РДЦ-Новосибирск», Комбинатский пер., д. 3.
Тел.: +7 (383) 289-91-42.

В Киеве: ООО «Форс Украина», г. Киев,пр. Московский, 9 БЦ «Форум».
Тел.: +38-044-2909944.

Полный ассортимент продукции Издательства «Э» можно приобрести в магазинах «Новый книжный» и «Читай-город».
Телефон единой справочной: 8 (800) 444-8-444.
Звонок по России бесплатный.

В Санкт-Петербурге: в магазине «Парк Культуры и Чтения БУКВОЕД»,
Невский пр-т, д.46. Тел.: +7(812)601-0-601, www.bookvoed.ru

Розничная продажа книг с доставкой по всему миру.
Тел.: +7 (495) 745-89-14.

ISBN 978-5-699-95331-8

9 785699 953318 >

16+

Читайте захватывающий роман первой среди лучших!

Они искали спасения, а попали в водоворот новых испытаний...

Романы неповторимой Татьяны Устиновой теперь в новом стильном оформлении!